A VIDA NAS ESFERAS ESPIRITUAIS

COMENTANDO AS PSICOGRAFIAS DE
CHICO XAVIER

Solicite nosso catálogo completo, com mais de 400 títulos, onde você encontra as melhores opções do bom livro espírita: literatura infantojuvenil, contos, obras biográficas e de autoajuda, mensagens espirituais, romances, estudos doutrinários, obras básicas de Allan Kardec, e mais os esclarecedores cursos e estudos para aplicação no centro espírita – iniciação, mediunidade, reuniões mediúnicas, oratória, desobsessão, fluidos e passes.

E caso não encontre os nossos livros na livraria de sua preferência, solicite o endereço de nosso distribuidor mais próximo de você.

Edição e distribuição

EDITORA EME
Caixa Postal 1820 – CEP 13360-000 – Capivari-SP
Telefones: (19) 3491-7000 | 3491-5449
Vivo (19) 9 9983-2575 ⊙ | Claro (19) 9 9317-2800
vendas@editoraeme.com.br – www.editoraeme.com.br

GEZIEL ANDRADE

A VIDA NAS ESFERAS ESPIRITUAIS

COMENTANDO AS PSICOGRAFIAS DE

CHICO XAVIER

Capivari-SP
– 2019 –

© 2019 Geziel Andrade

Os direitos autorais desta obra foram cedidos pelo autor para a Editora EME, o que propicia a venda dos livros com preços mais acessíveis e a manutenção de campanhas com preços especiais a Clubes do Livro de todo o Brasil.

A Editora EME mantém o Centro Espírita "Mensagem de Esperança" e patrocina, junto com outras empresas, instituições de atendimento social de Capivari-SP.

1ª edição – dezembro/2019 – 3.000 exemplares

CAPA | André Stenico
DIAGRAMAÇÃO E PROJETO GRÁFICO | Marco Melo
REVISÃO | Letícia Rodrigues de Camargo

Ficha catalográfica

Andrade, Geziel, 1948
    A vida nas esferas espirituais – 1ª ed. dez. 2019 – Capivari-SP: Editora EME.
    392 p.

    ISBN 978-85-9544-130-9

1. Espiritismo. 2. A vida nas esferas espirituais. 3. Situação dos espíritos após a morte. 4. Organização e trabalho na vida espiritual.
I. TÍTULO.

CDD 133.9

SUMÁRIO

—◄————⟨•♥•⟩————►—

Capítulo 1
Apresentação 9

Capítulo 2
Fatos importantes que marcaram o surgimento dos livros
psicografados por Chico Xavier...13

PRIMEIRA PARTE – TRINDADE UNIVERSAL

Capítulo 3
Deus 35

Capítulo 4
Espírito 45

Capítulo 5
Matéria..51

SEGUNDA PARTE – RELAÇÃO ENTRE OS ESPÍRITOS, OS MUNDOS
MATERIAIS E SUAS ESFERAS ESPIRITUAIS

Capítulo 6
Vida dos espíritos nas regiões da crosta dos planetas materiais
habitados e nas regiões das suas esferas espirituais...........................61

Capítulo 7
Bênçãos da encarnação para os espíritos em evolução 65

Capítulo 8
Situações em que a alma se encontra após a desencarnação.............71

Capítulo 9
Atividades incessantes dos benfeitores espirituais............................97

Capítulo 10
Múltiplas esferas espirituais..105

Capítulo 11·
Inter-relações entre os espíritos encarnados na Terra e os espíritos
que habitam as regiões da primeira esfera espiritual (umbral) 119

Capítulo 12
Detalhes das estradas, caminhos e meios de transporte entre as
diferentes regiões das esferas espirituais 125

Capítulo 13
Mente, cérebro, vontade, intelecto, sentimento, emoção, senso
moral, pensamento, fala, atitude, ação, memória e consciência 135

Capítulo 14
Exércitos de benfeitores espirituais e espíritos iluminados
que atuam em benefício dos espíritos e homens...............................143

TERCEIRA PARTE – ESPÍRITOS, REGIÕES E COLÔNIAS DA PRIMEIRA
ESFERA ESPIRITUAL

Capítulo 15
Condições de vida dos espíritos ainda moralmente imperfeitos que
habitam as regiões áridas e tristes da primeira
esfera espiritual (umbral)..155

Capítulo 16
Cidades, colônias e organizações que os espíritos ainda
imperfeitos constroem no umbral 173

Capítulo 17
Benfeitores espirituais que ajudam os homens no combate aos
processos obsessivos..183

Capítulo 18
Lei de causa e efeito, ação e reação, semeadura e colheita,
atitude e consequência, obra e resultado...187

Capítulo 19
Atuações incessantes dos benfeitores espirituais em toda parte
da crosta da Terra e das suas vizinhanças espirituais......................193

QUARTA PARTE – REGIÕES DA SEGUNDA ESFERA ESPIRITUAL E DAS ESFERAS INTERMEDIÁRIAS DA VIDA ESPIRITUAL

Capítulo 20
Boas condições de vida para os espíritos que habitam as colônias existentes nas regiões da segunda esfera espiritual 203

Capítulo 21
Colônias espirituais lindas e bem estruturadas 207

Capítulo 22
Regiões habitadas por espíritos com características e costumes bem diferentes 209

Capítulo 23
Ajuda aos compatriotas que ficaram retidos no umbral ou vivendo na crosta da Terra 211

Capítulo 24
Sol 213

Capítulo 25
Lua 215

Capítulo 26
Água 217

Capítulo 27
Vegetação 219

Capítulo 28
Animais e aves 223

Capítulo 29
Música celeste 225

Capítulo 30
Trabalhos e atividades incessantes 231

Capítulo 31
Outras ocupações dos bons espíritos para o tempo disponível 237

Capítulo 32
Regiões destinadas aos reencontros espirituais 239

Capítulo 33
Diferenças entre as muitas colônias espirituais 241

Capítulo 34
Governos, ministérios e departamentos nas sociedades espirituais 243

Capítulo 35
Construções e edificações nas colônias espirituais 247

Capítulo 36
Visitas dos espíritos encarnados às regiões da segunda esfera
espiritual...257

Capítulo 37
Alimentação do perispírito..275

Capítulo 38
Roupas para o perispírito 285

Capítulo 39
Luminosidade do perispírito 287

Capítulo 40
Comunicação e linguagem dos espíritos elevados 289

Capítulo 41
Volitação...291

Capítulo 42
Máquinas, aparelhos e veículos construídos pelos bons espíritos 297

Capítulo 43
Invisibilidade do espírito mais elevado...305

Capítulo 44
Reencontros com os espíritos familiares e amigos espirituais 317

Capítulo 45
Recordação e revisão das vidas passadas 321

Capítulo 46
Detalhes das complexidades envolvidas nos processos
de reencarnação...331

QUINTA PARTE – ESFERAS SUPERIORES DA VIDA ESPIRITUAL

Capítulo 47
Condições de vida, ocupações e atividades dos espíritos
superiores nas regiões das esferas espirituais localizadas
bem acima da crosta da Terra 369

Palavras finais: tributo, homenagem e gratidão a
Chico Xavier..387
Bibliografia..389

Capítulo 1

APRESENTAÇÃO

——◄•♥•►——

ESTE LIVRO CONTÉM UMA compilação detalhada e conscienciosa das surpreendentes revelações sobre a grandiosidade da obra de Deus, feitas principalmente pelos espíritos Maria João de Deus, Emmanuel, Irmão X, Irmão Jacob e André Luiz, através do inigualável médium Chico Xavier.

Assim, o livro aborda em detalhes as complexas inter-relações entre as condições de vida e realidades existentes tanto no lado espiritual, quanto no lado material do Universo, detalhando com fidelidade a dimensão verdadeira da obra da criação.

O livro oferece ainda um passo a passo muito acessível, criterioso e pormenorizado, das revelações inusitadas dos bons espíritos sobre as coisas surpreendentes existentes nas regiões das esferas espirituais que eles habitam, bem como as suas relações com os homens na crosta da Terra.

Desse modo, o livro permite um mergulho profundo no conteúdo das principais revelações que tratam da obra de Deus, psicografadas pelo respeitado e admirado médium brasileiro, situando-nos no contexto abrangente e complexo em que estamos inseridos na maravilhosa Criação do Pai Eterno.

Com formas de expressões bem claras e simples, o leitor verá reafirmadas e complementadas as realidades espirituais que estão contidas nas magistrais obras de Allan Kardec, notadamente no que se refere às leis de Deus; estrutura, dimensão e amplitude do Universo; finalidade da obra da criação; destino angélico para todos os filhos do Pai Onipotente; relações incessantes entre as vidas espiritual e material e entre os espíritos desencarnados e encarnados; tríplice composição do homem; consequências no plano espiritual e nas próximas reencarnações dos atos morais praticados durante a jornada evolutiva terrena, em função da Justiça de Deus; e providências, virtudes, valores e qualidades necessárias à ascensão da alma às moradas dos espíritos bem-aventurados nas regiões das esferas superiores da vida maior.

A respeito desses pontos, Allan Kardec destacou o seguinte em seu inusitado livro *O Céu e o Inferno*:

> O mundo espiritual estende-se por toda parte, ao redor de nós e através do espaço. Nenhum limite podemos assinalar para ele.
>
> A felicidade dos espíritos, sendo inerente às suas próprias qualidades, eles a gozam por toda parte, onde quer que se encontrem, na face da Terra, entre os encarnados ou no espaço.
>
> O mundo espiritual está repleto de esplendores, harmonias e sensações que os espíritos inferiores, ainda sujeitos às influências da matéria, não podem sequer entrever, pois são acessíveis apenas aos espíritos depurados.
>
> A felicidade suprema é prêmio exclusivo dos espíritos perfeitos, o que vale dizer dos espíritos puros. Eles a atingem só depois de haver progredido em inteligência e moralidade.
>
> A encarnação é necessária ao espírito para conseguir esse duplo progresso intelectual e moral.
>
> Deus, soberanamente justo e bom, concede ao espírito tantas existências quantas forem necessárias para atingir o seu objetivo, que é a perfeição.
>
> No intervalo das existências corpóreas o espírito volta por tempo mais ou menos longo ao mundo espiritual, onde é feliz ou infeliz, segundo o bem ou o mal que tenha praticado.

Ninguém imaginou que as almas, após a morte, devessem estar nesta ou naquela situação. Foram os próprios seres que já deixaram a Terra que vieram nos iniciar nos mistérios da vida futura, descrever a sua situação feliz ou infeliz, as impressões que sofreram e a transformação por que passaram com a morte do corpo. Numa palavra: vieram completar nesse ponto o ensino do Cristo.

Por toda parte há vida e movimento. Não há um recanto do infinito que não esteja povoado, nenhuma região que não seja incessantemente percorrida por inumeráveis legiões de seres radiosos, invisíveis para os sentidos grosseiros dos encarnados, mas cuja visão enche de admiração e de alegria as almas libertas da matéria.

Embora os espíritos estejam por toda parte, os mundos constituem os lares em que eles de preferência se reúnem, em razão da sintonia existente entre eles e os que os habitam. Ao redor dos mundos adiantados a maioria dos espíritos são superiores; ao redor dos mundos atrasados pululam os espíritos inferiores. A Terra é ainda um destes últimos.

Como é sublime o que o espiritismo nos proporciona! Como a sua doutrina engrandece os conceitos, alarga o pensamento!

Já os espíritos acima citados, através das psicografias de Chico Xavier, reafirmaram e complementaram todos os conceitos contidos nas obras da codificação kardequiana, conforme veremos nos capítulos seguintes.

Portanto, convido o prezado leitor a analisar, com a mente aberta, as contribuições valiosas que foram prestadas ao espiritismo pelas obras psicografadas pelo notável médium Chico Xavier, e a realizar, com o raciocínio livre, profundas reflexões acerca da inimaginável dimensão do Universo e da grandiosidade das Criações de Deus.

Campinas, 15 de outubro de 2019
Geziel Andrade

Capítulo 2

FATOS IMPORTANTES QUE MARCARAM O SURGIMENTO DOS LIVROS PSICOGRAFADOS POR CHICO XAVIER

———— ‹ • ♥ • › ————

FRANCISCO CÂNDIDO XAVIER NASCEU na pequena cidade de Pedro Leopoldo, Estado de Minas Gerais, no dia 02 de abril de 1910, na família simples do casal João Cândido Xavier (trabalhador em uma fábrica de tecidos e vendedor de bilhetes de loteria) e Maria João de Deus (lavadeira e prendas do lar). O casal teve nove filhos, o que era normal para a época.

MÃE DE CHICO XAVIER

A mãe de Chico Xavier foi uma pessoa muito bondosa e religiosa. Sempre demonstrou grande amor e dedicação aos seus familiares. Ela faleceu em 29 de setembro de 1915, quando o menino tinha apenas cinco anos de idade.

Antevendo o seu falecimento, pela gravidade da enfermidade que contraíra, previdentemente, cuidou de encaminhar os seus filhos para morar nas casas de pessoas amigas e confiáveis, porque sabia que o seu marido não teria condições de acompanhar a vida, cuidar e educar sozinho todas as crianças.

Porém, fez isso alertando aos seus filhos que teria que fazer um tratamento hospitalar prolongado, em um local bem distante. Somente quando estivesse novamente curada e sadia, voltaria para o seu lar para ficar junto com os seus entes queridos.

DEPOIS DO FALECIMENTO DA MÃE DE CHICO XAVIER

Ocorrido o falecimento de dona Maria, Chico Xavier foi encaminhado para morar na casa de Maria Rita de Cássia, conhecida como Ritinha, em companhia de seu marido José Felizardo e de um menino chamado Moacir.

Nessa nova residência ficou por quase dois anos, tendo sofrido muitos maus-tratos e agressões físicas, inclusive apanhado muito com uma vara de marmeleiro.

Nesse local, adquiriu o bom hábito de rezar para Deus, debaixo de uma bananeira, pedindo inclusive em benefício dessa mulher que o maltratava muito. Mas, numa tarde, foi surpreendido com a presença de sua mãe ao seu lado.

A aparição lhe foi tão natural, que supôs que ela realmente havia voltado curada do tratamento hospitalar, com o objetivo de levá-lo de volta para a sua casa verdadeira.

Porém, a sua mãe explicou-lhe que ela realmente não estava mais em tratamento no hospital; mas que tinha vindo apenas para vê-lo devido às saudades. Então, ela não poderia levá-lo de volta para casa, de forma que deveria continuar tendo calma e paciência ante as atitudes inconvenientes e agressões que vinha sofrendo por parte de sua tutora.

Até então, Chico Xavier jamais tinha ouvido falar em mediunidade e nem em aparição de espírito tão visível, embora desde os quatro anos de idade já ouvisse vozes de origem desconhecida, as quais algumas pessoas atribuíam às almas dos mortos.

A BONDOSA SUBSTITUTA DA MÃE DE CHICO XAVIER

Dois anos depois de ter ocorrido, em 1915, o falecimento da mãe de Chico Xavier, o seu pai se casou novamente com dona Cidália Batista, com quem teve mais seis filhos.

Com as segundas núpcias de seu pai, um fato inimaginável aconteceu: dona Cidália decidiu reunir novamente os filhos do primeiro casamento de João Cândido Xavier, que estavam dispersos. Desse modo, os nove irmãos se reuniram novamente no antigo e doce lar.

Especificamente para Chico Xavier, ocorreu o fim das agressões e dos atos constrangedores que duraram cerca de dois anos. Desse modo, teve início um período de muita paz e alegria ao lado da sua madrasta muito bondosa.

Com essa mudança inesperada e agradável, Chico Xavier teve a tranquilidade e disposição para cuidar de suas atividades escolares, do seu trabalho na horta doméstica e para frequentar regularmente a igreja católica, comandada pelo amigo e bondoso padre Sebastião Scarzelli.

Mas, mesmo ao lado de sua madrasta, considerada sua segunda mãe, Chico Xavier continuou a receber a visita e ver a aparição do espírito de sua mãe verdadeira. Comentava esse fato com frequência com dona Cidália, que sabia fugir de modo hábil desse assunto incompreensível e até mesmo assustador.

Ela compreendia que esse fenômeno espiritual era quase sempre abordado com muito medo e preconceitos, o que poderia despertar insegurança na criança. Além disso, o próprio pai de Chico já demonstrava descontentamento com essas visões, dizendo que o menino sofria de alguma perturbação mental, porque começou a ouvir vozes estranhas desde os quatro anos de idade. E, para piorar, agora, com sete anos, vinha tendo estranhas visões da alma de sua mãe no quintal da casa.

Falecimento de dona Cidália

Dona Cidália tornou-se uma excelente madrasta, até que veio a falecer em 19 de abril de 1931, deixando 6 filhos, que precisaram ser criados, alimentados e educados com os recursos financeiros que Chico Xavier conseguia ganhar.

Vida profissional de Chico Xavier

Aos dez anos de idade, Chico Xavier obteve o seu primeiro emprego, como aprendiz na Companhia de Fiação e Tecelagem Cachoeira Grande. Entrava no serviço às três horas da tarde e saía somente depois da meia-noite, quando os trabalhos estavam em ordem.

Mesmo assim, conseguiu frequentar a escola primária no período das sete horas da manhã até às 11 horas. Depois de almoçar, descansava um pouco. Em seguida, fazia as suas lições escolares. Assim, prosseguiu nessa rotina diária até 1923, quando concluiu a sua formação escolar básica.

Depois de três anos de trabalhos árduos na Fiação e Tecelagem, Chico Xavier adoeceu dos pulmões. Então, teve que procurar outro emprego, até ter conseguido ir trabalhar como auxiliar de balcão e cozinha no Bar Elite.

Aos dezesseis anos de idade, Chico Xavier mudou-se novamente de local de trabalho, quando assumiu a função de caixeiro no armazém do sr. José Felizardo Sobrinho, desempenhando tarefas bem mais tranquilas do que as que eram realizadas no bar.

Nas horas de folga, passou a cuidar também da horta de alho que existia no quintal desse estabelecimento comercial.

AFLORAMENTO DA MEDIUNIDADE DE CHICO XAVIER

Para a surpresa de Chico Xavier, ocorreu o afloramento da sua mediunidade de vidência, pois começou a receber visitas, ver e conversar com os espíritos que diziam ser poetas desencarnados.

A partir de então, começaram a haver mudanças inimagináveis e radicais em seu modo de entender e ver a vida material.

A PRIMEIRA PSICOGRAFIA

Chico Xavier estava bastante integrado nas atividades religiosas da igreja católica, o que não lhe permitia adquirir quaisquer noções sobre os fatos e fenômenos espíritas. Então, teve grande dificuldade em entender como era possível ver a presença de um espírito que lhe dizia ser Augusto dos Anjos. A perplexidade aumentou, quando este espírito lhe ditou a primeira poesia mediúnica intitulada Vozes de uma sombra.

APROXIMAÇÃO DO ESPIRITISMO

Em maio de 1927, a irmã de Chico Xavier, chamada Maria Conceição Xavier, ficou doente. Estava sofrendo de uma terrível obsessão espiritual, por parte de um mau espírito. Não havia qualquer recurso da medicina que se mostrasse eficaz para promover a cura. Então, como providência alternativa, a moça foi levada para fazer um tratamento espiritual, nas sessões espíritas realizadas na casa do sr. José Hermínio Perácio, numa tentativa de obter a tão desejada cura.

Mas, o processo de recuperação da saúde da jovem não apresentou resultado imediato: foi persistente, longo e constrangedor. Nesse período de tempo, Chico Xavier dedicou-se a conhecer em profundidade o conteúdo dos livros *O Evangelho segundo o Espiritismo* e *O Livro dos Espíritos*, de Allan Kardec. Frequentando as sessões espíritas, compreendeu, com o passar do tempo, toda a dinâmica das realidades espirituais e dos fatos e fenômenos espíritas, tendo decidido ligar-se ao espiritismo, em 1927.

Desse modo, teve a oportunidade de conhecer os modos de estabelecer contatos mediúnicos frequentes, sérios, seguros e instrutivos com os espíritos de todas as ordens de saber e moralidade; de adquirir conhecimentos suficientes para analisar as diferentes manifestações e comunicações inteligentes dessas entidades espirituais.

CARTAS RECEBIDAS DO ESPÍRITO DE SUA MÃE

Ao mesmo tempo em que Chico Xavier acompanhava de perto o tratamento espiritual de sua irmã Maria Conceição e aprendia e estudava o espiritismo nas sessões espíritas, ele, bastante surpreso, começou a receber extensas cartas do espírito de sua mãe Maria João de Deus. Os conteúdos das missivas eram bastante elucidativos sobre vários assuntos do cotidiano, mas expressavam, sobretudo, as preocupações e o profundo amor materno. Essas cartas vinham através da mediunidade de psicografia de dona Carmem Pena Perácio, esposa do sr. José Hermínio.

FUNDAÇÃO DO CENTRO ESPÍRITA LUIZ GONZAGA

Foi assim que Chico Xavier estabeleceu estreitas ligações com o espiritismo. Ao mesmo tempo em que frequentava as reuniões espíritas que ofereciam tratamento espiritual eficiente para o mal enfrentado pela sua irmã, obtinha muitas comunicações familiares do espírito de sua mãe.

Com o crescimento das atividades espíritas muito idôneas, o casal amigo decidiu fundar, em 21 de junho de 1927, em Pedro Leopoldo, com a participação de diversos companheiros espíritas da localidade, o Centro Espírita Luiz Gonzaga. O local mais ideal e apropriado encontrado foi um salão emprestado por dona Josepha Barbosa Chaves, em sua própria residência, onde Chico Xavier desenvolveu a sua mediunidade e começou a produzir os seus trabalhos mediúnicos.

Em novembro de 1928, o Centro Espírita Luiz Gonzaga foi transferido para uma sala na casa de José Xavier, irmão de Chico, onde funcionou até 02 de abril de 1948, quando houve a inauguração da sua sede própria, no mesmo terreno em que Chico Xavier morava.

REUNIÕES ESPÍRITAS A PARTIR DE 08 DE JULHO DE 1927

Durante o andamento da sessão espírita de 08 de julho de 1927, dona Carmem transmitiu a Chico Xavier o conselho que lhe foi oferecido por um benfeitor espiritual: ele deveria tomar um lápis e papel para tentar a psicografia de textos.

Chico Xavier, com humildade, seguiu prontamente essa recomendação. Então, para a surpresa de todos, começou a psicografar facilmente e rapidamente diversas pequenas mensagens ditadas pelos bons espíritos.

Alguns dias depois, numa outra reunião espírita realizada na casa do mesmo casal, na fazenda em Maquiné, MG, dona Carmem ouviu um amigo espiritual dizer para que Chico Xavier tomasse outra vez do lápis e papel para tentar a psicografia.

Ele passou novamente a escrever com muita desenvoltura,

só que desta vez recebendo as primeiras orientações dadas, através da própria psicografia, pelo espírito de sua mãe querida. Ela continuava se mostrando bastante preocupada com o andamento do tratamento espiritual de sua filha Maria Conceição, a ponto de escrever recomendações para que a cura fosse obtida mais rapidamente. Além disso, o espírito da mãe do médium ofereceu-lhe valiosos conselhos espirituais, e escreveu variados conselhos para as demais pessoas que estavam participando da sessão espírita.

Chuva de livros

Numa das reuniões mediúnicas realizadas no Centro Espírita Luiz Gonzaga, dona Carmem viu, com sua vidência apurada, uma cena de difícil entendimento para as pessoas presentes no local. Chovia livros sobre a cabeça de Chico Xavier, bem como sobre as das demais pessoas que estavam na sessão espírita.

Somente bem mais à frente, essa cena plasmada pelos benfeitores espirituais foi desvendada e entendida claramente. Tratava-se do prenúncio da missão que Chico Xavier iria cumprir no movimento espírita: psicografar livros escritos por muitos espíritos, reafirmando e complementando os princípios religiosos, morais, filosóficos e científicos do espiritismo. Mas, mesmo assim, jamais alguém chegou a suspeitar ou imaginar que o médium iria psicografar centenas de livros.

Psicografias em abundância

Chico Xavier psicografou, a partir de sua iniciação e adesão ao espiritismo, muitas mensagens elaboradas por diversos espíritos. Recebeu inclusive muitos lindos poemas de poetas desencarnados, cujos nomes e estilos literários dos autores lhe eram totalmente desconhecidos. Chegou mesmo a psicografar, em certas noites, até três poemas inusitados, ditados por diferentes espíritos poetas.

Com o passar do tempo, em função da quantidade e qualidade dos poemas recebidos dos poetas do Além, Chico Xavier foi aconselhado a enviar o material psicografado para o senhor Manuel Quintão, diretor da Federação Espírita Brasileira.

A resposta demorou bastante para chegar, mas quando veio, Chico teve um parecer abalizado: os poemas eram muito bem elaborados e tinham um valor inestimável para o movimento espírita. Por isso, seriam reunidos em um livro a ser oportunamente publicado.

DISTANCIAMENTO DO CASAL AMIGO E ORIENTADOR SEGURO

No período de 1928 a 1934, o casal José Hermínio e dona Carmem Pena, que morava em Pedro Leopoldo, acompanhou de perto e com muito interesse o desenvolvimento do trabalho mediúnico de Chico Xavier. Mas, então, tiveram que se mudar para a distante Belo Horizonte-MG, afastando-se do Centro Espírita Luiz Gonzaga, que já apresentava surpreendente crescimento em suas atividades doutrinárias.

As psicografias realizadas por Chico Xavier eram notáveis, abordando, com regularidade, os mais variados assuntos. Algumas delas já haviam sido enviadas para publicação no jornal espírita Aurora, do Rio de Janeiro.

Nessa ocasião, a presidência do centro espírita estava a cargo de José Cândido Xavier, irmão de Chico Xavier, mas era o senhor Ataliba Ribeiro Vianna quem prestava valiosas contribuições para que todos os trabalhos espíritas se desenvolvessem a contento.

Novo emprego de Chico Xavier

Em 1931, Chico Xavier mudou novamente de emprego. Desta vez, foi trabalhar na Fazenda Modelo, numa vaga no setor de limpeza da Inspetoria Regional do Serviço de Fomento da Produção Animal do Ministério da Agricultura.

Foi aí que deu início à sua nova carreira profissional, que durou 32 anos, até que se aposentou como escriturário. Durante esse período de tempo, Chico Xavier jamais se afastou, sequer um dia, da realização do seu trabalho mediúnico.

Nesse novo emprego, Chico Xavier estabeleceu importantes laços de ligação e amizade com o diretor da Fazenda Modelo, dr. Rômulo Joviano. Este senhor se tornou espírita em 1935, após ter recebido uma amorosa e elucidativa carta do espírito de seu pai, psicografada pelo seu amigo e médium.

Com isso, de 1935 a 1952, todas as quartas-feiras, na casa do dr. Rômulo Joviano, foram realizadas reuniões espíritas para a leitura do Evangelho e sessões de comunicação com os espíritos, bastante produtivas.

Manifestações do espírito Emmanuel

A partir de 1931, Chico Xavier começou a estabelecer contatos cada vez mais estreitos com o espírito Emmanuel. Numa das reuniões mediúnicas, esse espírito elevado se propôs a escrever alguns livros através de sua psicografia, desde que ele adotasse grande disciplina no trabalho.

Como Chico Xavier tinha grande dedicação aos trabalhos de psicografia de livros, esse espírito sábio e bondoso se tornou o seu melhor amigo e guia espiritual. Porém, jamais deixou de cobrar dele muito estudo do espiritismo, humildade e disciplina em seu trabalho de manifestações mediúnicas.

Foi assim que Chico Xavier psicografou incontáveis comunicações e mensagens do espírito Emmanuel, as quais, a partir de 1938, passaram a ser publicadas, com o lançamento do primeiro livro intitulado *Emmanuel*. Este espírito era muito produtivo e com surpreendente habilidade escreveu dezenas de livros abordando a grandeza evangélica e doutrinária do espiritismo.

DIFICULDADES ENFRENTADAS PELO MÉDIUM

Infelizmente, apareceram na vida do médium grandes dificuldades, de todas as ordens, exigindo que fossem enfrentadas de frente. Surgiram as limitações na visão, com uma catarata que exigiu tratamento muito prolongado na busca da cura, que se mostrava cada vez mais difícil. Os problemas financeiros para o sustento da família jamais cessaram, dificultando, muitas vezes, o pagamento das contas mensais, embora ele estivesse sempre empregado. As provações árduas surgiam com frequência na convivência e no relacionamento com os familiares, exigindo entendimento e paciência. Os opositores da doutrina espírita jamais deram trégua em seus ataques inescrupulosos, em defesa de seus interesses particulares. Os preconceitos apareciam de forma velada, pela sua participação como médium no espiritismo, afastando dele pessoas que julgavam ter prestígio e ser influentes na sociedade. Certos amigos afastaram-se também descontentes com as suas produções mediúnicas, ditas contrárias às suas crenças e dogmas religiosos. Certas pessoas vigiavam atentamente suas atitudes, palavras e ações, procurando encontrar argumentos para combater os seus trabalhos de psicografia que cresciam, chamavam a atenção e despertavam admiração e respeito.

Felizmente, Chico Xavier contou sempre com o amparo dos amigos e companheiros sinceros e das orientações precisas oferecidas principalmente pelo espírito Emmanuel. Então, jamais lhe faltaram recomendações oferecendo-lhe esperança, coragem e paciência. As provações iriam passar, as ofensas recebidas precisavam, de imediato, ser esquecidas, a persistência e disciplina nos trabalhos precisariam continuar, porque o trabalho de publicação de livros psicografados levaria ao pleno êxito na missão mediúnica inovadora e consoladora de tornar o espiritismo mais amplamente difundido.

REPERCUSSÕES DO LANÇAMENTO DO PRIMEIRO LIVRO MEDIÚNICO

Em julho de 1932, a Federação Espírita Brasileira (FEB) lançou a primeira edição do livro *Parnaso de além-túmulo*, reunindo dezenas de poemas bem estruturados, lindos e instrutivos, compostos por vários poetas desencarnados.

A grande repercussão deveu-se ao fato da obra psicografada ter vindo a lume pelas mãos de um jovem de apenas 22 anos, duma cidade pequena do interior do Estado de Minas Gerais, que não possuía biblioteca pública para a consulta ou a cópia dos estilos diferentes e marcantes de cada um dos poetas famosos.

Além disso, esse trabalho literário mediúnico inusitado mostrava-se totalmente incompatível com o nível intelectual e cultural do médium, que detinha apenas uma instrução escolar primária; ocupava posto de trabalho muito simples; cumpria a enorme responsabilidade de ajudar no sustento de uma família grande e pobre; teve a sua formação religiosa numa igreja católica muito tradicional; e dispunha de quase nenhum recurso e tempo disponível para aprender e se dedicar à difícil arte da poesia, com formas literárias complexas, estilos variados e características dominadas apenas pelos poetas renomados.

Em função disso, a repercussão desse lançamento inusitado, por parte da FEB, atingiu grande parte da sociedade, tornando-se, logo, um assunto polêmico.

Felizmente, surgiram muitos aliados fazendo defesas oportunas; muitos espíritas estudiosos e esclarecidos vieram a público com argumentos incontestáveis, mostrando que as manifestações e comunicações inteligentes dos espíritos já ocorriam desde a época de Allan Kardec.

O grande público apreciador de poesias também respondeu positivamente a essa primeira edição do livro de poemas psicografados, a ponto de se esgotar muito rapidamente.

Com o grande interesse e a demanda persistente por parte do grande público, novas edições do livro tiveram que ser feitas cada vez mais ampliadas e aperfeiçoadas pela Federação Espírita Brasileira.

A oitava edição da obra se tornou a definitiva e a nona edição mereceu a inclusão de um notável estudo técnico realizado por Elias Barbosa. Este especialista comentou cada poema, demonstrando claramente a harmonia existente com o estilo da obra realizada em vida por cada poeta desencarnado.

Com essas ampliações e aperfeiçoamentos ocorridos ao longo do tempo, a versão definitiva da obra reúne 259 poesias mediúnicas de 56 poetas famosos, tornando-se um primor da literatura espírita, e conquistando a admiração, elogios e respeito, inclusive de alguns críticos literários que, de início, mostraram-se fortes opositores dos princípios do espiritismo contidos nos versos.

No prefácio dessa obra inusitada, falaram alto e de modo convincente as seguintes afirmações do próprio médium a respeito da forma que obteve as poesias elaboradas e assinadas pelos espíritos dos poetas brasileiros e portugueses famosos:

O que posso afirmar, categoricamente, é que, em consciência, não posso dizer que são minhas, porque não despendi nenhum esforço intelectual ao grafá-las no papel.

Julgo do meu dever declarar que nunca evoquei quem quer que fosse; essas produções chegaram-me sempre espontaneamente, sem que eu ou meus companheiros de trabalhos as provocássemos, e jamais se pronunciou, em particular, o nome de qualquer dos comunicantes, em nossas preces.

Portanto, o tempo cuidou para que as inúmeras repercussões favoráveis prevalecessem e ficassem plenamente consolidados os bons resultados incontestáveis dessa primeira obra mediúnica. Graças à iniciativa da FEB, as atenções se voltaram para as extraordinárias faculdades mediúnicas do médium brasileiro.

Lançamento da segunda obra mediúnica de Chico Xavier

No segundo semestre de 1935, houve o lançamento, através da Livraria Allan Kardec Editora – LAKE, de outro livro surpreendente da lavra mediúnica de Chico Xavier. Trata-se da obra intitulada *Cartas de uma morta*, de autoria do espírito Maria João de Deus, mãe do médium, falecida em 1915.

O novo livro reuniu diversas cartas do espírito de uma mãe amorosa endereçadas ao próprio filho. As missivas do coração materno continham as respostas às perguntas que o filho havia lhe dirigido de um modo muito particular.

Chico Xavier pediu ao espírito de sua própria mãe que lhe contasse, através da sua escrita mediúnica, as principais impressões que ela tinha tido, após a sua entrada na vida espiritual.

As respostas vieram na forma de diversas cartas emocionantes, contendo revelações inusitadas, feitas pelo espírito da mãe do médium, causando surpresas, a ponto de estimularem a composição de um livro inédito no movimento espírita brasileiro. O conhecimento, em detalhes, das condições de vida complexas e maravilhosas existentes no plano espiritual, as quais foram reservadas por Deus para as almas que aportam no além-túmulo.

TRABALHOS MEDIÚNICOS INCESSANTES QUE CHEGARAM A PRODUZIR 412 LIVROS PSICOGRAFADOS E PUBLICADOS

Depois do lançamento desses dois primeiros livros espíritas, com grandes impactos favoráveis no meio espírita e na opinião pública, Chico Xavier publicou, em 1936, o livro *Palavras do infinito*, reunindo as mensagens escritas por diversos espíritos, sobre temas muito variados. Isso comprovou, mais uma vez, a grande habilidade e flexibilidade que o médium tinha em psicografar, nas mais variadas formas literárias, os ensinamentos e revelações de muitos espíritos.

Em seguida, vieram a lume os livros extraordinários do espírito Humberto de Campos. Mais adiante este espírito adotou o pseudônimo de Irmão X, para evitar maiores polêmicas sobre os direitos autorais dos seus livros, através da psicografia.

Depois, foram publicados os livros dos espíritos Emmanuel, Casimiro Cunha, André Luiz, Irmão Jacob, dentre muitos outros autores espirituais, revolucionando a literatura espírita e engrandecendo o movimento espírita.

SESSÕES DE MATERIALIZAÇÃO DE ESPÍRITOS

Nos anos de 1952 e 1953, ainda na cidade de Pedro Leopoldo, Chico Xavier começou a participar, como médium, em algumas sessões de materialização dos espíritos, que se tornaram muito famosas, atraindo a curiosidade e o interesse por esses fenômenos espíritas que estavam ocorrendo no Brasil.

Mas, o seu guia espiritual Emmanuel vedou a sua participação nesse tipo de sessão espírita. A missão dele não era materializar espíritos, mas sim o pensamento, as revelações e os ensinos dos instrutores da vida maior, com a publicação dos livros que lhe eram transmitidos através da psicografia.

MUDANÇA DE PEDRO LEOPOLDO PARA UBERABA

Chico Xavier permaneceu realizando o seu trabalho mediúnico no Centro Espírita Luiz Gonzaga, em Pedro Leopoldo, no período de 1927 a 1958, inclusive participando nas sessões de desobsessão que foram gravadas e mais adiante reproduzidas em notáveis livros publicados pela FEB.

Em janeiro de 1959, Chico Xavier tomou a decisão de se mudar para a cidade de Uberaba-MG, estimulado por Waldo Vieira, seu grande amigo e parceiro na psicografia e publicação de alguns livros importantíssimos para o movimento espírita.

Então, em Uberaba, eles passaram a trabalhar juntos na Comunhão Espírita Cristã, onde realizaram muitos trabalhos mediúnicos e assistenciais. Assim, expandiram extraordinariamente as atividades espíritas, tornando-os personalidades conhecidas até mesmo a nível internacional.

Em 1966, Waldo Vieira mudou-se para a cidade do Rio de Janeiro, em atendimento aos seus interesses particulares. Mas isso, de forma alguma, reduziu o ritmo dos trabalhos que continuaram sendo realizados por Chico Xavier, até o dia de seu falecimento.

AUTORES DAS OBRAS PSICOGRÁFICAS E PUBLICADAS

Do total de 412 obras inusitadas e extraordinárias psicografadas e publicadas até o ano 2000, (o falecimento de Chico Xavier ocorreu em 30 de junho de 2002), abrangendo todos os gêneros literários, (poesias mediúnicas; revelações detalhadas da vida e situação dos espíritos no mundo espiritual; crônicas sobre temas muito variados; mensagens, elucidações e comentários sobre os ensinos de Jesus, contidos no Evangelho; romances espíritas; e cartas consoladoras dos filhos desencarnados aos seus pais), os autores espirituais dos livros foram os seguintes:

Espíritos diversos = 176 obras; Emmanuel = 115 obras; André Luiz = 18 obras; Cornélio Pires = 16 obras; Humberto de Campos (depois Irmão X) = 14 obras; Maria Dolores = 8 obras; Jair Presente = 7 obras; Meimei = 7 obras; Casimiro Cunha = 6 obras; Augusto Cezar Netto = 5 obras.

Outras 40 obras psicografadas tiveram diferentes espíritos autores, destacando-se entre eles: Batuíra, Bezerra de Menezes, Carlos Augusto, Hilário Silva, Laurinho, Neio Lúcio, Veneranda etc.

RESULTADO DA ANÁLISE DAS OBRAS PSICOGRAFADAS

A análise conscienciosa e criteriosa das obras psicografadas pelo respeitado e admirado médium brasileiro, (sendo que apenas as principais estão relacionadas na bibliografia apresentada no final), permitiu o desenvolvimento do trabalho apresentado nos capítulos deste livro. Nessa análise, as obras dos espíritos Emmanuel, André Luiz, Irmão X, Maria João de Deus e Irmão Jacob tiveram fundamental importância para sua elaboração.

Como primeiro resultado, pode-se reafirmar que o espiritismo é o consolador prometido por Jesus:

O Espírito Santo, o Paráclito, que o Pai há de enviar em meu nome, vos há de ensinar todas as coisas, e vos fará lembrar tudo o que eu vos tenho dito.

Quando ele vier, convencerá o mundo do pecado, da justiça e do juízo.

Quando vier aquele Espírito de Verdade, ele vos há de ensinar toda a verdade, porque não falará de si mesmo, mas dirá tudo o que tiver ouvido, e vos há de anunciar o que há de acontecer. Ele me há de glorificar, porque receberá do que é meu, e vo-lo anunciará.

João, cap. XIV a XVI.

Cabe ainda ressaltar que a esse respeito, Allan Kardec escreveu o seguinte:

O espiritismo realiza o que Jesus disse do consolador prometido: conhecimento das coisas, que faz o homem saber de onde vem, para onde vai e porque está na Terra, lembrança dos verdadeiros princípios da lei de Deus, e consolação pela fé e pela esperança.

O Evangelho segundo o Espiritismo, **Cap. VI, O Cristo Consolador.**

Ainda, sobre o resultado do trabalho do médium Chico Xavier, cabe ressaltar que ele está plenamente compatível e serve de complemento aos conteúdos dos seguintes livros de Allan Kardec: *O Livro dos Espíritos, O Céu e o Inferno: A Justiça Divina segundo o Espiritismo, A Gênese e Os Milagres e as Predições segundo o Espiritismo.*

Além disso, está em perfeita harmonia e coincidência com os textos de inúmeros outros livros psicografados por diversos médiuns brasileiros, como Waldo Vieira, Yvonne do Amaral Pereira, Divaldo Pereira Franco, Carlos A. Baccelli, Vera Lúcia Marinzeck de Carvalho, Rogério Henrique Leite, dentre muitos outros. No exterior, está em consonâncias com o conteúdo dos livros do Rev. G. Vale Owen, *A vida além do véu*, edição FEB; de Anthony Borgia, *A vida nos mundos invisíveis*, editora Pensamento.

Por fim, cabe destacar que a leitura ou estudo deste livro não dispensa o conhecimento dos textos originais das obras psicografadas pelo mais respeitado e famoso médium brasileiro.

PRIMEIRA PARTE:

TRINDADE UNIVERSAL

Capítulo 3

DEUS

Deus é a suprema e soberana inteligência; é único, eterno, imutável, imaterial, onipotente, soberanamente justo e bom, infinito em todas as suas perfeições, e não pode deixar de ser assim.

Allan Kardec, no capítulo Deus, do livro *A Gênese*.

A doutrina espírita não apenas confirma que o amor infinito de Deus abraça todas as criaturas, mas também adverte que todos receberemos, individualmente, aqui ou além, de acordo com as nossas próprias obras.

Espírito Emmanuel, no capítulo Espíritas diante da morte, do livro *Justiça Divina*.

DEUS ESTÁ ACIMA DE todas as coisas, porque é o Criador, o Pai de tudo o que existe no plano espiritual e material do Universo.

Só Deus tem o atributo de verdadeiro Criador e Pai. Com Seus desígnios, criou as leis que regem automaticamente a obra da criação. Tudo o que Ele criou decorre de Seus atributos divinos: amor, sabedoria, bondade, justiça e misericórdia.

Deus é amor. Amor que se expande do átomo aos astros. Mas é justiça também. Justiça que atribui a cada espírito segundo a própria escolha. Sendo amor, concede à consciência transviada tantas experiências quantas deseje a fim de retificar-se. Sendo justiça, ignora quaisquer privilégios que lhe queiram impor.

Espírito Emmanuel, no capítulo Nas leis do destino, do livro *Justiça Divina*.

LEIS DIVINAS

As leis divinas são perfeitas e imutáveis. Controlam naturalmente as incontáveis ocorrências tanto no lado espiritual, quanto no lado material do Universo. As leis que os homens estabelecem para as relações entre si não afetam as leis inalteráveis estabelecidas por Deus.

As vontades e os desígnios de Deus estão expressos nas Suas leis. Estas concorrem para a sustentação do Universo, composto por imensos sistemas de galáxias que circulam no espaço cósmico infinito, com seus corpos inorgânicos e orgânicos. Os atributos de Deus manifestam-se em tudo o que é encontrado no Universo.

FILHOS DE DEUS

Deus criou Seus filhos simples e ignorantes, mas perfectíveis, na condição de espíritos usufrutuários das bênçãos e dos recursos que lhes são disponibilizados em abundância através da Natureza. Assim, servem-se deles para evoluir paulatinamente, até atingirem, um dia, o topo da hierarquia espiritual.

Quanto mais aprendem a usar a inteligência com sabedoria, responsabilidade e praticam as virtudes, espontaneamente aceleram o passo no caminho para a perfeição espiritual.

Com os recursos que o Pai Eterno concedeu a Seus filhos, a título precário, eles obtêm crescentes conhecimentos, habilidades, iluminação na consciência, aprimoramentos no uso das faculdades, sublimação moral e elevação nas atitudes e condutas, permitindo-lhes aliar, cada vez mais, a sabedoria ao amor.

Os filhos de Deus percorrem uma longa jornada evolutiva até a angelitude, servindo-se da encarnação nos mundos materiais. Então, em existências corporais, desfrutam das bênçãos e recursos valiosos, extraídos da natureza, que são empréstimos, por tempo determinado, dos quais terão que prestar contas pelo uso que fizerem.

Se transformarem e usarem bem essas concessões, exercitam e desenvolvem o uso da vontade, livre-arbítrio e demais faculdades da alma. Se aproximam, paulatinamente, do destino estabelecido por Deus, desfrutando, cada vez mais dos benefícios dos progressos e das bem-aventuranças.

As coisas e formas materiais que os espíritos encontram à sua disposição na natureza são energias transformadas e condensadas, que se prestam perfeitamente ao seu desenvolvimento e progresso intelectual e moral. Quanto mais despenderem esforços próprios para usá-las praticando e edificando o bem, mais rapidamente atingirão a meta final.

Pela sabedoria, amor e justiça de Deus, nenhum filho deixará de conquistar, um dia, a plenitude intelectual e a perfeição. Mas, para isso, terá que desempenhar muitas ocupações e atividades, além de realizar muitos trabalhos, nos mais variados campos da vida, seja na condição de espírito desencarnado, seja na de espírito encarnado.

Valores da Religião

A religião é o instrumento de ligação entre o Criador de todas as coisas e os Seus filhos, para que eles compreendam, gradualmente, os atributos divinos e a obra da criação, já a partir de um modo inato ou intuitivo. As crenças religiosas permitem que os filhos estabeleçam contatos com Deus, através dos cultos, estados mentais, manifestações da fé e preces.

Deus envia sempre aos espíritos encarnados os Seus missionários, para que eles descortinem, paulatina e incessantemente, a Sua existência, a magnitude dos Seus atributos e a dimensão, grandiosidade e perfeição da obra da criação. Além disso, para que adotem formas de veneração cada vez mais espiritualizadas e moralizadas.

Os princípios religiosos, espirituais e morais sempre direcionaram os homens para o enobrecimento do mundo mental e íntimo, visando a realização das boas obras nos ambientes familiares, de trabalho e sociais, preparando a alma para colher bons resultados disso na continuidade da sua vida no mundo espiritual.

JESUS

Jesus veio para que os homens recebessem novos ensinamentos e exemplos sobre a prática do amor, humildade, fé, justiça, perdão, oração e serviço útil ao próximo, acelerando a evolução dos espíritos e glorificando, assim, o Pai e Criador.

Com as lições evangélicas, Jesus se tornou o guia religioso, moral e espiritual dos que realmente se esforçam para: *amar a Deus sobre todas as coisas e o próximo como a si mesmo; fazer ao semelhante o que gostariam que ele lhes fizesse; praticar o bem e a caridade à semelhança do bom samaritano; preparar a alma, pela prática das virtudes, para o gozo das bem-aventuranças na continuidade da sua vida nas muitas moradas existentes na casa do Pai.*

Desse modo, o Evangelho de Jesus tornou-se o facho de luz que ilumina e clareia a consciência humana, levando-a à adoração, em espírito e verdade, ao Pai que está no reino dos céus; conhecer e observar, inclusive, as realidades existentes no mundo espiritual; elevar as condutas morais, trabalhando honestamente para o bem comum e prestando serviços úteis ao próximo; realizar as boas atitudes e obras que edificam a fraternidade em todos os ambientes.

O Evangelho de Jesus contém os princípios religiosos, espirituais e morais e as revelações, ensinamentos e práticas que devem estar adaptados a todas as nações, servindo de guia seguro para a adoção das atitudes e condutas espiritualizadas que glorificam a Deus e elevam as condições de vida na humanidade. Além disso, eles preparam a alma para merecer as bem-aventuranças existentes na continuidade da sua vida no reino da luz.

FÉ

A fé sincera torna-se duradoura quando está alicerçada em bases racionais. Então, leva ao entendimento, com bom-senso, da grandeza dos atributos de Deus, expressos em Suas obras magistrais; prática das virtudes em todas as oportunidades, promovendo o progresso, alegria e felicidade na vida em sociedade; disseminação da fraternidade e difusão do bem, estabelecendo o bem-estar em toda parte; e realização das boas obras para tornar os outros felizes, gerando a paz na consciência e felicidade, tanto na vida presente, quanto na vida futura da alma no plano invisível.

Quem adota a fé racional nos princípios e valores morais e espirituais engrandece a sua crença na existência de Deus e no poder infinito de Seus atributos; no poder da acumulação dos bens imperecíveis no mundo mental e íntimo, para que a sua alma tenha méritos para usufruir das bem-aventuranças existentes no reino dos céus.

Desse modo, a fé racional direciona a mente para as atitudes e ações de observância às leis de Deus; o trabalho honesto que promove o progresso e a felicidade; os avanços em rumo da conquista da sabedoria e do amor, que geram o bem-estar permanente; as providências que concorrem para aumento do nível de evangelização, espiritualização e moralização, melhorando a convivência e o relacionamento com os irmãos de jornada evolutiva.

Oração

A oração, ensinada e praticada por Jesus, leva-nos a prestar culto sincero a Deus e a Lhe pedir algo ou agradecer, pelas valiosas bênçãos divinas.

Mas, para ser agradável a Deus, a oração deve estar sempre alicerçada na ação no bem; prestação de serviços fraternos e úteis aos semelhantes, para torná-los prósperos, alegres e felizes.

Com esse espírito altruísta, sentimento amoroso no coração e mente voltada para o engrandecimento das condições de vida dos familiares e dos semelhantes, principalmente pela prática da justiça e caridade, estabelecemos sintonia permanente com Deus, criamos afinidades mentais com os Seus mensageiros celestes, os quais nos oferecem as energias sutis que retemperam as disposições íntimas; aumentam a disposição para as atividades nobres no cotidiano; sustentam o estado de saúde; derramam as influências, intuições e inspirações que ampliam o potencial realizador das faculdades nos círculos da atuação fraterna; e afastam as intervenções nefastas das pessoas e dos espíritos maus, que desejam barrar os avanços do progresso.

Poderes da Oração

As orações fervorosas, sinceras e com finalidades elevadas partem da mente com frequências muito altas. Então, os desejos, ideais e petições nobres ultrapassam naturalmente as linhas vibratórias e os círculos inferiores da vida espiritual, chegando nas regiões das esferas altas do plano espiritual, onde são lidas e atendidas pelos benfeitores espirituais. Estes, com sabedoria e amor, agem sempre no sentido da concretização das boas obras que vão beneficiar a muitos.

Então, com suas faculdades volitivas muito adestradas, partem em resposta às pretensões nobres, mas sempre avaliando os méritos, possibilidades nas condições mentais e íntimas, diretrizes corretas que vão possibilitar a concretização das boas intenções.

Esses poderosos agentes do reino da luz dispõem de energias, forças e recursos que solucionam, com facilidade, grandes problemas e obstáculos, concretizando com êxito muitos propósitos elevados das pessoas, famílias, instituições e nações.

Justiça de Deus

Espíritos culpados! Somos quase todos.

A Perfeita Justiça, porém, nunca se expressa sem a Perfeita Misericórdia, e abre-nos a todos, sem exceção, o serviço do bem, que podemos abraçar na altura e na quantidade que desejarmos, como recurso infalível de resgate e reajuste, burilamento e ascensão.

Atendamos às boas obras quanto nos seja possível.

Cada migalha de bem que faças é luz contigo, clareando os que amas.

E assim é porque, de conformidade com as Leis Divinas, o aperfeiçoamento do mundo depende do mundo, mas o aperfeiçoamento em nós mesmos depende de nós.

Espírito Emmanuel, no capítulo Culpa e reencarnação, do livro *Justiça Divina*.

A justiça de Deus sempre se manifesta com misericórdia, em toda parte, mas "dando a cada Filho segundo as suas próprias obras".

Nas múltiplas esferas da vida, cada espírito desencarnado ou encarnado tem o seu livre-arbítrio condicionado à lei de causa e efeito. Assim, experimenta naturalmente as consequências de suas boas ou más ações. Por isso, é muito valiosa a lição acima do espírito Emmanuel.

Tribunais de Justiça

Nas regiões da superfície do planeta e das suas esferas espirituais, os homens e espíritos criam tribunais, tentando copiar ou imitar a prática da Justiça Perfeita.

Então, estabelecem poderes temporários aos magistrados, que assumem o dever de examinar com dignidade, imparcialidade e responsabilidade as faltas cometidas e aplicar as penas e medidas regenerativas e reeducativas necessárias.

Justiça nas regiões do umbral

Nenhum filho de Deus escapa da lei de causa e efeito e da justiça verdadeira, nem mesmo por estar ainda situado em baixo grau de evolução intelectual e moral.

Assim, mesmo os espíritos retidos nas regiões do umbral, pelas suas condições mentais e íntimas, experimentam os efeitos das suas atitudes, condutas e ações desastrosas, decorrentes da ignorância, más tendências, paixões aviltantes, perversidade e ilusões com a violência e criminalidade.

Geralmente, no umbral, muitos espíritos maus são levados perante os tribunais formados por outros espíritos tão ignorantes, perversos e vingativos como eles mesmos. Então, veem-se perante os inimigos queixosos que fizeram acusações e simulacros, para que lhes sejam dadas sentenças dolorosas e corrigendas agressivas, pelas más atitudes e atos criminosos que praticaram.

Certos espíritos acusados de transgressão da lei do bem e prática de atos perversos ou criminosos enfrentam julgamentos em que são descritos em detalhes seus deméritos e propósitos agravantes. Então, os tribunais sentenciam esses espíritos sofredores com punições severas, mesmo sob protestos e fortes gritos de clemência.

Alguns tribunais possuem equipamentos que leem com precisão as memórias dos atos desastrosos praticados pelos réus, revelando as imagens vivas das maldades, e atitudes inconsequentes. Com esse descortinar claro e irrefutável das imagens nas memórias dos espíritos devedores, seus inimigos, cheios de ódio e desejo de vingança, fazem pressões irresistíveis para que os tribunais ditem sentenças punitivas muito doloridas. Então, esses espíritos condenados por cometer deslizes muito graves são levados a locais de castigos, sofrimentos e dores, existentes em certas regiões do umbral.

Agentes da misericórdia de Deus

Mas, felizmente, a misericórdia divina chega um dia, através dos benfeitores espirituais, que detectam sinais verdadeiros de arrependimento e melhoria nas condições mentais. Então, os espíritos doentes e sofredores são socorridos, tratados e encaminhados para reabilitação em instituições que propõem a quitação das dívidas, através de programas de expiação em nova reencarnação.

> Criatura alguma, na Terra, escapará da grandeza fatal da justiça e da morte; no entanto, sabemos todos que a justiça, por mais dura e terrível, é sempre a resposta da Lei às nossas próprias obras, e que a morte, por mais triste e desconcertante, é sempre o toque de ressurgir.
>
> **Espírito Emmanuel, no capítulo Jornada acima, do livro**
> *Justiça Divina.*

> Sabemos que a individualidade consciente é responsável pelos próprios destinos; que a Lei funciona em cada espírito, atribuindo isso ou aquilo a cada um, conforme as próprias obras; que Deus é o Infinito Amor e a Justiça Perfeita, e que as forças do Universo não acalentam favoritismo para ninguém.
>
> **Espírito Emmanuel, no capítulo Crenças, do livro**
> *Justiça Divina.*

JUSTIÇA NAS ESFERAS MAIS ELEVADAS DA VIDA ESPIRITUAL

Nas regiões das esferas espirituais mais elevadas, muitos espíritos sábios e amorosos atuam como magistrados. São estudiosos das leis e aplicam os ditames da Justiça com dilatadas noções dos direitos e obrigações individuais. Então, exercitam seus conhecimentos e experiências empregando recursos avançados, quando avaliam e julgam os acertos e erros, os méritos e as corrigendas necessárias.

Nesses tribunais superiores, geralmente comparecem os espíritos que, num passado distante, transgrediram voluntariamente as leis e zombaram da justiça. Então, com a consciência dilatada pela revisão que fizeram das memórias mais antigas, pedem os reajustes que lhes permitam obter a completa regeneração e consolidar o progresso moral que lhes falta para ascender a uma esfera espiritual mais alta.

Em função disso, os prepostos da justiça procedem a julgamentos exatos, proferindo sentenças ajustadas a cada caso e que estejam condizentes com a volta à prática do bem e à misericórdia de Deus.

Capítulo 4

ESPÍRITO

⬅ ─── ⟨ • ♥ • ⟩ ─── ➡

O que Deus transmite ao homem por Seus mensageiros, e o que por outro lado o próprio homem tem podido deduzir, partindo do princípio da soberana justiça que é um dos atributos essenciais da Divindade, é que todos temos um mesmo ponto de partida; que todos os espíritos são criados simples e ignorantes, com aptidão igual para progredir, mediante sua atividade individual; que todos atingirão o grau de perfeição compatível com a criatura, através de seus esforços pessoais; que todos, sendo os filhos de um mesmo Pai, são o objeto de igual solicitude; que não há nenhum favorecido ou melhor dotado que os demais, e dispensado do trabalho que seria imposto a outros para atingir seu alvo.

Allan Kardec, no capítulo Gênese espiritual, do livro *A Gênese.*

DEUS CRIOU OS SEUS filhos iguais perante as leis, na condição de espíritos imortais, dotados de faculdades extraordinárias, que precisam ser desenvolvidas permanentemente, até que conquistem, por esforços próprios, a perfeição espiritual.

Deus impõe a Seus filhos, para progredirem, a encarnação em mundos materiais. Assim, precisam atender as muitas necessidades impostas pela vida corporal e evoluem em termos intelectuais e morais, através das ocupações, provações, experiências, relacionamentos e muitos trabalhos que realizam no cotidiano, exercitando e aprimorando o uso das suas faculdades, em busca da prosperidade e do bem-estar.

Ao cumprirem suas missões, notadamente as da maternidade e paternidade, os espíritos encarnados desempenham tarefas muito importantes, que exigem a tomada de decisões complexas, obtendo com isso valiosos conhecimentos e sublimação dos sentimentos e potências mentais. As lutas, dificuldades, e sofrimentos, quando bem suportados no reduto doméstico e na vida profissional e em sociedade, melhoram o intelecto e o caráter, despontando as boas qualidades. Os aprimoramentos obtidos nas capacidades e habilidades melhoram as formas de relacionamento e convivência e as condições de vida no meio familiar e meios sociais, conservando a saúde e expandindo o bem comum.

IMORTALIDADE DO ESPÍRITO

A imortalidade da alma é a maior bênção que Deus concedeu aos Seus filhos. Graças a ela, nada se perde das conquistas que vão sendo acumuladas no mundo mental e íntimo, ao longo da existência imperecível, ora habitando as colônias do plano espiritual, ora vivendo nas comunidades do círculo carnal.

LEI DO TRABALHO

Deus impõe às Suas criaturas a lei do trabalho e as ocupações e atividades incessantes na vida familiar e em sociedade, para que os Seus filhos estejam evoluindo incessantemente com as realizações, tribulações, superação das dificuldades e busca da melhoria das condições de vida, que vão se tornando cada vez mais complexas.

Cada período de tempo em que os filhos de Deus passam encarnados, dispõem de oportunidades valiosas e dos recursos necessários para aprender, exercitar a vontade, direcionar o livre-arbítrio e aprimorar cada vez mais o uso das faculdades, sempre em observância da lei de causa e efeito. Assim, cuidam de ser bem-sucedidos, praticando as virtudes e aumentando o grau de progresso e felicidade, por esforços próprios.

LEIS DO PROGRESSO E DA ENCARNAÇÃO

Todos os espíritos são submetidos por Deus às leis do progresso e da encarnação, desde o momento da sua criação, para que se aproximem paulatinamente da perfeição intelectual e moral e conquistem uma felicidade imperecível.

ENCARNAÇÃO DO ESPÍRITO

Todos os espíritos experimentam a necessidade de assumir um envoltório material na vida temporária na crosta de um planeta, para realizarem os esforços necessários para sobreviver, aprender, exercitar e aprimorar o uso das faculdades e progredir na hierarquia espiritual. Assim, vão se distanciando dos estados primitivos de simplicidade e ignorância em que foram criados por Deus.

Quando há a perda desse envoltório corporal pela morte, a alma volta para a vida espiritual, mas cada vez mais elaborada e aprimorada. Assim, vai se tornando consciente do contexto grandioso em que está inserida na obra do Pai eterno, contando sempre com as contribuições dos benfeitores espirituais que já estão mais elevados na escalada evolutiva e desempenham missões importantes.

Cada novo reingresso que a alma faz nos trabalhos construtivos e santificadores nos círculos da existência temporária no corpo de carne, obtém maturidade e torna-se mais experiente. Assim, com mais facilidade, atende as necessidades corporais; cumpre as leis do trabalho, reprodução, conservação, destruição e vida em sociedade; usa a vontade e liberdade de ação; entende o poder da lei de causa e efeito; cumpre adequadamente os direitos, deveres e obrigações; conquista novas habilidades, valores, méritos, prestígio e respeito; emprega as faculdades para o bem; exterioriza conhecimentos e experiências; e progride em termos intelectual e moral, criando um destino cada vez mais próspero e feliz.

ANIMALIDADE, HUMANIDADE E ANGELITUDE

Deus, com Sua sabedoria, bondade e justiça, designou os anjos da guarda e os benfeitores espirituais para ajudarem e protegerem os seus irmãos a vencer os estágios primitivos de ignorância e inexperiência e ascender na hierarquia espiritual.

Assim, nunca lhes faltam a assistência e os estímulos para obter o progresso e a melhoria das condições de vida, desde a fase da infância espiritual, quando estão percorrendo a animalidade, para dominar as forças de baixo padrão vibratório e sair do império da irracionalidade e dos impulsos instintivos.

Quando, depois de muitas conquistas próprias, passam para a fase intermediária da vida imortal, na complexa humanidade, continuam ainda sob a guarda, proteção e ajuda dos espíritos mais evoluídos, que os inspiram e orientam a vencer suas missões, provas, lutas e múltiplas atividades com finalidades evolutivas.

Dessa forma, vão obtendo o afloramento e engrandecimento do raciocínio, razão, senso moral e sentimentos, além da madureza no mundo mental, intelectual e moral. Assim, vão despontando em si mesmos as asas da sabedoria e do amor, com as quais alçarão voo para a angelitude, para desfrutar de condições maravilhosas de vida, na condição de mensageiros e ministros de Deus.

CRIAÇÃO INCESSANTE DOS FILHOS DE DEUS

Deus cria incessantemente os Seus filhos, porque jamais está inativo. Assim, amplia constantemente o número de membros na Sua família universal.

Pelos desígnios do Criador, todas as Suas criaturas, em diferentes graus de amadurecimento intelectual e moral, estão participando como cocriadores na obra da criação. Assim, conseguem evoluir incessantemente, amparando uns aos outros, principalmente quando assumem as condições temporárias de pais, familiares, educadores, amigos, protetores, colaboradores e assistentes.

VONTADES DE DEUS

Pelas vontades de Deus todos os Seus filhos conquistarão um dia, empregando esforços próprios, a lucidez plena na consciência e compreensão de Seus atributos, leis, desígnios e finalidade da majestosa obra da criação.

Assim, depois das muitas vitórias nos campos das forças condensadas, servindo-se da vestimenta de carne, Seus filhos, com um estado de consciência ampliado, pelo amadurecimento e conquistas que fizeram dos tesouros imperecíveis, entrarão nas regiões das esferas espirituais mais elevadas, formadas com as energias sutis do universo espiritual. Com isso, só excepcionalmente, estarão sujeitos a encarnar em envoltórios carnais, que variam na forma, cor da pele, sexo, condicionamentos e posições sociais e financeiras nas famílias, instituições, sociedades e nações.

Sabedoria e amor

A conquista da sabedoria e do amor é o que permite o acesso fácil às regiões da angelitude, onde os poderes espirituais são direcionados para atender as vontades, desígnios e Ordens do Pai, desfrutando das bem-aventuranças imperecíveis.

Dessa forma, todos os filhos de Deus se tornarão, um dia, ministros e mensageiros do Pai; habitantes das regiões da esfera angélica, com o dever de continuar amparando e protegendo os seus irmãos ainda em processo de libertação das influências das matérias mais densas; conquista da iluminação na consciência; sublimação nos sentimentos; enobrecimento no uso das faculdades; e atendimento das leis, vontades e desígnios do Criador.

Capítulo 5

MATÉRIA

$\longleftarrow \langle \cdot \vee \cdot \rangle \longrightarrow$

O ponto de partida do fluido universal é o grau de pureza absoluta, do qual nada pode dar uma ideia; o ponto oposto é a sua transformação em matéria tangível. Entre os dois extremos, existem inúmeras transformações, as quais se aproximam mais ou menos de uma ou de outra. Os fluidos mais próximos da materialidade, e por conseguinte os menos puros, compõem aquilo que se pode chamar atmosfera espiritual terrestre. É nesse meio, onde se encontram igualmente diferentes graus de pureza, que os espíritos encarnados ou desencarnados da Terra extraem os elementos necessários à economia de sua existência. Esses fluidos, embora sutis e impalpáveis para nós, não deixam de ser de natureza grosseira, em comparação aos fluidos etéreos das regiões superiores.

A solidificação da matéria, na realidade, não passa de um estado transitório do fluido universal, o qual pode voltar ao seu estado primitivo quando as condições de coesão cessam de existir.

Uma vez que tudo é relativo, esses fluidos têm para os espíritos, que em si mesmo são fluídicos, uma aparência material quanto a dos objetos tangíveis para os encarnados, e são para eles o que para nós são as substâncias do mundo terrestre; eles as elaboram, as combinam para produzir efeitos determinados, como o fazem os homens com seus materiais, embora usando processos diferentes.

Allan Kardec, no capítulo Os fluidos, do livro *A Gênese*.

Na vida do espaço, ainda existe a matéria, porém em condições totalmente diversificadas, numa sutileza para nós inimaginável e constituindo verdadeira maravilha a sua adaptação à vontade dos espíritos.

Espírito Maria João de Deus, no livro *Cartas de uma morta.*

De existência a existência, aprendemos hoje que a vida se espraia, triunfante, em todos os domínios universais do sem-fim; que a matéria assume estados diversos de fluidez e condensação; que os mundos se multiplicam infinitamente no plano cósmico; que cada espírito permanece em determinado momento evolutivo, e que, por isso, o céu, em essência, é um estado de alma que varia conforme a visão interior de cada um.

Espírito Emmanuel, no capítulo Céu, do livro *Justiça Divina.*

DEUS CRIOU UMA MATÉRIA única, em estado de sutileza absoluta, que ocupa toda parte do Universo infinito, embora seja imperceptível para os espíritos ainda imperfeitos ou encarnados.

Essa matéria primitiva universal ou fluido cósmico universal passa por incontáveis graus de transformação, combinação e condensação, adquirindo características muito diversificadas, em obediência às leis naturais determinadas pelo Criador de todas as coisas.

Essa matéria, (segundo as revelações dos espíritos mais esclarecidos e elevados em termos intelectuais e morais, através de diferentes médiuns), em função das grandes transformações por que passa, permite a formação das muitas esferas espirituais e dos inúmeros mundos materiais que ocupam a extensão, diversidade e grandiosidade do Universo.

Modificações nos elementos da matéria elementar primitiva

A matéria primordial é encontrada no Universo em incontáveis estados de transformação, condensação e organização, a partir de seu estado original ou primitivo de sutileza absoluta.

Portanto, os elementos dessa matéria elementar primitiva assumem variadas faixas vibratórias e inúmeros graus de modificação, adensamento e combinação entre si. Assim, permitem a formação das regiões das esferas espirituais e dos mundos materiais existentes no Universo.

A partir da criação por Deus dessa matéria universal única, suas transformações, seus graus e estados de condensação e as incontáveis combinações entre os seus elementos, ainda muito sutis para os homens, formam as muitas regiões nas esferas espirituais, que são habitadas pelos espíritos em seus diferentes graus de evolução intelectual e moral, mas a caminho da perfeição.

Todos os filhos de Deus estão evoluindo incessantemente com as encarnações em mundos materiais, formados com a matéria universal transformada em estados bem densos permitindo, inclusive, graças ao fluido vital, a formação dos incontáveis corpos orgânicos.

Assim, no Universo existem inúmeras faixas vibratórias da matéria elementar primitiva, permitindo a formação dos muitos corpos inorgânicos e orgânicos encontrados nas esferas espirituais e materiais, os quais estão integrados nos satélites, planetas, sóis, nebulosas e galáxias.

Nesse contexto imenso e maravilhoso estão habitando e atuando, incessantemente, com suas ocupações e atividades, os espíritos desencarnados e encarnados, para que obtenham sempre maior aprimoramento das faculdades e evolução intelectual e moral. Para isso, estão percorrendo as variadas faixas da animalidade e humanidade, sob a assistência do Pai e dos anjos da guarda e benfeitores espirituais, até que atinjam a perfeição espiritual, nas regiões da angelitude.

CRIADOR E COCRIADORES

Os filhos de Deus operam nas regiões das esferas espirituais e materiais como cocriadores. Assim, transformam os elementos da matéria universal, de acordo com suas necessidades, combinando-os entre si, num processo de cocriação, sempre em observância às leis predeterminadas pelo Criador de todas as coisas.

Mesmo o princípio espiritual que está saindo do estado de simplicidade e ignorância, já age como cocriador, nos variados reinos inferiores da Natureza, para despertar os instintos e avançar e sair dos seus graus rudimentares e primitivos de evolução. Por estarem submetidos às leis da sobrevivência, reprodução dos corpos materiais e vida em sociedade, transformam os estados da matéria densa ao suprir as suas necessidades, e, ao mesmo tempo, cumprir suas jornadas evolutivas. Assim, participam dos desígnios de Deus, como cocriadores num plano menor.

> A obrigação, para o espírito encarnado, de prover à nutrição do corpo, à sua segurança, a seu bem-estar, o obriga a aplicar suas faculdades em investigações, a exercê-las e as desenvolvê-las. Sua união com a matéria é, pois, útil ao seu progresso; eis porque a encarnação é uma necessidade. Por outro lado, pelo trabalho inteligente que o espírito opera sobre a matéria, em sua própria vantagem, ele auxilia a transformação e o progresso material do globo que habita; é assim que, progredindo, ele auxilia a obra do Criador, de quem é um agente inconsciente.
>
> **Allan Kardec, no capítulo Gênese espiritual,**
> **do livro *A Gênese*.**

Verdadeira dimensão e grandeza do universo

A inimaginável diversidade das matérias transformadas, condensadas e organizadas, que ocupa o espaço sem fim, mas sempre submetidas às leis de Deus, dá origem às diversificadas regiões das esferas espirituais e dos mundos materiais.

Assim, são múltiplos os domínios ou campos vibratórios originados de uma única matéria elementar primitiva, em atendimento aos desígnios e propósitos de Deus para a obra da criação. Eles servem de habitação e escola para os espíritos de todas as ordens de elevação intelectual e moral, para que caminhem, inevitavelmente, para a glória da vida nas regiões da esfera da angelitude, onde os elementos do fluido cósmico universal são encontrados em estado de pureza absoluta.

Desse modo, cada encarnação é uma bênção para o espírito estagiar no mundo material, possibilitada pela matéria em estado bem denso, mas flexível, graças ao princípio vital. Isso dá ao ser espiritual uma tríplice formação: alma imortal, corpo espiritual permanente (perispírito) e corpo material transitório.

Graças a essa bênção, vai acumulando continuadamente conhecimentos, experiências, habilidades, qualidades e ascendendo ao topo da hierarquia verdadeira.

> O corpo é, ao mesmo tempo, o envoltório e o instrumento do espírito, e à medida que este adquire novas aptidões, reveste um invólucro apropriado ao novo gênero de trabalho que deve realizar, tal como se dá a um trabalhador instrumentos menos grosseiros, à medida que ele seja capaz de fazer um trabalho mais delicado.
>
> Para ser mais exato, será preciso dizer que o próprio espírito que fabrica seu envoltório e o torna adequado às suas novas necessidades; ele o aperfeiçoa, o desenvolve e completa

o organismo à medida que sente a necessidade de manifestar novas faculdades.

**Allan Kardec, no capítulo Gênese espiritual,
do livro *A Gênese*.**

O perispírito, ou corpo fluídico dos espíritos, é um dos produtos mais importantes do fluido cósmico; é uma condensação desse fluido em torno de um foco de inteligência ou alma. Já vimos que o corpo carnal tem igualmente seu princípio nesse mesmo fluido transformado e condensado em matéria tangível; no perispírito a transformação molecular se opera diferentemente; pois o fluido conserva sua imponderabilidade e suas qualidades etéreas. O corpo perispiritual e o corpo carnal, pois, têm sua fonte no mesmo elemento primitivo; um e outro são matéria, embora sob dois estados diversos.

Allan Kardec, no capítulo Os fluidos, do livro *A Gênese*.

O espírito, por sua essência espiritual, é um ser indefinido, abstrato, que não pode ter uma ação direta sobre a matéria; era-lhe necessário um intermediário; este intermediário é o envoltório fluídico que de certa forma faz parte integrante do espírito; envoltório semimaterial, isto é, participante da matéria, por sua origem, e da espiritualidade, por sua natureza astral; como toda matéria, ele é originado no fluido cósmico universal, o qual nesta circunstância sofre uma modificação especial. Este envoltório, designado sob o nome de perispírito, de um ser abstrato faz do espírito um ser concreto, definido, apreensível pelo pensamento; ele o torna apto a agir sobre a matéria tangível, da mesma forma que todos os fluidos imponderáveis, que são, conforme se sabe, os mais possantes motores.

**Allan Kardec, no capítulo Gênese espiritual,
do livro *A Gênese*.**

Visão espírita de Deus e do Universo

Deus está acima de todas as coisas, com Seus atributos divinos. Ele criou os Seus filhos na condição de espíritos imortais e perfectíveis e a matéria primordial única, ou fluido cósmico universal, que permitiu a origem e o desenvolvimento do complexo e grandioso Universo.

As transformações, condensações e combinações dos elementos dessa matéria elementar primitiva propiciam a formação das regiões das esferas espirituais e das superfícies densas ou crostas dos mundos materiais, obedecendo às leis naturais estabelecidas pelo Criador.

Deus, com Seus atributos, propicia as condições necessárias para que Seus filhos habitem as regiões das esferas espirituais com seus corpos espirituais permanentes (perispírito), compatíveis com os seus diferentes graus de elevação intelectual e moral, conquistados ao longo da existência imortal.

Como os filhos de Deus estão submetidos à encarnação para evoluir, assumem os corpos materiais formados com os elementos das matérias em estados densos ou ponderáveis, em obediência às leis da reprodução, hereditariedade, conservação, destruição, vida em sociedade e progresso incessante. Na condição de cocriadores, promovem muitos progressos materiais nos mundos habitados, até que voltem à vida verdadeira, pela morte do envoltório corporal.

Somente os espíritos que já conquistaram a sabedoria e as virtudes habitam as regiões das esferas espirituais superiores ou mais elevadas, sutis e sublimadas, desfrutando das bem-aventuranças na condição de anjos, mensageiros e ministros de Deus.

SEGUNDA PARTE:

RELAÇÕES ENTRE OS ESPÍRITOS, OS MUNDOS MATERIAIS E SUAS ESFERAS ESPIRITUAIS

Capítulo 6

VIDA DOS ESPÍRITOS NAS REGIÕES DA CROSTA DOS PLANETAS MATERIAIS HABITADOS E NAS REGIÕES DAS SUAS ESFERAS ESPIRITUAIS

--- ❤ ---

TODOS OS GLOBOS MATERIAIS são circundados por muitas esferas espirituais. As suas diferentes regiões foram formadas em função das leis que determinam as transformações, combinações, graus de condensação e organizações dos elementos do fluido cósmico universal.

Nessas regiões, os filhos de Deus, criados simples e ignorantes, mas perfectíveis, encontram e desfrutam das oportunidades e bênçãos evolutivas para, com esforços próprios, conquistarem a perfeição intelectual e moral.

Somente depois que ascendem a determinados degraus na hierarquia verdadeira, em função de elevadíssimo grau de intelectualidade e moralidade, excursionam, com adestradas capacidades e habilidades volitivas, pelos globos materiais e suas esferas espirituais, geralmente em companhia de guias especializados e equipes de mentores espirituais que estão empenhados em melhorar as muito variadas condições de vida vigentes para os habitantes dessas localidades.

CONDIÇÕES DE VIDA NAS ESFERAS ESPIRITUAIS

As condições de vida para os espíritos que habitam as regiões das esferas espirituais mais altas, pelo grau de sutileza e flexibilidade da matéria universal, não podem ser comparadas com as que são construídas pelos seres espirituais imperfeitos, que habitam as regiões das esferas que estão em níveis bem mais baixos. Estas também não podem ser comparadas com as condições de vida vigentes para os espíritos encarnados que habitam as regiões da crosta de um globo material, porque os elementos do fluido cósmico que as formam são bem distintos.

CAPACIDADE VOLITIVA DOS ESPÍRITOS SUPERIORES

Os espíritos superiores conseguem chegar com facilidade às colônias localizadas nas regiões das suas esferas elevadas da vida espiritual, utilizando as suas faculdades volitivas bastante avançadas, possibilitadas pela sutileza do perispírito.

O grande poder de volitação decorre da administração eficiente do querer íntimo, força de vontade poderosa e pensamentos bem direcionados. Assim, controlam os elementos da matéria sutil que forma o seu perispírito, conseguindo deslocamentos quase instantâneos para os locais desejados.

CONDIÇÕES DE VIDA DIFERENTES NAS REGIÕES DA CROSTA DOS MUNDOS MATERIAIS E NAS DAS SUAS ESFERAS ESPIRITUAIS·

As condições de vida variam muito para os espíritos encarnados nas regiões da crosta de um globo material. O mesmo ocorre com os espíritos que habitam as regiões das suas esferas espirituais. Eles estão submetidos aos graus muito variados de transformação, condensação e organização dos elementos da matéria cósmica universal, mas todos cumprindo programações evolutivas, que os aproximam, cada vez mais, da perfeição espiritual.

Os espíritos que habitam as regiões das esferas espirituais desfrutam de condições de vida condizentes com as suas conquistas intelectuais, qualidades mentais e morais e grau de sutileza do envoltório espiritual (perispírito). Assim, atendem as suas necessidades evolutivas, atuando diretamente sobre os elementos sutis e flexíveis das matérias bastante diferenciados que encontram no plano espiritual, trabalhando e se esforçando para aprimorar cada vez mais as suas manifestações, atitudes e ações.

Portanto, os espíritos encarnados e desencarnados encontram no Universo variadas e múltiplas formas que permitem as manifestações das suas faculdades. Nas condições de vida em que se encontram inseridos, em função do estágio evolutivo na animalidade, humanidade ou angelitude, atuam sobre as naturezas, aprimorando sem cessar suas características e particularidades mentais e íntimas próprias.

Distâncias interplanetárias

As distâncias interplanetárias não impedem que os espíritos mais elevados as percorram rapidamente com suas faculdades volitivas bem desenvolvidas e adestradas.

O grau de sutileza do perispírito permite um deslocamento fácil e rápido pelos espaços interplanetários. Assim, visitam e agem em variados locais do universo espiritual, não sendo afetados pelas barreiras vibratórias, nem pelos elementos físico-químicos que surgiram com as transformações ocorridas nas matérias em diferentes estados de condensação.

Modos de vida muito diferentes encontrados nos globos materiais habitados

As regiões da crosta de um globo material, assim como ocorre nas regiões das suas esferas espirituais, têm naturezas muito específicas e próprias. Isso auxilia os espíritos a evoluir em diferenciados ambientes, acumulando conhecimentos e experiências evolutivas em suas habitações mais propícias à conquista dos progressos intelectuais e morais.

Regiões das esferas dos espíritos superiores

As regiões das esferas espirituais formadas com os elementos da matéria em estados bem quintessenciados, onde habitam os espíritos superiores, são maravilhosas e inigualáveis. Eles reúnem-se em colônias espirituais edificadas com as manifestações de seus elevadíssimos graus de inteligência, sabedoria, amor, fraternidade e justiça.

Com suas faculdades volitivas muito desenvolvidas e adestradas não vivem isolados no reino das bem-aventuranças. Então, trabalham para disseminar os progressos que já conquistaram para todas as partes do Universo, atuando como cocriadores na obra de Deus e atendendo aos desígnios do Criador.

Capítulo 7

BÊNÇÃOS DA ENCARNAÇÃO PARA OS ESPÍRITOS EM EVOLUÇÃO

Quando o espírito deve se encarnar num corpo humano em vias de formação, um laço fluídico, que nada mais é senão uma expansão de seu perispírito, o liga ao gérmen em cuja direção ele se sente atraído por uma força irresistível, desde o momento da concepção. À medida que o gérmen se desenvolve, firma-se o laço; sob influência do princípio vital material do gérmen, o perispírito, que possui certas propriedades da matéria, se une, molécula por molécula, ao corpo que se forma; daí se pode dizer que o espírito, por intermédio de seu perispírito, de alguma forma toma raiz no gérmen, como uma planta na terra. Quando o gérmen está inteiramente desenvolvido, a união é completa, e então ele nasce para a vida exterior.

Allan Kardec, no capítulo Gênese espiritual, do livro *A Gênese*.

SÃO INCONTÁVEIS AS ENCARNAÇÕES que o princípio espiritual, criado por Deus, simples e ignorante, precisa se submeter na animalidade, sob o império dos instintos, para obter as primeiras manifestações e evoluções nas suas faculdades durante a infância espiritual. Depois disso, precisa continuar submetendo-se às encarnações na humanidade, na condição de espíritos, para evoluir incessantemente as potências herdadas do Pai e se aproximar da angelitude, sempre auxiliados pelos benfeitores espirituais e anjos da guarda.

Os poderes do perispírito dos espíritos em processo de evolução exercem fortes influências e determinam modificações na formação e no desenvolvimento dos órgãos do corpo material. Assim, a organização perispirítica molda ou modela, sob a presidência da mente, a constituição do corpo material mais adequado, sempre em função dos recursos da mente e dos espíritos supervisores que fazem as programações que levam à angelitude. (Fontes: *A caminho da luz* e *Evolução em dois mundos*.)

ESPÍRITOS ENCARNADOS NO PERÍODO DA HUMANIDADE

Bilhões de espíritos encarnados respiram nas mais variadas zonas das regiões da crosta terrena, enfaixados dos veículos de manifestação mais apropriados a usufruir das bênçãos do engrandecimento incessante. Assim, elevam o patrimônio mental e aprimoram o uso das faculdades, realizando trabalhos que suprem suas necessidades e implantam lentamente valiosos progressos na vida na crosta planetária.

INTER-RELAÇÕES ENTRE OS DOIS LADOS DA VIDA

Tanto o lado material da vida, quanto o lado espiritual participam para que bilhões de espíritos obtenham a encarnação temporária na crosta do planeta, suportando fortes choques biológicos decorrentes da inserção na carne. Assim, esses espíritos exercitam e desenvolvem as suas faculdades em estágios educativos que se prestam também à implantação dos progressos lentos nas sociedades em que foram inseridos.

Muitas vezes, certos espíritos missionários, que já conquistaram, por esforços próprios, o santuário do saber e do amor, atendendo aos desígnios e ordens de Deus, encarnam em famílias que vão permitir a atuação em campos das atividades que precisam de desenvolvimentos, preocupados em elevar as condições de vida e engrandecer o padrão da civilização no planeta.

São espíritos progressistas que vivem de modo prolongado para implantar paulatinamente na esfera mais densa do planeta as conquistas que já são habituais nas colônias instaladas nas regiões das esferas mais altas que circundam de forma concêntrica a crosta terrena.

Esses espíritos nobres foram selecionados para se submeter à encarnação, sob a guarda e orientação das potências angélicas, que influenciam, direcionam e determinam os destinos do orbe, desde o início da sua formação. Para o sucesso, durante o desprendimento parcial das almas missionárias, nos períodos do sono, são instruídas a cumprir suas programações, introduzindo melhorias, mudanças e transformações importantes nas ordens das sociedades humanas. Desse modo, elevam-nas e integram-nas na ordem dos mundos gloriosos que são habitados.

BÊNÇÃOS DOS CONTATOS PROLONGADOS DOS ESPÍRITOS INFERIORES COM OS ESPÍRITOS DE ORDEM MAIS ELEVADA

As encarnações dos espíritos mais elevados na hierarquia espiritual permitem que os homens estejam em contatos prolongados com os seres espirituais que já conquistaram amplos conhecimentos, experiências e habilidades nos mais variados campos da vida em sociedade. Assim, recebem noções inovadoras e exemplos que os estimulam a buscar a implantação dos progressos incessantes, que melhoram as suas condições de vida.

Ao mesmo tempo, aprimoram o uso das suas faculdades intelectuais, emocionais, sexuais e morais.

Encarnação para o cumprimento das missões da maternidade e da paternidade

Quase todos os espíritos que recorrem à encarnação para evoluir, pedem o nobre cumprimento das missões da maternidade e paternidade. Assim, exercitam melhor o uso das suas qualidades, superam provas, lutas e tribulações evolutivas, inerentes à constituição e manutenção da família e criação e educação dos filhos para a maturidade, acumulando méritos valiosos.

As exigências impostas pelos trabalhos, tarefas domésticas, responsabilidades e prática das virtudes concorrem para a prosperidade na hierarquia verdadeira. A noção do dever retamente cumprido dá-lhes paz na consciência e bem-estar na vida presente e futura.

Inúmeros espíritos reingressam também na vida corporal para aprimorarem suas características masculinas ou femininas, desenvolvidas através dos milênios da existência imortal da alma. Conquistando e praticando as virtudes nos gêneros do corpo material, aperfeiçoam a sede real da sexualidade na estrutura mental e espiritual e aprimoram o uso do sexo no veículo físico, vencendo as missões, provações e compromissos na vida conjugal.

A convivência amorosa no ambiente familiar e os relacionamentos fraternos no cotidiano com os entes queridos facilitam o domínio dos impulsos e das manifestações da mente e do mundo íntimo, incluindo das faculdades sexuais. Com isso, a lei da reprodução dos corpos físicos, sob o império da lei da hereditariedade, atrai os rebentos do coração que precisam reencarnar para desfrutar de novas oportunidades evolutivas num núcleo familiar que lhe é simpático.

Quase todos os espíritos que chegam aos braços dos pais precisam receber a educação integral para obter o primor intelectual, nobreza moral, sublimação dos sentimentos, disciplina no mundo interior e nas boas atividades e realizações, para a aquisição dos valores imperecíveis. A partir da educação completa e dos bons exemplos oferecidos pelos pais, eles reproduzem as atitudes e condutas nobres, o respeito, afetividade e responsabilidade nos relacionamentos e afazeres, fortalecendo as uniões familiares por afinidades e sintonias morais e espirituais.

A vida em família para os espíritos em evolução é concessão valiosa de Deus para que aprendam a prática dos estudos, profissões, trabalhos honestos, condutas morais elevadas, disciplinas nas boas atividades, respeito aos semelhantes, prudência e responsabilidade no cotidiano, incluindo nas manifestações da sexualidade.

Por outro lado, é muito grande a quantidade de espíritos que roga o cumprimento de missões difíceis, mas nobres, na paternidade ou na maternidade. Querem estar envolvidos no cumprimento das responsabilidades e ocupações valiosas, para o bem da própria evolução. Sem as missões dos pais, temem se perder no desvirtuamento do núcleo familiar, práticas sexuais licenciosas, imaturas e imprevidentes, que são punidas com rigor pela lei de ação e reação, quando do retorno à vida espiritual e programação de nova encarnação.

> Supúnhamos que os abusos do sexo nos constituíssem a razão de viver e corrompemos o coração das almas sensíveis e nobres com as quais nos harmonizávamos, vampirizando-lhes a existência...
> No entanto, regressamos ao mundo em corpos dilacera-

dos ou deprimidos, exibindo as estranhas enfermidades ou as gravosas obsessões que criamos para nós mesmos, a estampar na apresentação pessoal a soma deplorável de nossos desequilíbrios.

Espírito Emmanuel, no capítulo Culpa e reencarnação, do livro *Justiça Divina*.

Aqueles a quem emprestaste o potencial das tuas energias orgânicas e que representavam, como teus filhos, o grande tesouro de amor do teu coração, são, como somos, as criaturas do Pai de infinita misericórdia. Os pais da Terra não são criadores e sim zeladores das almas, que Deus lhes confia no sagrado instituto da família. Os seus deveres são austeríssimos, enquanto é do alvedrio superior a sua permanência na face do globo; mas, aquém das fronteiras da carne, é preciso que considerem os filhos como irmãos bem amados.

Espírito Maria João de Deus, no livro *Cartas de uma morta*.

Capítulo 8

SITUAÇÕES EM QUE A ALMA SE ENCONTRA APÓS A DESENCARNAÇÃO

A união do perispírito e da matéria carnal, que se havia realizado sob a influência do princípio vital do gérmen, quando esse princípio cessa de agir em resultado da desorganização do corpo, a união, que apenas era mantida por uma força atuante, cessa quando essa força cessa de agir; então, o espírito se solta, molécula a molécula, como um dia se uniu, e o espírito recupera sua liberdade. Assim, não é a partida do espírito que causa a morte do corpo, mas a morte do corpo que causa a partida do espírito.

O espiritismo nos ensina, pelos fatos que nos proporciona à observação, os fenômenos que acompanham essa separação; ela é algumas vezes rápida, fácil, doce e insensível; outras vezes é lenta, laboriosa, horrivelmente penosa, segundo o estado moral do espírito, e pode durar meses inteiros.

Allan Kardec, no capítulo Gênese espiritual, do livro *A Gênese*.

Interrogavas em torno dos entes amados, além do túmulo.

A doutrina espírita dissipou-te as dúvidas, explicando que o sepulcro não é o fim, tanto quanto o berço não é o princípio, e que toda criatura, ao desenfaixar-se dos laços físicos, prossegue na marcha de aprimoramento e ascensão, do ponto evolutivo em que se achava na Terra.

Espírito Emmanuel, no capítulo Espiritismo explicando, do livro *Justiça Divina*.

A ALMA, DURANTE O seu processo de desencarnação, experimenta certa perturbação mental e íntima, mais ou menos prolongada, em função das atitudes morais adotadas, realizações feitas e méritos espirituais acumulados, no transcorrer da sua valiosa jornada evolutiva corporal na superfície mais densa do planeta.

A alma que se esforçou em se elevar moralmente experimenta serenidade e bem-estar durante esse curso liberatório da sua essência verdadeira da vestimenta temporária. Então, experimenta um desligamento suave e natural das junções fluídicas sutis e separação definitiva das células e órgãos do veículo biológico das dos sistemas do corpo espiritual. Essas libertações paulatinas e mecânicas importantes ocorrem principalmente nas áreas dos tecidos orgânicos do cérebro, libertando a mente que pertence ao espírito.

Desse modo, as células sutis do veículo espiritual se desligam definitivamente das células e órgãos do envoltório físico, que se tornou imprestável para o ser espiritual.

Em função disso, a alma começa a descortinar as realidades da sua imortalidade e da sua nova situação e condições de vida no plano espiritual. A alma que se mostra enobrecida, radiante e feliz é aquela que se preocupou em observar as leis de Deus e conquistar méritos morais perante a Justiça Perfeita, pela realização das boas obras.

VISÃO RETROSPECTIVA

Como se a memória fosse possuída de um admirável poder retrospectivo, comecei a ver todos os quadros da minha infância e juventude, relembrando um a um os mínimos fatos da minha existência relativamente breve.

Espírito Maria João de Deus, no livro *Cartas de uma morta*.

Durante o processo de desencarnação, a consciência tem acesso aos arquivos da memória. Então, pode examinar, em visão retrospectiva, todos os acontecimentos e fatos ocorridos em sua jornada terrena.

Essa revisão automática, rápida e panorâmica dos arquivos integrados na memória pode ser agradável ou constrangedora, dependendo principalmente das próprias experiências morais vividas e das avaliações que a consciência faz das boas ou más realizações durante o ciclo evolutivo que terminou.

Pela lei de causa e efeito, os bons resultados surgem logo em decorrência das providências enobrecedoras adotadas, atitudes elevadas mantidas e ações e obras construtivas realizadas durante as vivências e experiências na vida corporal.

Durante essa visão panorâmica da vida transcorrida, a alma sente-se surpreendida com o grande poder da consciência sobre a memória, em fazer uma admirável recuperação das imagens, para colocá-las em evidência e análise pelo senso moral. Então, de forma espontânea e natural, os mínimos detalhes são vistos e recordados, com a exibição inevitável das cenas e quadros marcantes, da curta ou longa passagem pela crosta terrena.

Para a alma surpreendida e sob impacto, resta apenas relembrar, com precisão, um por um, os mínimos fatos ocorridos e vivenciados, analisar e avaliar principalmente os desdobramentos das suas condutas, convivências e relacionamentos com os semelhantes.

Nessa viagem mental retrospectiva, o senso moral está presente julgando apressadamente as imagens muito claras, que se constituem em provas de tudo o que foi vivido e realizado de bom ou de mau durante a vida pessoal, em família e sociedade.

Como não há, em sã consciência, modo de negar o conteúdo nos quadros vivos e arquivos da memória, a alma revê as cenas da sua infância, mocidade, fases adulta e idosa da vida, como se fosse um documentário fiel e preciso. Isso lhe permite fazer um exame escrupuloso das boas ou más atitudes e realizações, durante a sua vida transitória no corpo de carne.

Para a alma pecadora, geralmente a admiração, surpresa e mesmo estupefação tomam conta da mente. Essa revisão detalhada apresenta claramente as consequências dos erros cometidos, vícios cultivados e crimes praticados. Então, muitas das cenas desagradáveis fixam-se na consciência, desencadeando julgamentos e reflexões dolorosas, que podem antecipar o arrependimento, desejos de reparação e pedidos de perdão.

Já para a alma que se conduziu de modo sábio, fraterno, caridoso, humilde, honesto e responsável, essa revisão causa notável bem-estar, gerando alegria e felicidade. Mas, mesmo assim, muitas delas, por recato, julgam que poderiam ter feito muito melhor nos momentos em que concretizavam as boas obras, colocando-se em maior harmonia com as leis Divinas.

DIFICULDADES NA PERCEPÇÃO DA GRANDE MUDANÇA

> – Meus filhos, eu não morri!... Aqui estou e sinto-me realmente mais forte para vos proteger e amar. Por que chorais aumentando a minha angústia?
>
> – Não me vedes? Não me reconheceis? – bradava eu, desgostosa com a atitude impassível daqueles de quem me aproximava cheia de esperança, numa possível compreensão das minhas palavras; mas a frieza e a insensibilidade constituíam a resposta de sempre.
>
> E, certa noite, quando reunidos oráveis segundo o costume que eu sempre cultivara, ouvi que o oferecimento das preces a Deus era feito em intenção de minha alma.
>
> Descerrou-se, finalmente, o derradeiro véu que obumbrava o meu ser pensante... Senti-me sã, ativa, ágil, como se desper-

tasse naquele instante... Ah! Eu morrera... E a morte representava um grande bem, porque eu me sentia outra, trazendo as faculdades integrais, plena de favoráveis disposições para as lutas da vida.

Maria João de Deus, no livro *Cartas de uma morta*.

A perturbação que a alma experimenta naturalmente durante o seu processo de desencarnação dificulta que ela perceba de imediato que o seu corpo material morreu e que deixou de pertencer e atuar no palco da vida na crosta do planeta.

Para a alma que desencarnou em decorrência de uma moléstia prolongada e difícil na veste carnal, o acordar da perda temporária da consciência geralmente não elimina de imediato as repercussões que a doença teve em seu corpo espiritual (perispírito). Isso a mantém preocupada em sarar, restabelecer e voltar à normalidade da saúde e da vida em família, dificultando a percepção de que houve o falecimento do seu envoltório material.

Mesmo as pessoas que possuem grande lucidez mental para perceber a proximidade da morte do corpo carnal, em decorrência da idade avançada, doença ou acidente grave, geralmente despertam com a mesma inconformidade que desenvolveram pela inevitável e breve separação dos seus familiares, afetos e amigos. Então, com fixação mental nisso, demoram em reconhecer que já houve a grande mudança e que estão em nova situação no plano espiritual. Acordam do sono pesado com dificuldades em perceber e aceitar o ocorrido com o seu envoltório carnal, até que sejam esclarecidas pelas evidências, provas irrefutáveis e por espíritos benfeitores, familiares ou amigos.

Detalhes do sono profundo decorrente do processo de desencarnação

Todas as almas experimentam um sono profundo ou torpor decorrente do processo de desligamento definitivo do seu envoltório corporal. Isso ameniza o choque da grande transição, mas também dificulta a percepção do falecimento do corpo carnal.

Principalmente as almas que despertam dentro do próprio lar sentindo-se bem, depois desse sono invencível decorrente da morte, acham que podem fazer tudo voltar à normalidade. Então, tentam restabelecer os momentos de convivência e relacionamento com os seus familiares, não conseguindo entender porque não são vistas, nem ouvidas, nem obedecidas.

Então, precisam do paulatino entendimento da sua nova situação, que geralmente ocorre com a busca da compreensão para a estranha invisibilidade e ampliação da sua visão e audição para as coisas existentes no plano espiritual. É, quando, geralmente, aparecem os seus entes queridos anteriormente falecidos, que se apresentam bondosos para recebê-las, orientá-las e ajudá-las a prosseguir na sua existência imortal, muitas vezes, nos círculos imediatos da espiritualidade.

Corte do cordão prateado

Espíritos especializados no serviço de libertação final entram em cena para cortar o cordão prateado que persistiu após a morte do envoltório físico. Em seguida, eles determinam a condução da alma para o local ou instituição mais apropriada, em função das suas boas ou más obras realizadas e características morais acumuladas.

Somente a alma que praticou o bem e conseguiu acumular merecimentos morais, será encaminhada, de imediato, para uma instituição localizada em uma das colônias existentes nas regiões da segunda esfera espiritual.

Geralmente, o médico espiritual que coordena os trabalhos da equipe especializada no processo de desencarnação é quem corta o cordão e cuida dos últimos ligamentos fluídicos que retém a alma cativa ao seu corpo material.

Então, vários outros benfeitores do plano espiritual passam a adotar as derradeiras providências necessárias para que a alma tenha o seu destino merecido, em função da lei de causa e efeito, concluindo o trabalho de desprendimento definitivo da alma do seu veículo físico.

ALMAS QUE RELUTAM EM SE AFASTAR DO ANTIGO LAR

Certas almas que acordam do sono profundo dentro do próprio lar, mesmo depois de esclarecidas sobre a grande transição, geralmente por familiares anteriormente desencarnados ou por benfeitores espirituais que participaram do processo de desencarnação, relutam em seguir adiante na vida no mundo espiritual.

Querem, insistentemente, a permissão para permanecer por mais tempo no antigo lar, ao lado dos familiares amados, para continuarem desempenhando seus afazeres e atividades. Alegam que eles não estão preparados para suportar as grandes mudanças que já estão ocorrendo no reduto doméstico e que querem manter as mesmas influências que tinham, mesmo que ocultas, no cotidiano e no futuro dos seus entes queridos encarnados.

Essas realidades espirituais são muito comuns para as almas das mães muito condicionadas e dedicadas à família, esposos amorosos, pais devotados, avós virtuosas e trabalhadoras e irmãos vigilantes. Elas julgam que o afastamento do próprio lar prejudicará os membros da família que vão permanecer encarnados, pelas complexidades que marcam a vida doméstica.

Então, os benfeitores espirituais têm muito trabalho em convencê-las de que seus entes queridos sempre foram auxiliados e protegidos por espíritos protetores e anjos da guarda muito mais experientes, principalmente no amadurecimento mental e na eliminação das influências nefastas dos espíritos inferiores, viciosos e maus que tentam prejudicá-los; e que mesmo das colônias para as quais serão transferidas poderão manter contatos e ajudar ocultamente os seus familiares encarnados, para que continuem sendo bem-sucedidos na jornada corporal.

Almas vinculadas ao ateísmo e materialismo

Muitas almas que se tornaram convictas do ateísmo e materialismo, sem jamais terem praticado atos maldosos, geralmente acordam do sono da morte no próprio lar na crosta do planeta, com a mesma falta de noção sobre a sua imortalidade e realidades espirituais que marcam a continuidade da vida da alma no além--túmulo.

Quase todas, demoram muito tempo em perceber e se convencer da perda do envoltório carnal. Continuam achando, embora as evidências e provas, que estão na mesma existência corporal. Assim, sustentam, por longo tempo, as mesmas crenças infundadas, principalmente porque continuam com a mesma forma, aparência e limitações no corpo espiritual. Além disso, continuam relutando em aceitar a complexidade, amplitude e grandeza da dimensão da obra de Deus, o que as leva a não sentir falta do acesso aos reinos espirituais, onde existem múltiplas esferas, formas e condições de vida.

Somente almas trabalhadoras, bondosas, justas e conquistadoras dos méritos intelectuais e morais, embora as suas crenças exclusivas no universo material, são, quase de imediato, pela clareza e lucidez mental, esclarecidas sobre a nova situação, pelos entes queridos, benfeitores e amigos desencarnados. Estes surgem, de modo inconteste e comovente, para convencê-las, pacientemente, de que despertaram, após breve tempo de perda da consciência, em esfera útil do reino dos céus. Assim, curvam-se ante as elucidações de que a obra de Deus é imensa e maravilhosa; e que existem novas ocupações e atividades incessantes em localidades espirituais adequadas à continuidade da evolução intelectual e moral e ascensão na hierarquia verdadeira.

Almas orgulhosas e egoístas

As almas que, na vida corporal, se tornaram orgulhosas, prepotentes, egoístas e trataram os semelhantes com pretensa superioridade, despertam do desmaio prolongado decorrente da morte do corpo material, sem os méritos para a assistência especializada dos benfeitores espirituais. Nem mesmo os espíritos que foram seus pais e familiares terrenos, nem os raríssimos amigos que fizeram aparecem para ampará-las, orientá-las e ajudá--las a sair das prolongadas perturbações mentais.

Assim, não entendem as novas situações em que se encontram, nem compreendem as condições e restrições do perispírito, devido os padrões mentais e do mundo interior, marcados por pobreza moral e espiritual.

Desse modo, demoram demasiados períodos de tempo, habitando solitárias nas regiões da crosta da Terra ou mesmo nas suas regiões espirituais circunvizinhas, fazendo revisões insistentes e reflexões dos arquivos nas memórias. Mesmo assim, sem recursos, bens, poderes e privilégios, e cheios de justificativas, continuam exibindo ainda os mesmos graus de arrogância, impiedade, mesquinhez e valorização das coisas materiais, com acesso apenas à companhia dos espíritos sofredores, que possuem a mesma inferioridade espiritual e moral, afinidades e sintonias, pelo idêntico padrão no mundo mental e íntimo.

Porém, essas almas não estão esquecidas para sempre pela misericórdia e previdência de Deus, nem pelos benfeitores espirituais que as observam atenta e discretamente, para, no momento oportuno, encaminhá-las para os caminhos corretos do progresso.

ALMAS COMUNS OU VULGARES

> Aprisionavam a mente no egoísmo feroz, e tornam à paisagem doméstica, à maneira de loucos, envolvendo os entes queridos em fluidos tentaculares.
>
> Empregavam as horas, ilaqueando a si mesmos, e vagueiam, errantes, hipnotizados por inteligências corrompidas com as quais se conjugam em delitos nas trevas.
>
> **Espírito Emmanuel, no capítulo Espíritos transviados, do livro *Justiça Divina*.**

Muitas almas, que na vida carnal foram homens comuns e vulgares, por não terem se esforçado para elevar o padrão intelectual, nem acumular e praticar as virtudes, deixam o palco da existência corporal voltados à continuidade da satisfação das suas necessidades e do gozo dos prazeres materiais.

Elas ficaram retidas no ambiente espiritual da crosta da Terra por conservarem e revelarem os mesmos traços inferiores de caráter, idênticos hábitos e vícios perniciosos, costumes rasteiros, interesses egoísticos e preferências e atividades vulgares do cotidiano. Apresentaram-se na vida que lhes era invisível sem quaisquer grandezas e méritos morais que permitissem ser conduzidas a uma colônia espiritual bem estruturada e feliz do plano espiritual.

Desse modo, buscam a volta e permanência no próprio ambiente doméstico em que viveram, para acompanharem de perto as atividades diárias dos seus familiares e entes queridos, influenciando-os em suas decisões e atividades cotidianas e servindo-se dos recursos fluídicos que extraem para a alimentação do perispírito.

Muitas vezes, eles se distanciam do antigo lar porque preferem vagar sem rumo pelas ruas da sua cidade, frequentando as casas, prédios e lugares de sua preferência, onde se integram às atividades dos grupos de espíritos egocêntricos, levianos, vagabundos, viciosos e perturbadores. Além disso, algumas vezes, dirigem-se às regiões inferiores do plano espiritual, vizinhas à crosta da Terra, em busca da satisfação de suas necessidades e de seus vícios e prazeres.

Essas almas são facilmente reconhecidas pela densidade do corpo perispiritual, muito próxima à do envoltório carnal, pela manutenção da idêntica forma e típica aparência humana, sem qualquer substância luminosa. Muitas delas ligam-se ansiosamente à satisfação das mesmas necessidades fisiológicas que sentiam quando estavam na vida carnal, servindo-se para isso de seus familiares encarnados.

Aquelas que se aliaram aos espíritos maledicentes, viciosos, agressivos e violentos, com aparência feia ou até mesmo monstruosa no perispírito, pelas condições péssimas no mundo mental e íntimo, passam a perambular juntos pelas vias públicas das cidades, em busca de alimentos, abrigos e locais agradáveis para a diversão. Para elas, quase nada se alterou das ilusões, más paixões, hábitos, tendências viciosas e delituosas e afinidades peculiares que sustentaram durante a experiência corporal.

Nesses casos, os benfeitores espirituais que atuam em toda parte da crosta da Terra e das suas regiões espirituais mais próximas acompanham discretamente as atividades desses espíritos imperfeitos, inferiores, vulgares ou comuns, esperando que, um dia, eles se sintam desiludidos, insatisfeitos, tristes, infelizes, sofredores e até mesmo muito doentes. É quando aceitam voluntariamente o amparo, conselhos e providências que os levem ao planejamento de nova encarnação evolutiva.

ALMAS IMPRUDENTES, VICIOSAS, VIOLENTAS E CRIMINOSAS

Muitas almas que se tornaram, pela imprudência, fortemente vinculadas aos vícios, atos imorais, violências e criminalidades são encaminhadas e despertam nas regiões do umbral da vida espiritual, experimentando graves desequilíbrios mentais, padecimentos íntimos e enfermidades no corpo espiritual, em companhia de muitos espíritos afins.

Elas permanecerão longo tempo nessas difíceis condições de vida, porque relutam em melhorar as suas más características mentais adquiridas e elevar o padrão do mundo interior. Também rejeitam as mudanças necessárias que são sugeridas pelos benfeitores espirituais, para que se livrem das consequências das suas más escolhas e obras livres. Também vivem indiferentes, mas acompanhadas e observadas discretamente pelos espíritos familiares piedosos, anteriormente desencarnados, que descortinam seus estados mentais, avaliam as repercussões doentias no perispírito e leem a qualidade dos seus sentimentos, emoções, pensamentos e emissões de ondas mentais, para detectarem os sinais de arrependimento que vão abrir caminho para a regeneração.

ALMAS CRIMINOSAS QUE, COM A REVISÃO DA VIDA E O DESPERTAR CHOCANTE DO TORPOR, SENTEM CULPA E REMORSO NA CONSCIÊNCIA

Ruminamos, por tempo indeterminado, os quadros sinistros que nós mesmos criamos.

Cada consciência vive e evolve entre os seus próprios reflexos. É por isso que Allan Kardec afirmou, convincente, que, depois da morte, até que se redima no campo individual, "para o criminoso a presença incessante das vítimas e das circunstâncias do crime é suplício cruel".

Espírito Emmanuel, no capítulo Doenças da alma, do livro *Justiça Divina*.

Grande quantidade de almas criminosas ressurge na vida espiritual suportando a revisão detalhada e insistente de todas as cenas infelizes dos crimes praticados, principalmente dos que ficaram ocultos, impunes ou disfarçados durante a sua passagem pela vida terrena.

Muitas delas reencontram inevitavelmente as almas que muito prejudicaram com suas atitudes e ações criminosas, descobrindo que elas ainda cultivam ódio e fortes desejos de vingança.

Então, a lei de causa e efeito impõe-lhes, de imediato, na vida espiritual, os resultados danosos da perversão que promoveram na inteligência e no mundo mental e sentimental, desencadeando o retorno dos muitos atos cruéis de violência e crimes lamentáveis praticados contra terceiros.

Com essa volta à vida verdadeira onerada por dívidas pesadíssimas perante as leis do bem e à justiça, sentem-se escravizadas à revisão inevitável dos seus feitos, geralmente ao lado dos muitos inimigos que criaram. Então, suportam nas regiões do umbral os visíveis efeitos doentios e as consequências das condições mentais desequilibradas, com reflexos nos órgãos do perispírito.

Assim, passam longo tempo enfermas e infelizes nas zonas purgatoriais conturbadas, tristes e sombrias, sem saber como fugir das revisões, perturbações, zombarias e agressões dos espíritos inimigos e impiedosos.

Evidentemente, os espíritos familiares e benfeitores espirituais que atuam nessas regiões de purgação acompanham, de modo oculto e discreto, as condições difíceis de vida desses espíritos maus e criminosos, esperando que roguem oportunidade de regeneração. A favor disso operam as reflexões pela revisão insistente das imagens arquivadas na memória, os sentimentos de culpa e os impulsos dos remorsos que os seus inimigos despertaram na consciência.

Quando se arrependem, verdadeiramente, são amparadas e internadas em instituições apropriadas, instaladas nas regiões do umbral mesmo, para que busquem a efetiva recuperação, reeducação e reequilíbrio do estado mental e melhoria das condições do perispírito, numa reencarnação expiatória.

ALMAS DAS PESSOAS CALUNIADORAS

As almas que adoravam espalhar calúnias com o objetivo de prejudicar a prosperidade e felicidade dos seus semelhantes, depois da perda do carro físico, caem em profunda perturbação mental, tendo estranhos pesadelos durante a revisão insistente dos seus atos maldosos e inconsequentes.

Então, as telas da memória oferecem as provas irrefutáveis para que a consciência levante sérias acusações pelos grandes padecimentos e constrangimentos que impuseram às suas vítimas inocentes.

Mas, pelas condições mentais e íntimas e pela lei de causa e efeito, os órgãos do perispírito já tinham adquirido grande densidade e desequilíbrios. Então, foram puxadas para as regiões do umbral circunvizinhas à crosta da Terra, para permanecer por longo tempo, assombradas pela revisão incessante das suas condutas malévolas, até que se disponham a recorrer ao amparo dos benfeitores espirituais e espíritos familiares, que as conduzirão às providências regeneradoras e à futura reencarnação expiatória, geralmente suportando a mudez, para que eliminem o mau hábito que cultivaram por uma vida inteira.

ALMAS QUE DISSEMINARAM OS VÍCIOS E CRIMES

As almas que, por interesses financeiros e pela ganância na acumulação das riquezas materiais, disseminaram o cultivo dos vícios e dos crimes, prejudicando a si mesmas, aos familiares e a muitas outras pessoas que as cercavam ou procuravam iludidas com os prazeres, gozos viciosos e ganhos ilícitos, após a perda da vestimenta de carne se deparam com os sérios desequilíbrios que promoveram no estado mental e órgãos do perispírito. Recebem as sérias consequências morais e espirituais dos condicionamentos viciosos e crimes que espalharam.

Geralmente, ao reencontrarem suas vítimas, recebem acusações graves pelas destruições que promoveram em suas vidas pessoais, familiares, profissionais e evolutivas. Então, tornam-se vítimas das reações violentas, agravando ainda mais as agonias e consequências de todas as ordens impostas pelos vícios e crimes que espalharam destruidoramente.

Muitas dessas almas disseminadoras dos vícios e crimes não conseguem se manter nos tratamentos que lhes são oferecidos pelos benfeitores espirituais, quando lhes pedem oportunidade regenerativa, porque sentem, por impulsos hipnóticos, as mesmas necessidades incontroláveis de satisfazer as preferências viciosas ou cometer os crimes que estimularam e impuseram aos outros que estão habitando, doentes e infelizes, as regiões inferiores da primeira esfera espiritual (umbral). Seus inimigos lhes determinaram a integração em grupos de espíritos que tinham as mesmas tendências viciosas ou preferências pelos crimes que espalharam, para que comprometessem ainda mais o seu futuro. Então, escravizaram-se a bandos de espíritos com variados tipos de vícios e habilidades criminosas, sendo obrigados, muitas vezes, a ter acesso e dominar certos homens que, sob influências mentais, fossem parceiros na satisfação dos mesmos vícios perniciosos ou crimes desastrosos.

Para muitos desses espíritos que se comprometeram tão gravemente com a disseminação dos vícios e crimes, o estado mental foi adquirindo tão deprimentes insanidades e enfermidades, que precisam reencarnar compulsoriamente em corpos que vão apresentar deficiências mentais e físicas congênitas. Assim, receberão muitos tratamentos e socorros de familiares, instituições e hospitais especializados em combater as disfunções enraizadas na mente e no corpo espiritual as quais foram transferidas para o envoltório carnal. Essas reencarnações expiatórias são alternativas eficientes para as almas irem obtendo paulatinamente a reversão definitiva dos resultados decorrentes dos maus hábitos e crimes cometidos em vida passada.

ALMAS DOS SUICIDAS

As almas que aniquilaram prematuramente o seu veículo físico, concedido por Deus para a sua evolução em termos intelectuais e morais, apresentam-se na espiritualidade ainda mais doentes da mente e principalmente dos órgãos do perispírito, por terem sido afetados bastante com as agressões mortais ao corpo carnal.

Além disso, passam pelas revisões da trajetória na vida corporal, fazendo profundas reflexões sobre as suas atitudes e ações. Assim, conscientizam-se do quanto erraram nas decisões e condutas morais, destruindo a convivência e relacionamentos com os seus familiares e pessoas mais próximas. Convencem-se de que criaram para si mesmas, grandes constrangimentos, revoltas e descontroles, ao terem fracassado ante as missões, provas, dificuldades e oportunidades evolutivas.

Com os agravamentos que experimentam nos desequilíbrios nos campos mentais, emocionais e sentimentais, tentam desesperadamente reparar os danos da agressão fatal ao próprio corpo material.

Desse modo, muitas das almas que cometeram o suicídio, mas principalmente aquelas que antes disso praticaram atos de violência ou crimes graves contra os seus semelhantes, despertam do pesado torpor em condições de purgação nos vales tenebrosos do umbral. Além de passarem por dolorosos abalos e sofrimentos mentais e deformações no perispírito, experimentam o retardo no corte do cordão prateado, com efeitos inenarráveis.

Para elas, é muito lento o passar do tempo, até que descubram, tardiamente, a gravidade dos males, tormentos e traumas que causaram a si mesmas, aos seus pais, familiares e pessoas da sociedade. Então, precipitam-se em padecimentos ainda piores, exigindo a reencarnação compulsória, com doenças congênitas no novo envoltório carnal.

Algumas almas suicidas apresentam-se tão desequilibradas e doentes das percepções mentais, que não conseguem entender que estão retidas em sofrimentos na crosta da Terra. Acreditam que a tentativa de suicídio fracassou e precisam ficar vagando sem rumo pelas ruas da sua cidade, tendo que se esconder das legiões de espíritos maus e perigosos que controlam certas regiões, visando a arregimentar os espíritos incautos, ociosos e desprovidos de elevação moral.

Muitas dessas almas procuram voltar e permanecer no extinto santuário doméstico, principalmente as evocadas pelos estados mentais e emocionais em desequilíbrio dos seus pais. Mas, logo descobrem a impossibilidade de reintegração, porque agravam os sofrimentos e causam enfermidades sérias nos seus entes queridos, pelos fluidos sutis doentios e nefastos que emitem, decorrentes das condições da mente e do perispírito.

Os benfeitores espirituais e espíritos familiares mais esclarecidos sobre as realidades morais e espirituais estão sempre atentos acompanhando as situações, atitudes e ações dessas almas suicidas. Mas, muito pouco podem fazer pelo grau de desequilíbrio, sofrimentos, enfermidades, dores e padecimentos que elas promoveram para si mesmas, com o ato lamentável praticado. As providências complexas e os tratamentos complicados necessitam de internação em instituições hospitalares socorristas especializadas, que lhes ofereçam esquemas disciplinares rígidos, processos de reeducação para o reequilíbrio nas potências da mente e a reparação nos danos causados nos órgãos do perispírito, antes que sejam encaminhadas para a reencarnação expiatória.

Somente a volta ao envoltório de carne abrirá caminho para a eliminação dos resultados dos sentimentos de culpa, remorsos na consciência, flagelações mentais e traumatismos e processos degenerativos nos centros de força do perispírito. Estes serão transferidos automaticamente para o novo corpo material, durante o processo de gestação, gerando doenças congênitas.

A principal dificuldade para a reencarnação desses espíritos suicidas está na escolha dos novos pais terrenos. Geralmente, esses espíritos serão aceitos apenas pelos genitores que, em tempos passados, corromperam os próprios centros genésicos, por delinquências, crimes contra o parceiro, depravações, promiscuidades ou prática do aborto. Então, rogam a missão da maternidade ou da paternidade, pela necessidade de quitarem suas dívidas sérias contraídas perante a lei. Farão sacrifícios, praticarão atos educativos e assumirão práticas amorosas e manifestações de devoção para os filhos nascidos atormentados no palco das expiações e quitação da imensidão de pecados.

Almas das pessoas religiosas

Muitas almas que, verdadeiramente, adotaram crenças religiosas e praticaram seus princípios morais, com o despertar na continuidade de suas vidas no plano espiritual, conservam, por si mesmas, por algum tempo, a convicção de que irão passar por um tribunal de julgamento, antes de serem conduzidas para o purgatório ou céu.

Porém, logo são esclarecidas por benfeitores espirituais que, pelas suas qualidades morais cultivadas, atitudes elevadas praticadas e as boas obras realizadas, estão passando apenas por um breve período de recuperação e adaptação às novas condições de vida existentes nas regiões felizes do plano espiritual. Por terem praticado a lei de amor, justiça e caridade reuniram méritos espirituais suficientes para serem conduzidas, em breve, para uma colônia espiritual cheia de belezas naturais e boas companhias, onde irão desfrutar de novas oportunidades de trabalho, prática do bem e evolução espiritual.

Almas das criancinhas

As almas das criancinhas, cujos corpos materiais faleceram em qualquer idade, pelos motivos mais variados, são acolhidas rapidamente e bem assistidas pelos benfeitores espirituais. Estes cuidam do processo de desencarnação, para que sejam encaminhadas com brevidade para educandários especializados no atendimento de suas necessidades imediatas, readaptação às diferentes condições de vida existentes no plano espiritual e à continuidade das suas ocupações educativas e tarefas evolutivas.

Algumas dessas almas infantis precisam passar por tratamentos prolongados no corpo sutil. Elas retiveram temporariamente no perispírito os reflexos das causas graves para a morte do corpo material. Então, recebem cuidados, tratamentos e recursos médicos eficientes, de forma que logo ficam sadias, podendo ser integradas nas atividades escolares e recreativas que favorecem o desenvolvimento intelectual e moral.

Depois disso, as almas infantis que se recuperam podem receber a visita das almas de seus pais terrenos, para amenizarem as saudades. São momentos bem planejados e preparados para o reencontro com as almas dos genitores, libertas parcialmente do corpo material pela influência do sono. Estas são conduzidas para ambientes muito agradáveis nos educandários que abrigam as almas dos filhos.

Quase sempre essas visitas tornam-se muito alegres e emocionantes, acelerando a recuperação do estado mental e íntimo. As palavras, boas influências e brincadeiras oferecidas pelas almas dos pais terrenos, repletas de amor e ternura nesses momentos do reencontro, promovem benéficas transformações e profundas melhoras. Então, esse bem-estar permanece mesmo após esse período de tempo, muito aproveitado e feliz, geralmente registrado de modo impreciso através dos sonhos.

Para as almas de muitos pais, a maior felicidade consiste em ver que as almas dos seus filhinhos eliminaram completamente as enfermidades tristes e graves que causaram a morte do corpo material. Isso torna-se notório nos pais cujos filhos suportaram doenças congênitas ou expiatórias, que serviram para a obtenção da cura de certos órgãos do perispírito. Então, recuperadas na dignidade e na saúde, apresentam-se livres para seguirem em boas condições evoluindo na existência imortal.

Desse modo, as almas dos genitores terrenos compreendem claramente que o breve estágio na vida corporal prestou-se para a restauração da saúde no perispírito e melhoria nas condições mentais e íntimas, abrindo a porta para a volta à normalidade evolutiva na vida imperecível. Elas, sensibilizadas e comovidas com a bondade e misericórdia de Deus, retornam conscientes de que forneceram os instrumentos carnais necessários para que as almas dos seus filhos tivessem deixado para trás verdadeiros infernos umbralinos e obtivessem a regeneração, com a volta da saúde.

ALMAS DAS PESSOAS DE BEM

As almas que se conduziram na vida corporal de forma sábia e amorosa, exemplificando boas atitudes e concretizando obras admiráveis, geralmente participam desde o início do seu processo de desencarnação, pela lucidez mental e o grau de sutileza que determinaram para o perispírito.

Assim, enfrentam o processo de desencarnação com serenidade e sentindo revigoramento nas suas forças mentais e íntimas, pela noção de dever bem cumprido, paz na consciência e percepção das boas companhias espirituais.

Pela grandeza mental e maturidade moral e espiritual mostram um clarão juvenil e luzes brilhantes nos olhos, principalmente após a percepção da presença discreta dos benfeitores das esferas superiores, atuando em seu benefício. Então, assistem o andamento da desencarnação que se processa sem expectativas negativas, choques, dores ou traumas.

Muitas delas percebem que estão tão bem assistidas e que tudo está correndo de forma natural, calma e satisfatória, que se mostram relutantes em aceitar o sono ou torpor, que vai se impondo de modo irresistível. Confiantes, querem, antes do desmaio que pressentem ser compulsório, agradecer a Deus pela presença bondosa dos ilustres benfeitores, que se apresentam com o corpo espiritual belo e com aparência brilhante. Graças às providências que estão tomando, o processo de liberação da alma do seu corpo material está ocorrendo de modo suave e indolor.

Com a ampliação da visão e audição espiritual, essas almas virtuosas assistem num clima de muita satisfação, emoção e alegria, a chegada de seus entes queridos desencarnados preparados para recebê-las, ampará-las e adaptá-las na continuidade da vida liberta dos condicionamentos materiais. Mas, com o predomínio do sono reparador, não há a percepção do corte do cordão prateado. Apenas do início da visão retrospectiva de todos os fatos ocorridos em sua vida corporal, o que lhes causa bem-estar pelas imagens muito agradáveis.

Desse modo, as almas que viveram com nobreza moral e espiritual são conduzidas para acordar em instituição ou lar da região da esfera da luz. Com a serenidade que mantêm na consciência, pela observância das leis de Deus, sentem-se plenamente sadias, alegres e felizes, ao lado dos espíritos queridos. Após as adaptações e aprendizados, logo são integradas às novas ocupações, atividades e tarefas evolutivas.

ALMAS BEM-AVENTURADAS

Certas almas se apresentam diante dos benfeitores espirituais especializados, durante o seu processo de desencarnação, com méritos tão elevados, pelas suas conquistas intelectuais e morais durante as missões e provas, que são desligadas do envoltório carnal com muito respeito e admiração.

Antes mesmo do sono profundo, corte do cordão prateado e revisão retrospectiva da vida, já perceberam a chegada dos espíritos familiares e amigos para acompanhar e influenciar positivamente no término rápido e fácil da sua jornada terrena.

Com o equilíbrio mental e no mundo íntimo que apresentam, bem como com as boas condições nos órgãos perispirituais, são conduzidas com brevidade para acordar no reino das bem-aventuranças, onde imperam as coisas espirituais maravilhosas, as condições de vida excelentes e a alegria e a felicidade. Então, se adaptam para desempenhar as atividades úteis aos espíritos em evolução, em companhia dos espíritos superiores.

Geralmente, continuam por algum tempo sob a tutela, providências, simpatias e gentilezas dos espíritos afins, que lhes oferecem amparo, esclarecimentos, instruções e serviços úteis para que desfrutem das merecidas bem-aventuranças.

Essas almas eleitas, logo desenvolvem grande capacidade no poder visual e nas percepções. Além disso, com o poder mental e o perispírito muito sutil e flexível, adquirem notável mobilidade e poder de ação em grande parte do plano espiritual. Com suas faculdades aprimoradas manifestando-se livremente, sem quaisquer embaraços ou restrições impostas pela matéria em estado denso, aprendem a atuar sobre o grande laboratório fluídico do plano espiritual.

Com as condições mentais elevadíssimas, amor nos sentimentos e paz na consciência, vivem na presença e companhia permanente dos espíritos benfeitores, amigos, companheiros e familiares. Com a consciência dilatada acerca da grandeza da obra de Deus, passam a explorar e conhecer as múltiplas condições de vida instaladas nas diferentes regiões das múltiplas esferas espirituais.

Então, escolhem uma das maravilhosas colônias espirituais, para habitar e desempenhar atividades, ocupações, prestar serviços úteis e realizar trabalhos nobres. Dela podem partir em viagens para além das esferas espirituais vinculadas ao planeta Terra, onde se inteiram da grandeza nas formas de vida que florescem em outras partes do Universo.

Reencontro com os espíritos familiares e amigos

Recordava-me dos menores detalhes do lar, quando experimentei sobre os ombros o contato de veludosas mãos. Ergui repentinamente o meu olhar e, – oh, maravilha! – vi minha mãe a contemplar-me com a melhor das expressões de ternura e amor. Como me senti recompensada, nesse momento

inesquecível, de todos os infortúnios que houvera sofrido!
Espírito Maria João de Deus, no livro *Cartas de uma morta*.

O reencontro com os espíritos familiares queridos melhora consideravelmente o estado mental e o mundo íntimo das almas amorosas e bondosas, principalmente pelo amparo generoso que passam a receber.

Então, libertam-se mais rapidamente dos condicionamentos que adquiriram e mantiveram em decorrência dos laços familiares estreitos e sentimentos afetivos sustentados na vida corporal. Com essa renovação no mundo mental e íntimo, esforçam-se para deixar para trás os hábitos arraigados e as recordações marcantes das vivências e experiências particulares que tiveram para evoluir na crosta do orbe terrestre.

Esse reencontro com os entes queridos ocorre sob fortes emoções e num clima afetivo e feliz. Isso facilita as necessárias adaptações às realidades existentes na espiritualidade, recuperação mais rápida e a inserção em novas atividades.

Muitas dessas almas manifestam, então, profunda gratidão a Deus pela imortalidade da alma, bênçãos recebidas na vida verdadeira e amparos dos benfeitores e familiares queridos, que os encaminham para as ocupações múltiplas e atividades enobrecedoras que vão permitir a conquista de novos progressos, desfrutando das surpreendentes possibilidades do corpo espiritual sutil, leve e flexível.

PARTICULARIDADE EM CADA CASO DE DESENCARNAÇÃO

Cada caso de desencarnação é exclusivo e diferente, porque estão envolvidas as condições mentais, íntimas e perispirituais, as ações, méritos e uso das faculdades intelectuais e morais, durante a jornada evolutiva na vida corporal.

Somente as almas que se esforçaram para elevar as suas conquistas intelectuais e morais, conseguem um regresso suave e agradável para a pátria espiritual. Elas se apresentam perante os benfeitores espirituais com serenidade e paz na consciência, pela prática do bem. Assim, conseguem amparo para a restauração fácil de suas energias, geralmente contando ainda com a assistência dos espíritos familiares queridos.

DIFERENTES POSSIBILIDADES DO CORPO ESPIRITUAL

As almas recém-desencarnadas apresentam-se no plano espiritual com o corpo espiritual que elaboraram para si mesmas, com suas conquistas mentais, emocionais e suas ações e obras.

Somente as almas bem-sucedidas em suas missões e provas apresentam-se com um corpo perispiritual belo, luminoso e cheio de possibilidades surpreendentes. Assim, esse instrumento da justiça de Deus dá a cada alma de acordo com as suas obras.

Portanto, o corpo sutil da alma, embora conserve a forma idêntica e a mesma aparência e características masculinas ou femininas do corpo material da última reencarnação, se apresenta como um retrato vivo do grau de evolução de cada alma. Ele varia em grau de densidade e de possibilidades em função do padrão evolutivo do mundo mental e íntimo, inserindo-se nas condições de vida que encontra nas regiões da esfera espiritual que mereceu habitar e agir no plano espiritual.

CARACTERÍSTICAS DAS INSTITUIÇÕES QUE AMPARAM AS ALMAS RECÉM-DESENCARNADAS

São muitas as instituições que recebem as almas recém-desencarnadas, após terem sido identificadas e classificadas principalmente em função da sua elevação moral.

Geralmente, elas são encaminhadas por benfeitores espirituais especializados, após o processo de desencarnação, para as organizações socorristas ou hospitais de recuperação, para receberem uma assistência condizente com o estado mental e íntimo.

Recebem cuidados, tratamentos, orientações e recursos necessários à restauração plena das suas forças mentais e interiores e dos centros de força do perispírito.

Depois disso, geralmente, recebem as visitas de seus entes queridos, com os quais mantêm afinidades e sintonias, para que recebam adestramentos que permitam o bom uso das faculdades e afloramento das possibilidades do perispírito. Muitas vezes, são inscritas em cursos e palestras instrutivas, para que se adaptem logo às condições de vida que mereceram nas regiões da esfera espiritual que está condizente com sua elevação espiritual.

Somente as almas moralmente elevadas desfrutam do encaminhamento para as instituições bem estruturadas, que possuem quartos espaçosos e atendimentos semelhantes aos oferecidos pelas instituições hospitalares terrenas com recursos muito avançados. Assim, recebem tratamentos especiais e esclarecimentos oportunos. Depois, são amparadas pelos espíritos familiares e amigos, o que lhes facilitam a adaptação e escolha das novas atividades. Então, passam a viver em excelentes condições de vida, paz na consciência, bem-estar, alegria e felicidade. Com os adestramentos que merecem nas energias poderosas da mente e do mundo íntimo e com o desenvolvimento dos poderes e possibilidades do perispírito atuam com muita eficiência em variados campos do bem, ajudando na disseminação dos progressos de todas as ordens.

Capítulo 9

ATIVIDADES INCESSANTES DOS BENFEITORES ESPIRITUAIS

———◄ • ♥ • ►———

Endereça o pensamento às Alturas e pede-lhes (aos benfeitores espirituais) inspiração e socorro, porque para eles, os bem-aventurados que se elevaram à União Divina, o júbilo maior será sempre esparzir o amor de Deus, que acende estrelas, além das trevas, e desabotoa rosas entre os espinhos.

Espírito Emmanuel, capítulo Bem-aventurados, do livro *Justiça Divina.*

Os benfeitores espirituais já foram, durante as jornadas evolutivas terrenas, pais, avôs, irmãos, amigos, crianças, jovens, adultos e idosos. Então, conquistaram as bem-aventuranças por terem evoluído e agido de forma sábia, amorosa, generosa, humilde, bondosa, justa, misericordiosa, fraterna e produtiva, merecendo habitar as regiões das esferas espirituais muito elevadas que circundam a Terra, de modo concêntrico.

Eles recebem, com facilidade, as preces, apelos e pensamentos que sobem direcionados a Deus, oriundos das pessoas que se vincularam às ocupações, atividades e trabalhos nos campos do bem. Em resposta, com suas faculdades volitivas muito adestradas, chegam rapidamente às localidades em que foram evocados, para prestarem socorro, orientação, ajuda fraterna e estímulos para a persistência na prática do bem.

Com suas qualidades nobres atendem, em nome de Deus, indistintamente todos os pedidos bons e justos que lhes são direcionados pelos irmãos encarnados, que estão percorrendo, às duras penas e fazendo persistentes esforços, na longa jornada evolutiva que os leva até a angelitude.

Então, oferecem-lhes influenciações, clareza mental, socorro e proteção para que não se afastem da seara do bem, pelo rigor da lei de causa e efeito, chegando, muitas vezes, a dedicar atenção até mesmo às almas das espécies mais simples que estão nos locais evoluindo na animalidade, para que, mais adiante, entrem na complexa, mas extraordinária humanidade.

OCUPAÇÕES E ATIVIDADES JUNTO ÀS FAMÍLIAS, INSTITUIÇÕES, CIDADES E NAÇÕES

Há espíritos que se ligam a toda uma família para protegê-la?

– Alguns espíritos se ligam aos membros de uma mesma família, que vivem juntos e são unidos por afeição, mas não acrediteis em espíritos protetores do orgulho das raças.

– Os espíritos vão de preferência aonde estão os seus semelhantes, pois nesses lugares podem estar à vontade e mais seguros de ser ouvidos. O homem atrai os espíritos em razão de suas tendências, quer esteja só ou constitua um todo coletivo, como uma sociedade, uma cidade ou um povo. Há, pois, sociedades, cidades e povos que são assistidos por espíritos mais ou menos elevados, segundo o seu caráter e as paixões que os dominam. Os espíritos imperfeitos se afastam dos que os repelem e disso resulta que o aperfeiçoamento moral de um todo coletivo, como o dos indivíduos, tende a afastar os maus espíritos e a atrair os bons, que despertam e mantêm o sentimento do bem nas

massas, da mesma maneira por que outros podem insuflar-
-lhes as más paixões.

Questões 517 e 518 de *O Livro dos Espíritos*,
de Allan Kardec.

Muitos benfeitores espirituais, com suas faculdades, percepções e poderes extraordinários, desenvolvem atividades incessantes muito variadas, atuando na condição de cocriadores na
obra de Deus, mas ainda preocupados e se esforçando, em suas
ocupações, em acumular sempre maiores conhecimentos, qualidades e méritos intelectuais e morais, para continuarem subindo
degraus mais elevados da hierarquia espiritual. Assim, estendem suas áreas de ação para fora das regiões das esferas espirituais vinculadas ao planeta Terra e buscam chegar ao porvir
venturoso que os aguarda nas regiões das esferas dos anjos.

Por isso, imensos exércitos desses benfeitores espirituais se
dedicam em atuar fortemente, mas de modo discreto, oculto e
sempre respeitando o livre-arbítrio, junto às famílias que receberam espíritos encarnados voltados à disseminação do bem e
escolhidos para realizar trabalhos complexos e vencer provas
difíceis para que sejam coroados com êxitos e méritos no cumprimento de suas programações. Enquanto isso, muitos outros
batalhões desses exércitos estendem suas ocupações e atividades
ao desenvolvimento e à prosperidade de instituições, sociedades, cidades, povos e nações, visando a elevação do planeta na
categoria dos mundos habitados.

Muitos desses benfeitores sentem-se ainda ligados aos membros de certas famílias por antigos laços afetivos, espirituais,
afinidades morais e preferências por atuação em determinados
campos das atividades humanas.

Então, continuam acompanhando e protegendo esses entes
queridos encarnados, ajudando-os nas missões, provas e parti-

cipando ativamente nas condições de vida deles, para que haja um bom andamento em todos os projetos e acontecimentos em família, inclusive nos processos de nascimento e desencarnação dos seus entes familiares.

ATUAÇÕES NO MUNDO DAS EMPRESAS PÚBLICAS E PRIVADAS

Muitos desses benfeitores espirituais tornaram-se espíritos protetores e anjos da guarda das pessoas que estão promovendo melhorias e ocorrências progressistas nas instituições públicas e privadas. Eles contribuem de modo imperceptível na concretização dos planos e melhoria das condições de vida das pessoas envolvidas com as empresas, para que os sucessos resultem em aprimoramentos que elevem o padrão das instituições.

Então, permanecem em estreita sintonia mental com os diretores, funcionários e trabalhadores honestos e dedicados ao bem. Com o crescimento que propiciam em conhecimentos, profissionalismo, madureza mental e virtudes, graças a estreita vigilância e notáveis influenciações sobre eles, renovam, incessantemente, seus estados de espíritos, favorecendo os êxitos em seus trabalhos inusitados, providências, descobertas e inovações que engrandecem a vida de muitas pessoas, famílias e sociedades.

ATUAÇÕES SOBRE AS PESSOAS ENFERMAS E SOFREDORAS

São incontáveis os benfeitores sábios e bondosos que se especializaram em atuar junto dos profissionais da área da saúde. Eles, do lado espiritual da vida, ajudam no alívio de muitos males mentais e físicos que impõem dores a muitos homens doentes e sofredores.

Se não ajudarem num rápido restabelecimento da saúde nas potências da mente, do perispírito e do corpo material, muitos homens continuarão, por longo tempo, ausentes do cumprimento dos seus trabalhos, provas e compromissos que os engrandecem e promovem a ascensão na hierarquia verdadeira.

Muitos dos benfeitores espirituais dedicam-se, sem que sejam percebidos, às grandes obras de socorro aos homens que se tornaram desiludidos e deprimidos. Sem uma assistência espiritual intensiva, inclusive durante a ausência temporária da alma do corpo físico, pela ocorrência do sono reparador, eles, por si sós, não conseguiriam renovar o estado mental, obter reações salutares, nem reavivar a disposição e coragem para as lutas evolutivas.

Por isso, são incontáveis os benfeitores espirituais que atuam diretamente nos hospitais e instituições de convalescença, tratamento e recuperação da saúde. A missão deles é principalmente estimular mentalmente as ideias e providências regenerativas, mantendo a aceitação, resignação, paciência e esperança de que a cura vai permitir a volta às tarefas que constroem melhores condições de vida.

Muitos desses benfeitores espirituais abnegados já foram profissionais nos trabalhos nobres em variados campos da medicina e da enfermagem. Então, no plano espiritual, especializaram-se em continuar combatendo as causas reais e verdadeiras para as doenças e sofrimentos que partem da alma, e atuam no perispírito para que haja reflexos curadores no corpo material.

Muitos deles se especializaram ainda em beneficiar os espíritos que reencarnaram em expiação em corpos materiais com limitações, deficiências ou mutilações congênitas, visando a eliminação das más tendências que cultivaram em vida passada.

Assim, atuam de modo invisível ao lado de muitos médicos e enfermeiros, com seus conhecimentos e recursos ampliados, ajudando nas soluções, notadamente com seus conselhos mentais e influenciações. Então, levam à ocorrência de verdadeiros milagres na medicina. Geralmente, essa atuação de modo imperceptível desencadeia o reequilíbrio mental e a recomposição dos centros de força do perispírito, antes que os reflexos benéficos sejam transferidos para o corpo material.

Espíritos protetores e anjos da guarda

São incontáveis os espíritos superiores que atuam na condição de protetores e orientadores dos cientistas, artistas, educadores, professores, escritores, esportistas, religiosos, filósofos, políticos, empreendedores etc.

Eles, com suas longas experiências e conquistas, estão comprometidos com seus pupilos encarnados ligados aos campos da ampliação do bem. Assim, com suas influenciações mentais, contribuem incessantemente para que seus protegidos sejam bem-sucedidos em suas boas pretensões e provas inerentes aos seus campos de atuação, implantando progressos e melhorias nas condições de vida de pessoas, famílias, empresas e sociedades.

Aliados dos homens de bem

É enorme o número de benfeitores espirituais que acompanham e protegem os homens de bem. Sem isso, estes se tornariam vítimas fáceis de homens ardilosos e maus e mesmo de espíritos perigosos que pretendem destruir as suas valiosas conquistas e obras.

Então, exercem fortes influências mentais sobre as pessoas de bem e afastam as ameaças que podem impedir que continuem empregando suas notáveis habilidades e boas tendências inatas nos variados campos do bem.

Com essa aliança entre as forças dos lados espiritual e material, em favor da expansão do bem, conseguem manter sob controle as más intenções das mentes destruidoras encarnadas e desencarnadas. Além disso, conseguem estimular que as almas tuteladas, inclusive no momento do seu desprendimento parcial, propiciado pelo sono corporal, acelerem o andamento dos avanços e transformações que, muitas vezes já são existentes nas colônias espirituais das regiões da segunda esfera espiritual, e que precisam ser implantados na crosta do planeta.

Capítulo 10

MÚLTIPLAS ESFERAS ESPIRITUAIS

A CROSTA DA TERRA é o centro de grande número de esferas espirituais, que se estendem pelo espaço sem fim.

As regiões vastas dessas esferas foram formadas com as partículas e os elementos transformados, combinados entre si e condensados do fluido cósmico universal. Assim, decorrem dos muitos e diferentes estados de sutileza ou imponderabilidade assumidos pela matéria primitiva universal.

São muito variadas as condições de vida que se formaram nas diferentes e extensas regiões das esferas espirituais, que rodeiam ou circundam de maneira concêntrica a crosta da Terra.

Os espíritos de todas as ordens de elevação intelectual e moral vêm colonizando há milhões de anos essas regiões espirituais, utilizando-as para habitação e trabalhos que aumentam sempre mais a sua evolução.

QUANTIDADE DAS ESFERAS ESPIRITUAIS

Os espíritos ainda vinculados às condições de vida existentes nas regiões das esferas espirituais circunvizinhas à crosta da Terra não conseguem afirmar com exatidão o número das esferas espirituais que partem da superfície do planeta e estão estreitamente vinculadas a ela.

Sabem apenas que as esferas espirituais se estendem pelo espaço infinito. As mais altas, que estão muito distantes da face da Terra, chegam mesmo a se interpenetrar com as esferas mais elevadas pertencentes a outros planetas do sistema solar. Outras, muitíssimas mais elevadas, se estendem além dos sistemas planetários de outros sóis e mesmo da Via Láctea. Assim, entram pelo espaço infinito se interpenetrando com as esferas espirituais de mundos que pertencem às outras galáxias.

HABITANTES DAS REGIÕES DAS ESFERAS ESPIRITUAIS

Essas regiões das esferas espirituais muito elevadas ou bastante distantes da crosta do planeta são acessíveis apenas aos espíritos que já conquistaram as asas da sabedoria e do amor. Assim, eles, com suas faculdades volitivas adestradas, alçam facilmente voo para elas, pelas possibilidades do perispírito bastante sutil, para viverem em condições de vida inimagináveis para os homens.

Os espíritos inferiores que ainda estão ligados às regiões das esferas espirituais mais próximas da crosta da Terra, as quais estão sendo colonizadas há muito tempo por eles, realizam em seus locais de habitação incontáveis atividades progressistas para conquistarem sempre maior evolução intelectual e moral.

ATUAÇÕES DOS ESPÍRITOS SOBRE OS ESTADOS TRANSFORMADOS, DIFERENCIADOS, MODIFICADOS E CONDENSADOS DA MATÉRIA

Os espíritos desenfaixados da veste física atuam diretamente, com os poderes da mente, de seus pensamentos e perispírito, sobre as partículas e elementos fluídicos, que são subprodutos do fluido cósmico universal ou da matéria elementar primitiva, encontrados em variados estados de transformação, sutileza ou condensação.

Desse modo, as partículas e elementos da matéria universal, transformados, combinados entre si e condensados, permitiram a formação das regiões das incontáveis esferas espirituais, que servem de habitação e campos de ação, atividades e trabalhos para espíritos, de todos os níveis de aperfeiçoamentos intelectuais e morais, que estão colonizando-as e, ao mesmo tempo, caminhando com esforços próprios para a angelitude.

HABITANTES DAS REGIÕES DAS ESFERAS ESPIRITUAIS QUE ESTÃO MAIS PRÓXIMAS DA CROSTA DA TERRA

Nas vastas regiões das esferas espirituais, que estão localizadas imediatamente acima da crosta da Terra, bilhões de filhos de Deus estão habitando e operando com suas faculdades e capacidades do perispírito sobre as partículas, elementos atômicos e variadas escalas vibratórias da matéria em estado sutil, para conquistarem sempre maior crescimento espiritual.

O perispírito deles está sempre condizente, em densidade, percepções e possibilidades, com os seus graus de evolução. Assim, fazem as intervenções necessárias, na condição de cocriadores, para que satisfaçam suas necessidades, se aprimorem e melhorem as condições de vida em que transitoriamente se encontram inseridos.

LEI DA GRAVIDADE NAS REGIÕES ESPIRITUAIS LIGADAS À CROSTA DA TERRA

Os espíritos ainda pouco evoluídos em termos intelectuais e morais, após a desencarnação, continuaram a sua jornada imortal em uma das regiões da esfera espiritual mais próxima da crosta da Terra, em função das suas condições mentais, íntimas e do perispírito.

Nessa habitação em colônia espiritual continuam trabalhando, agindo e executando atividades e obras incessantes, subordinados ainda a uma lei da gravidade, que não é muito diferente da lei de gravitação que conheceram, quando estavam encarnados na face da Terra. Isso porque a natureza não dá grande salto nas regiões espirituais mais próximas da crosta da Terra. Então, o grau de densidade do perispírito determina os condicionamentos à força da gravidade, limitando ou restringindo as atuações dos espíritos imperfeitos às regiões da esfera espiritual que lhes servem de habitação e ação.

Dia, noite e contagem do tempo

Os espíritos em evolução; habitantes das regiões da esfera espiritual mais próxima da crosta do planeta, se deparam com os dias e as noites, decorrentes da circulação do planeta em torno do Sol. Com isso, não precisam fazer grandes esforços para se adaptarem depois da grande transição. Eles desempenham suas rotinas baseados na mesma contagem do tempo que conheceram na crosta do mundo, não precisando fazer grandes adaptações, porque não sentem mudança brusca.

Condições climáticas nas regiões da esfera espiritual mais próxima da crosta terrena

Nas regiões da esfera espiritual mais ligada à face da Terra, os espíritos que as habitam em colônias não encontram enormes alterações climáticas, nem mudanças profundas com as estações do ano. Evidentemente, elas mudam, mas, de um modo suave, determinando o desenvolvimento de naturezas próprias, com grandes variedades em ambientes e recursos naturais, nos quais são encontrados a água formada com elementos da matéria sutil e variados tipos de árvores, plantas e animais.

Esses vegetais e animais estão subordinados à lei de evolução que age nas regiões da esfera espiritual circunvizinha à crosta do planeta. Então, por longo espaço de tempo, eles foram sendo aclimatados, domesticados e aprimorados, principalmente com as atuações dos benfeitores espirituais que dirigem os processos de colonização do planeta Terra, para que fossem conduzidos ou introduzidos na vida em evolução na crosta da Terra.

Fonte: Livro *Evolução em dois mundos*, do espírito André Luiz.

Características dos habitantes das regiões da primeira esfera espiritual

Nas vastíssimas regiões da primeira esfera espiritual estão retidas, pelas condições da mente, do mundo íntimo e do perispírito, as almas dos homens que, na vida corporal, usaram mal a vontade, o livre-arbítrio e o uso das suas faculdades. Muitas delas se escravizaram às fraudes, más paixões, vícios, desrespeitos aos semelhantes e prática de atos malevolentes, violentos e criminosos.

Então, encontram-se reunidas em aglomerações ou colônias infernais, suportando condições de vida difíceis, condizentes com as suas manifestações, criações e obras próprias.

A lei de causa e efeito atuou fortemente sobre essas criaturas desencarnadas que praticaram o mal, desvirtuaram o uso das suas faculdades e transgrediram as leis de Deus. Em decorrência disso, o grau de densidade do perispírito determinou que fossem atraídas para viver em regiões agrestes do umbral, em companhia de criaturas semelhantes, pelas sintonias e afinidades morais.

Muitas delas, por terem se tornado viciosas, criminosas ou suicidas, se viram doentes, deformadas, sofredoras e infelizes, tendo que enfrentar estágios temporários de expiações rudes, sob a imposição das revisões das memórias feitas pela consciência. Então, passam longo tempo experimentando os efeitos e reflexos espirituais das suas criações mentais inferiores, sentimentos baixos, emoções descontroladas, pensamentos desequilibrados, ações irresponsáveis e menosprezo à prática dos valores morais.

HABITANTES DAS REGIÕES DA SEGUNDA ESFERA ESPIRITUAL

Já os habitantes das regiões da segunda esfera espiritual são espíritos mais evoluídos e com o perispírito bastante sutilizado. Durante a experiência corporal, eles se esforçaram e conseguiram conquistar grandes burilamentos pessoais, com o bom uso que fizeram das faculdades intelectuais e morais. Eles se empenharam em trabalhar honestamente, vencer suas missões e provas e acumular princípios e riquezas imperecíveis. Com suas boas obras e bons exemplos criaram ambientes agradáveis e bons modos de convivência e relacionamento na vida em família, nos locais de trabalho e nos meios sociais, sutilizando as percepções, capacidades e possibilidades do perispírito.

Dessa forma, as almas se apresentaram na vida verdadeira diante dos benfeitores espirituais com muitos méritos, a ponto de terem sido conduzidas rapidamente para as condições de vida alegres e felizes instaladas pelos bons espíritos nas colônias das regiões lindas da segunda esfera do plano espiritual. Nelas, reencontraram os espíritos familiares e amigos, com os quais passaram a conviver e se relacionar fraternalmente e a trabalhar para obter ainda maior evolução espiritual.

Pelas suas condições mentais e íntimas elevadas, se adaptaram facilmente à vida em sociedade bem organizada e aperfeiçoada que encontraram. Então, logo descobriram que não perderam as mesmas características, habilidades e costumes dos habitantes das nações, povos e raças a que pertenceram na face densa do planeta. Só que encontraram nas colônias espirituais estruturas políticas, econômicas, sociais, religiosas, científicas, artísticas etc., bem mais avançadas, as quais servem de modelo para os progressos que os espíritos encarnados estão implantando paulatinamente nas cidades das regiões da crosta terrena.

HABITANTES DAS REGIÕES DAS ESFERAS INTERMEDIÁRIAS E SUPERIORES DA VIDA ESPIRITUAL

As regiões das esferas espirituais intermediárias e superiores são habitadas por espíritos bastante evoluídos. Eles, com esforços próprios, já conquistaram o saber e as virtudes, sendo identificados e distinguidos facilmente dos outros pela prática da sabedoria e do amor.

Eles próprios evitam fornecer informações detalhadas a respeito das excelentes condições em que vivem nas regiões das esferas maravilhosas da vida espiritual. Esses espíritos sábios, bondosos, humildes e justos se preocupam principalmente em incentivar os espíritos ainda imperfeitos e os homens, à prática do bem e ao cumprimento das suas obrigações e tarefas evolutivas. Recomendam insistentemente a realização das boas obras, para que antecipem o acesso às regiões das bem-aventuranças.

Esses espíritos superiores são encontrados em todas as partes do Universo, com suas capacidades mentais e íntimas elevadíssimas, percepções muito desenvolvidas e facilidades de deslocamento decorrentes das possibilidades do perispírito muito sutilizado. Então, desempenham suas atividades e missões nas mais variadas regiões das esferas espirituais e crostas planetárias, atuando muitas vezes a nível interplanetário e intergaláctico.

INVISIBILIDADE DOS ESPÍRITOS SUPERIORES E DAS SUAS ESFERAS ESPIRITUAIS MAIS ELEVADAS

As regiões das esferas espirituais ascendentes são formadas com partículas e elementos da matéria universal em estados cada vez mais sutis e flexíveis. Isso as torna invisíveis.

Então, as regiões das esferas espirituais localizadas mais acima da crosta planetária, bem como o perispírito de seus habitantes, são invisíveis para os espíritos que habitam e atuam nas regiões da esfera espiritual localizada abaixo.

Partindo das regiões da esfera da crosta do planeta, (a qual, apenas para exemplificação, pode ser considerada o andar térreo de um grande edifício), as regiões das esferas espirituais ascendentes podem ser comparadas aos andares ascendentes de um prédio muito alto. Essa realidade é determinada pelo grau crescente de sutileza das matérias que formam cada andar. Assim, cada andar logo acima, bem como os seus habitantes, se tornam invisíveis para os habitantes do andar abaixo.

Essa mesma realidade também pode ser aplicada para os homens. Estes moram nas regiões da esfera mais densa do edifício (andar térreo do edifício), sem conseguirem ver as regiões e os habitantes da primeira esfera espiritual (primeiro andar do edifício).

Essa separação determinada pelos graus de densidade das matérias das múltiplas esferas espirituais é instrumento da Justiça de Deus. Assim, cada espírito vive com o seu perispírito nas regiões da esfera espiritual que está condizente com os seus méritos, conquistas, graus de elevação intelectual e moral e obras realizadas.

CONCEITOS DE BELEZA E FEIURA NAS REGIÕES DAS ESFERAS ESPIRITUAIS

A partir da segunda esfera espiritual, as regiões das outras esferas ascendentes são consideradas cada vez mais harmônicas e belas, por terem sido formadas com partículas e elementos das matérias mais sutis e flexíveis.

Com isso, os espíritos em evolução sentem-se sempre mais estimulados a conquistar a ascensão para o andar logo acima do imenso edifício. Com os esforços que fazem e sucessos que obtêm nas missões e provas, principalmente as propiciadas pela encarnação, enobrecem o uso das suas faculdades, com reflexos imediatos na sutilização do perispírito. Assim, são transferidos naturalmente para o andar de residência logo acima, considerado mais belo e predileto. Isso significa, contém recursos, ambientes e paragens mais lindas e agradáveis, que podem ser desfrutadas com as excursões, visitas e estágios.

Dessa forma, os conceitos de feiura e beleza são relativos e variam muito. Apenas para exemplificar, as regiões da esfera espiritual mais próxima da crosta da Terra (umbral) são consideradas pelos espíritos que habitam as regiões da segunda esfera espiritual como conturbadas, sombrias, tristes, feias, hostis e áridas.

Mas, por outro lado, consideram-nas úteis e reeducativas para os habitantes temporários do umbral que precisam melhorar suas manifestações intelectuais e morais e eliminar a prática do mal, vícios, gozos materialistas e atos criminosos. As condições de vida existentes nessas regiões de penúria e pobreza espiritual são consideradas, para os espíritos mais evoluídos, como oportunidades de trabalhos de purgação e expiação, sempre sob a estreita vigilância dos benfeitores espirituais.

ACESSO ÀS REGIÕES DO UMBRAL

Portanto, partindo de certos pontos das regiões da crosta da Terra, incontáveis espíritos conseguem acesso imediato às regiões da primeira esfera espiritual (umbral) e vice-versa. Desse modo, há um grande compartilhamento de relações, situações e modos de vida, entre as criaturas desencarnadas e as encarnadas na face densa do mundo.

Falanges de espíritos inferiores partem diariamente das regiões agitadas do umbral para os locais e caminhos de acesso às regiões da crosta da Terra, geralmente em busca do suprimento das suas necessidades e preferências. De um modo geral, eles se caracterizam por possuir poucas noções de moralidade, honestidade, responsabilidade e virtudes. Então, nas condições em que vivem, podem ser comparados a muitos homens das tribos ainda primitivas ou selvagens do planeta.

Não resta qualquer dúvida que eles já são seres humanos, mas ainda situados em faixa vibratória da matéria sutil muito próxima da que é habitada pela mente encarnada ainda necessitada de maior evolução intelectual e moral.

RELAÇÕES CONSTANTES ENTRE AS REGIÕES DAS ESFERAS ESPIRITUAIS E AS DA CROSTA TERRENA, DECORRENTES DA ENCARNAÇÃO E DESENCARNAÇÃO DOS ESPÍRITOS

Diariamente, inúmeros benfeitores espirituais chegam e partem da crosta do mundo, em função dos seus trabalhos relacionados com a reencarnação e desencarnação. Então, eles se servem das muitas localidades, extensa rede de caminhos e meios de comunicação ligando as regiões das esferas espirituais com as da crosta do mundo material, para atenderem seus compromissos assumidos.

Eles precisam assistir as incontáveis almas que estão terminando a experiência carnal evolutiva e vão passar pelo processo de desencarnação. Precisam cuidar da operacionalização dos imensos renascimentos diários na crosta da Terra, para que espíritos em evolução cumpram os trabalhos programados, que são oportunidades de engrandecimento para a vida futura no plano espiritual.

Então, eles conduzem os seus espíritos tutelados pelos caminhos mais seguros e confortáveis. Os que já passaram pelo processo de desencarnação geralmente são encaminhados para as instituições que vão cumprir a lei "a cada um segundo as suas obras". Os que precisam passar pelo processo de reencarnação, são levados para as famílias que melhor atendem a satisfação das suas necessidades de elevação intelectual e moral.

TRANSFERÊNCIA DOS PROGRESSOS DAS REGIÕES DAS ESFERAS ESPIRITUAIS PARA AS DA CROSTA DA TERRA

Os caminhos fáceis de acesso e comunicação entre o plano espiritual e material permitem que muitos espíritos progressistas partam das suas colônias para as da crosta do planeta, com a missão de transferir e implantar suas descobertas, invenções e conquistas muito valiosas.

Assim, passam a oferecer influenciações, intuições e inspirações para os homens verdadeiramente preocupados, em todos os campos de atuação, em melhorar as condições de vida nas mais diversas localidades do planeta. Desse modo, se tornam os reais agentes da elevação do planeta na categoria ou escala dos mundos materiais habitados.

Estágios que são oferecidos aos espíritos em evolução nas colônias das regiões das esferas mais altas

Muitos espíritos encarnados, bem como muitos espíritos residentes nas colônias das regiões das esferas espirituais mais próximas da crosta terrena, por seus esforços e méritos próprios, são escolhidos e convidados para fazer estágios de aprendizados e aperfeiçoamentos nos círculos de padrão vibratório bem mais alto.

Então, necessitam dos locais e meios de ligação para chegarem aos locais onde vão receber instruções, novas técnicas e conhecimentos inovadores. Assim, tornam-se agentes do progresso, pelas transformações e aperfeiçoamentos que conseguem introduzir nos padrões de vida, decorrentes dos avanços que implantaram em suas áreas de ocupação e atuação.

Variados pontos de ligação e meios de comunicação entre as diferentes colônias espirituais e cidades terrenas

Todas as colônias ou cidades espirituais estão interligadas entre si, porque são muitos os locais e mesmo estradas que fazem essas ligações. Alguns dos caminhos, muitas vezes, se dividem em certas localidades, para que os espíritos tenham acesso inclusive às regiões da crosta da Terra.

Dessa forma, os habitantes das colônias, cidades ou comunidades do plano espiritual, sejam elas simples ou complexas, estão sempre em permanente contato entre si, principalmente para a troca de experiências, conhecimentos e conquistas. Assim, muitos desenvolvimentos e progressos ocorrem, porque os bons resultados em trabalhos inusitados são espalhados fraternalmente para toda parte, inclusive na crosta da Terra.

É que muitos espíritos progressistas reencarnam com a missão de implantar suas descobertas. Então, inovam construções, edifícios, instituições, templos, obras artísticas, inventos científicos, jardins, veículos, aparelhos, instrumentos etc. tornando-os cópias imperfeitas, em constantes aperfeiçoamentos. As reproduções que implantam na vida corporal das coisas e utilidades harmoniosas, complexas e avançadas, melhoram as condições de vida na humanidade.

Além disso, muitas vezes, esses espíritos missionários se deslocam com frequência pelos meios de ligação para atuarem diretamente em vilarejos das regiões nevoentas e tristes da primeira esfera espiritual. Eles foram autorizados a implantar em certas instituições, postos de tratamento, hospitais de recuperação, as utilidades que inventaram para melhorar as condições de vida dos espíritos transviados do bem, que mereceram ser resgatados, abrigados e recuperados, antes de serem encaminhados para a reencarnação regeneradora.

> Os espíritos do Senhor, que são as virtudes dos céus, como um imenso exército que se movimenta, ao receber a ordem de comando, espalham-se sobre toda a face da Terra. Semelhantes a estrelas cadentes, vêm iluminar o caminho e abrir os olhos aos cegos.
>
> **O Espírito de Verdade, no Prefácio de *O Evangelho segundo o Espiritismo*, de Allan Kardec.**

Capítulo 11

Inter-relações entre os espíritos encarnados na Terra e os espíritos que habitam as regiões da primeira esfera espiritual (umbral)

A natureza do envoltório fluídico está sempre em relação com o grau de adiantamento moral do espírito. Os espíritos inferiores não podem mudá-lo à sua vontade, e por conseguinte não podem se transportar à vontade de um mundo para outro. É o caso em que o envoltório fluídico, se bem que etéreo e imponderável em relação à matéria tangível, ainda é muito pesado, se assim se pode exprimir, em relação ao mundo espiritual, para lhes permitir saírem de seu ambiente. Será preciso classificar nesta categoria aqueles cujo perispírito é bastante grosseiro para que eles o confundam com o corpo carnal, e que, por esta razão, acreditam estar sempre vivos. Estes espíritos, cujo número é grande, permanecem na superfície da Terra, tal como os encarnados, acreditando sempre ocupar-se com o que estão habituados; outros, um pouco mais desmaterializados, entretanto, não o são o suficiente para se elevar acima das regiões terrestres.

Allan Kardec, no capítulo Os fluidos – formação e propriedades do perispírito, do livro *A Gênese*.

São muitas as regiões que compõem o imenso umbral, situado entre a crosta da Terra e o início da segunda esfera da vida espiritual. Em algumas delas estão retidos muitos espíritos pouco moralizados, com o perispírito ainda bastante denso, pesado ou grosseiro. Muitos deles não conseguem nem mesmo se deslocar ou elevar com facilidade, principalmente devido a mente perturbada, rebelde, desvairada e infeliz, com os sentimentos presos na maldade, ódio e desejos de vingança, com os pensamentos voltados para os vícios, violências e criminalidade e com as condições do perispírito doentias e sofredoras.

Grande número deles se encontra preso nos distritos das trevas ou das névoas muito densas, vivendo em colônias do umbral com outros espíritos com os quais estabeleceram elos de sintonia, afinidade e companheirismo nas transgressões morais. A consciência impõe a quase todos eles reflexões incontroláveis das recordações dos feitos mais tristes e revisões persistentes das más obras registradas nos arquivos da memória.

Graças aos pontos, lugares e caminhos que dão acesso a essas regiões do umbral, estão sempre vigiados e acompanhados, discretamente, pelos benfeitores espirituais, em suas condições de vida, preocupações e atividades. Como, por si mesmos, dificilmente se esforçam em melhorar as suas condições mentais e morais, precisam, quando possível, ser internados em instituições que possam direcioná-los para programas de regeneração e reencarnação.

Renascimento na crosta da Terra

Muitos desses espíritos residentes nas regiões reeducativas do umbral, quando demonstram melhorias mentais e íntimas, são resgatados e conduzidos pelos benfeitores espirituais por caminhos que os levam às instituições que tratam das causas de seus males. Depois disso, serão necessariamente, em função das leis, encaminhados para o renascimento, geralmente em famílias em que já se encontram reencarnados seus aliados de outras épocas, para juntos, continuarem os esforços árduos necessários à melhoria das suas condições de vida.

Muitos deles ressurgem no novo corpo de carne em condições de extrema pobreza, deficiências congênitas graves, moléstias incuráveis e formas severas de expiação.

LEI DE CAUSA E EFEITO NAS REGIÕES RETIFICADORAS DO UMBRAL

Em certos ambientes existentes em regiões da primeira esfera espiritual, que são considerados pelos benfeitores espirituais como círculos de purgação, estão retidas as consciências culpadas desenfaixadas da carne que não mereceram nem permanecer na superfície do planeta.

Então, elas se deparam, inevitavelmente, com os efeitos espirituais das causas dos males que promoveram para si mesmas durante a desastrosa experiência corporal.

Desse modo, muitas delas estão incomunicáveis e sem acesso aos caminhos que podem levá-las para fora das regiões hostis e sombrias, marcadas por muitos pesares e sofrimentos. Permanecem presas nas regiões retificadoras, até que, verdadeiramente, desejem a renovação mental e íntima, amenização nos traumas do perispírito e melhoria nas suas tristes condições de vida.

Então, os benfeitores espirituais piedosos e bondosos tornam-se visíveis para elas, pela condensação do perispírito, para retirá-las e transportá-las pelos caminhos que as levam para as instituições localizadas no umbral mesmo. Então, serão amparadas até que estejam preparadas para o retorno à esfera dos homens, geralmente numa reencarnação expiatória, disciplinadora e reparadora.

Caminhos que levam às instituições de socorro, os espíritos doentes e sofredores

Muitos caminhos tortuosos são percorridos pelos benfeitores espirituais, algumas vezes em caravanas socorristas, para que consigam levar os espíritos moralmente decaídos para uma das inúmeras instituições que prestam assistência nas paragens de padecimentos purgativos das regiões conturbadas da primeira esfera espiritual. São hospitais, institutos de amparo e estabelecimentos de socorro e instrução, mantidos com muitos sacrifícios e recursos coletivos, para que os espíritos doentes e sofredores tenham a oportunidade de voltar à valorização e prática do bem.

Essas organizações geralmente são dirigidas por médicos, educadores e instrutores sábios, benevolentes e experientes em prestar assistência a espíritos que na vida carnal foram homens cínicos, desonestos, irresponsáveis, imprevidentes, violentos, negociantes maus, professores relapsos, pessoas gananciosas, pais egoístas, homens públicos de má índole, profissionais delinquentes nos campos da ciência, arte, filosofia, religião e empresários sem escrúpulos para obter ganhos financeiros. Eles menosprezaram deliberadamente os princípios nobres e as responsabilidades morais que conheciam plenamente. Então, depois do desligamento da máquina fisiológica, pelas suas condições mentais, do mundo interior e do perispírito, mereceram ser conduzidos para uma das habitações das regiões escuras e de sofrimentos que se espalham pelo umbral.

Espíritos perigosos que vagam pelos caminhos e agem no umbral e na superfície da Terra

Pelos caminhos simples e mesmo estradas rudimentares das vastíssimas regiões da primeira esfera espiritual circulam e

A VIDA NAS ESFERAS ESPIRITUAIS | 123

atuam milhões de espíritos inteligentes, mas perigosos pela baixa moralidade. Muitos deles vivem sob regimes de governos autoritários e violentos que estimulam, muitas vezes, o uso dessas rotas para estabelecerem conexão com a vida dos espíritos encarnados na crosta da Terra e principalmente com os espíritos que ficaram retidos e permaneceram na superfície do planeta, pelo pequeno adiantamento moral e envoltório fluídico muito pesado. Muitos destes espíritos continuaram agindo como se ainda estivessem encarnados, mantendo suas ocupações e atividades habituais, mas distantes dos caminhos do bem.

Muitos bandos desses espíritos perigosos, em obediência às ordens dadas pelos maus governantes, organizam certas caravanas com o objetivo de capturar e escravizar certas criaturas desencarnadas imprevidentes e negligentes que vagam ou circulam sem rumo pelos caminhos das regiões de penúria do umbral ou mesmo da crosta da Terra. Alguns desses bandos percorrem os caminhos que chegam até a superfície do planeta, inclusive para influenciar e dominar certas almas encarnadas, com as quais detectaram afinidades, as mesmas preferências viciosas, propensões criminosas e condições da mente e do mundo íntimo voltados para as baixas paixões.

Os benfeitores espirituais, pelo grau elevado de sutileza do perispírito, atuam de modo invisível, tentando restringir ou limitar as atuações nefastas das entidades perigosas, mas, geralmente, não encontram meios de impedir os desastres morais que promovem, porque estão no uso do seu livre-arbítrio, regido pela lei de causa e efeito. Muitos dos espíritos vinculados aos bandos, apenas seguem, impossibilitados de questionar as ordens recebidas dos espíritos maus, que representam os governos e organizações voltadas para a dominação dos espíritos ociosos e negligentes que circulam sem rumo pelas trilhas e caminhos simples de certas áreas do umbral ou mesmo da superfície terrena.

Complexidade nos tratamentos regenerativos

Os benfeitores espirituais, que se especializaram nos trabalhos de renovação, regeneração e reparo dos desajustes nas potências mentais e no mundo íntimo, com reflexos em doenças e deformidades no perispírito, servem-se também dos caminhos que dão acesso à superfície densa do planeta para operacionalizarem certas reencarnações que vão permitir que espíritos viciosos e criminosos suportem experiências expiatórias na carne, em continuidade ao processo de reparação e quitação das dívidas assumidas perante a lei.

Muitos desses espíritos devedores precisam passar, compulsoriamente, pela recapitulação das provas e expiações indispensáveis aos processos de regeneração. Então, são levados por meios de transporte adequados a percorrer os caminhos improvisados que chegam à estrutura familiar escolhida para recebê-los como filhos na crosta da Terra.

Suportando condições de vida muito difíceis, estarão abafando suas más tendências aos vícios e crimes e acelerando a cura das enfermidades do perispírito, geralmente com doenças congênitas no corpo material. Com os trabalhos árduos dos pais dedicados ao bem-estar no núcleo familiar serão beneficiados com muitas providências educativas e benéficas à acumulação dos tesouros permanentes na alma.

A grande maioria desses espíritos que estava no plano espiritual muito doente e sofredora chega ao novo lar terreno depois de ter implorado, insistentemente, o renascimento na carne, para a obtenção da bênção do esquecimento temporário do seu passado nefasto. Com essa concessão da misericórdia divina, os espíritos em regeneração esperam o alívio e reequilíbrio mental, renovação do mundo íntimo, reeducação no uso das faculdades e quitação das dívidas assumidas perante a justiça perfeita.

Capítulo 12

Detalhes das estradas, caminhos e meios de transporte entre as diferentes regiões das esferas espirituais

Durante o longo processo de colonização das regiões das esferas espirituais próximas da crosta do planeta, muitos espíritos construíram uma extensa malha de trilhas, caminhos e estradas, interligando todas as colônias que foram sendo construídas nos mais variados ambientes e localidades. Muitos deles edificaram inclusive os meios de chegarem até as localidades das regiões da crosta terrena, atendendo aos seus interesses e necessidades da colonização.

Então, edificaram uma infraestrutura gigantesca de meios de ligação e comunicação, integrando entre si os incontáveis núcleos de habitação, ocupação e trabalhos dos espíritos, bem como de suas inter-relações com a superfície e os homens.

Com isso, atenderam notadamente os processos de encarnação, desencarnação, assistência, proteção, sublimação e aperfeiçoamento dos espíritos em evolução, vinculados ao planeta Terra.

CAMINHOS E ESTRADAS QUE PARTEM DA CROSTA DA TERRA

São muitos os caminhos e estradas ascendentes que partem de muitos pontos das regiões da crosta da Terra. Primeiramente, eles atravessam as regiões tristes, sombrias, áridas, com locais de neblina densa e abismos profundos, que caracterizam a topografia e os ambientes naturais da primeira esfera espiritual. Depois, alcançam as entradas das regiões com lindas paisagens da segunda esfera espiritual, onde foram construídas muitas colônias e estradas bem elaboradas e muitos meios de transporte bem estruturados.

Depois de feita a travessia das longas distâncias existentes nas regiões da segunda esfera espiritual, os espíritos mais elevados têm acesso às entradas nas regiões das esferas mais altas e sublimes, onde foram construídas as colônias que servem de habitação e ocupações para os espíritos superiores.

PONTES DE LUZ

Ultimamente, estivemos reunidos em extraordinários movimentos, junto à ponte a que já me referi, e que atravessa a distância incomensurável que separa o vosso orbe da primeira esfera que lhe é concêntrica. São inúmeros os espíritos que se debatem do lado oposto àquele em que nos encontramos, esforçando-se para realizarem a difícil travessia. Dolorosos são os espetáculos que vimos presenciando porque essas almas perturbadas e sofredoras estão constituindo uma turba imensa de alucinados e de loucos. (...) É talvez devido a esse estado de extrema perturbação que as almas aflitas, em cujo socorro estamos ocupados, não nos ouvem, entregando-se às mais dolorosas imprecações. Súplicas, brados angustiosos, soluços, gemidos repercutem junto de nós e temos procurado, no refúgio da prece a Deus, os recursos necessários para essas coletividades espirituais egressas do planeta nestes últimos dias.

Espírito Maria João de Deus, no livro *Cartas de uma morta*.

Os espíritos esclarecidos e bondosos que partem, todo momento, da Terra, atravessam, obrigatoriamente, as enormes regiões da primeira esfera espiritual (umbral). Assim, chegam às entradas das regiões da segunda esfera espiritual, onde, geralmente, se deparam com a travessia de uma extensa ponte de luz, construída pelos bons espíritos, para separá-los dos espíritos perturbados, aflitos, maus, sofredores e doentes. Estes ficaram retidos no lado das sombras pelas suas lamentáveis condições mentais, íntimas e morais, com repercussões no perispírito que adquiriu grande densidade.

Nenhum espírito retido nas regiões do umbral consegue permissão para atravessar livremente essa ponte, porque ela está sempre vigiada e controlada pelos bons espíritos. Estes precisam evitar que bandos de entidades más, perversas e criminosas consigam entrar em suas colônias com o objetivo de destruir as construções maravilhosas, os trabalhos notáveis e as realizações surpreendentes que os benfeitores espirituais e os espíritos com nobreza intelectual e moral já conseguiram realizar desde o início da colonização.

Se esses bandos de espíritos imperfeitos e alucinados pudessem ou conseguissem entrar nas regiões da segunda esfera luminosa, procurariam também, com o mesmo objetivo, ter acesso às estradas formosas que conduzem os espíritos nobres para as regiões das esferas espirituais intermediárias e até mesmo muito elevadas.

CAMINHOS NO UMBRAL UTILIZADOS PARA O ACOLHIMENTO DOS ESPÍRITOS ARREPENDIDOS, DOENTES E SOFREDORES

Muitos espíritos moralmente atrasados, em função do peso e das condições que determinaram para o perispírito, ficam retidos nas regiões conturbadas do umbral, até que se esforcem para esgotar suas perturbações mentais, deficiências íntimas, enfermidades e deformidades no perispírito. Depois que manifestam esforços para a renovação e arrependimento sincero, são amparados por benfeitores espirituais esclarecidos e vigilantes. Estes fazem o resgate dos locais de sofrimentos, mesmo enfrentando a oposição dos espíritos perversos e subjugadores que tentam mantê-los sob domínio ou escravidão em suas áreas áridas e tristes.

São muitos os espíritos benevolentes que se dedicam a percorrer, geralmente em caravanas socorristas, com rígidos esquemas de segurança, contando inclusive com a ajuda de cães e cavalos adestrados, os caminhos que os levam aos locais onde vão socorrer e resgatar os espíritos desequilibrados, doentes e sofredores que revelaram merecimentos. Depois disso, serão, cuidadosamente, encaminhados e internados em instituições especializadas nos difíceis trabalhos de recuperação e regeneração.

Esses espíritos fraternos e bondosos fazem caminhadas penosas, ora descendentes, ora ascendentes, pelos caminhos e trilhas bastante rudimentares. Muitas vezes, eles suportam as intempéries e dificuldades naturais nos atalhos que precisam percorrer. Somente sentem alívio e sensação de dever cumprido quando chegam de retorno nas barreiras da ponte de luz, que permitem a entrada nas regiões agradáveis da segunda esfera espiritual.

Muitos integrantes dessas caravanas voltam esgotados e necessitados de repouso, pelos esforços que despenderam durante a travessia em locais muito áridos e escuros, conduzindo os espíritos debilitados pelos padecimentos que decorreram de suas más atitudes e condutas morais e transgressões à justa e rigorosa lei de causa e efeito.

POSTOS E INSTITUIÇÕES DE SOCORRO INSTALADOS NAS REGIÕES DO UMBRAL

É bastante comum as equipes das caravanas socorristas fazerem paradas, pausas e escalas oportunas em postos e instituições bem simples de atendimento aos espíritos enfermos. Eles foram instalados no umbral mesmo, com o objetivo de prestarem a primeira assistência aos espíritos que sinceramente se arrependeram dos erros cometidos. Mas, nem sempre, estes conseguem buscar a própria internação, por si mesmos, porque estão retidos nos domínios do medo e das sombras, controlados por espíritos perigosos e violentos, que querem dominá-los para sempre, agredindo-os quando tentam buscar auxílio dos representantes do bem.

CAMINHOS, TRILHAS E ATALHOS PERCORRIDOS PELAS CARAVANAS SOCORRISTAS

As caravanas de resgate e socorro conduzidas pelos benfeitores espirituais contam com recursos especiais que as possibilitam enfrentar e percorrer com sucesso os caminhos, trilhas e atalhos construídos em topografias bastante irregulares. Assim, precisam vencer muitos acidentes geográficos, picos, abismos, precipícios, climas e ambientes instáveis. Muitas vezes, precisam avançar mesmo sob ventos fortes, friagens, neblinas densas e ausência plena de claridade solar ou lunar.

Os membros dessas caravanas jamais podem abandonar a cautela e vigilância redobradas, principalmente quando conduzem cargas preciosas pelos caminhos que foram construídos em áreas com vegetações de aspecto sinistro e angustioso, com galhos quase secos e muito pouca folhagem. Porém, essas plantas são muito úteis para as aves, semelhantes a pequenos monstros alados, que se servem delas para pouso e descanso.

Muitas vezes, as caravanas precisam fugir dos caminhos e trilhas claramente desaconselháveis para a circulação, pela quantidade de espíritos maus, violentos e dominadores que atuam com facilidade nas áreas, dominando os fluidos muito densos e as barreiras vibratórias.

Quando esses benfeitores espirituais, com suas caravanas grandes e bem estruturadas, chegam nas localidades onde vão resgatar, com segurança e eficiência, os espíritos sofredores e doentes que adquiriram merecimento, ouve-se uma explosão de choros, gritos, apelos e gemidos humanos, pronunciados em tons muito comoventes. Por outro lado e ao mesmo tempo, ouvem-se também as ameaças de ataques violentos por parte dos grupos hostis, formados por entidades espirituais com sérios desequilíbrios mentais e íntimos. Muitos membros destes grupos usam trajes bisonhos e andam armados com perigosos apetrechos de atacar, lutar e ferir. Então, com ódio no mundo íntimo, querem eliminar as interferências dos espíritos socorristas, considerados intrusos nos impérios que dominam e escravizam as suas vítimas, geralmente aprisionadas nas rotas de tráfico bastante utilizadas por viajantes desocupados, negligentes, imprudentes, incautos e indefesos.

CAMPOS DE SAÍDA

Muitos pontos, chamados de campos de saída, servem de locais de partida da crosta do planeta para os espíritos terem acesso às regiões das múltiplas e diferentes esferas espirituais. Eles estão localizados em variadas áreas das regiões da superfície da Terra, para facilitarem as idas e vindas.

Muitos desses campos de saída partem da esfera carnal dando acesso direto, sem escala, para os círculos mais altos do plano espiritual. Eles facilitam bastante a locomoção dos espíritos elevados e superiores que, com suas equipes e equipamentos, precisam vir e ir, por estar em estreito contato, principalmente, com os homens nobres e missionários que merecem proteção e influenciações para que consigam cumprir com sucesso as suas ocupações, missões e atividades, que vão consolidar progressos e avanços importantes em muitas áreas das conquistas humanas.

ESTRADAS CONSTRUÍDAS NAS REGIÕES DA SEGUNDA ESFERA ESPIRITUAL

São muitas as excelentes estradas que foram construídas nas regiões da segunda esfera espiritual, durante o longo processo de sua colonização.

Isso tornou fácil e agradável o intenso trânsito para os bons espíritos que precisam se deslocar com frequência, com seus equipamentos e utilidades, pelas regiões dessa esfera. Quase sempre, essas estradas são muito amplas, lindas, bem ajardinadas, cuidadas e conservadas por administrações eficientes, promovidas por espíritos capacitados, operosos e responsáveis.

Algumas delas são indispensáveis para que certos espíritos se elevem e tenham acesso às regiões da esfera espiritual situada logo acima. Geralmente, eles foram convidados para realizar visitas instrutivas, cursos de aprimoramento e trabalhos de treinamento.

Outras estradas partem das colônias das regiões lindas para darem acesso direto às regiões tristes, sombrias e conturbadas da primeira esfera espiritual. Mas, quando elas chegam em certas áreas muito acidentadas e inóspitas do umbral, se tornam caminhos precários, que muitas vezes se dividem permitindo o acesso até as regiões da crosta da Terra, onde estão interligados com as estradas e caminhos construídos pelos homens.

Portanto, existe no plano espiritual uma malha de rodovias, caminhos, vias de comunicação e meios de transporte muito ampla, complexa e importante para os espíritos, principalmente para os que têm limitações em suas capacidades volitivas.

Desse modo, as regiões do plano espiritual estão totalmente interligadas com as do plano dos espíritos encarnados. Isso facilita os indispensáveis intercâmbios, permanentes contatos diuturnos, programas de visitas, viagens rotineiras, expedições de pesquisa e estudo, deslocamento das caravanas de aprendizados e experiências, ações socorristas, ligações estreitas com os entes queridos encarnados, operacionalização dos processos de reencarnação e de desencarnação, transferências dos progressos que precisam ser implantados nas sociedades para que haja a elevação na categoria da Terra na hierarquia dos mundos habitados.

Muitas das ótimas e lindas estradas construídas pelos homens na crosta do mundo são cópias imperfeitas das que as almas dos engenheiros e arquitetos viram durante o seu desprendimento parcial nos momentos do sono. Então, encantadas e impressionadas com as imagens que conservaram na memória através dos sonhos, esforçaram-se para copiá-las das regiões das esferas invisíveis e adaptá-las no atendimento das necessidades humanas.

Desse modo, muitas das estradas construídas pelos homens no orbe do planeta assemelham-se às que avançam acima da crosta da Terra para as muitas regiões de matéria sutil das esferas espirituais.

Excelente qualidade das estradas que chegam diretamente das regiões das esferas superiores para a crosta terrena

Muitos espíritos superiores precisam vir e ir com frequência das regiões terrestres por estarem envolvidos com as programações das reencarnações e desencarnações dos espíritos missionários. Então, locomovem-se com muita facilidade por essas estradas magníficas, participando ativamente nos acontecimentos mais importantes na vida dos membros das famílias e instituições que foram selecionadas para construir e manter os empreendimentos valiosos que vão intensificar os progressos da humanidade encarnada.

Além disso, essas estradas surpreendentes, lindas e confortáveis, que permitem o acesso direto à crosta do mundo, evitam o contato direto com os espíritos maus e violentos, elementos inferiores e expressões mais baixas das condições de vida existentes nos círculos umbralinos. Eliminando essas possíveis interferências indesejáveis e surpresas desagradáveis, os espíritos superiores viajam confortavelmente, inclusive não tendo que fazer paradas e escalas em regiões com vibrações e turbulências fluídicas muito densas e constrangedoras, pelas condições mentais e íntimas dos seus habitantes.

Mas, muitas vezes, alguns deles realmente precisam sair dessas estradas para fazer paradas em instituições socorristas instaladas nas regiões do umbral, onde vão ajudar no socorro de certos habitantes que foram seus entes queridos e que, por suas obras lamentáveis, ficaram retidos nas mãos de espíritos perversos e maus. Geralmente, eles precisam materializar o perispírito para conseguirem as necessárias influências diretas sobre os espíritos inferiores que vão passar por acontecimentos e experiências evolutivas. Outras vezes, eles precisam da materialização do perispírito nessas regiões para acabar com as relações nefastas que os espíritos malevolentes estabeleceram com homens que foram selecionados para cumprir planos de trabalho que vão implantar progressos notáveis em certas nações da crosta do planeta.

Capítulo 13

Mente, Cérebro, Vontade, Intelecto, Sentimento, Emoção, Senso Moral, Pensamento, Fala, Atitude, Ação, Memória e Consciência

———— ⟨ • ♥ • ⟩ ————

Na condição de filhos de Deus precisamos nos esforçar para desenvolver, educar e engrandecer as nossas faculdades mentais e íntimas, atuando na condição de cocriadores. Para isso, enfrentamos tarefas, tribulações, provas, missões, e atividades, que são oportunidades valiosas para as conquistas e evolução na hierarquia verdadeira.

Para os nossos desempenhos evolutivos, estamos inseridos em contextos muito variados nas regiões e ambientes naturais onde nos encontramos para viver, atuar e agir. Assim, precisamos suprir nossas necessidades e acumular experiências, habilidades e qualidades. Dessa forma, garantimos maior evolução intelectual e moral e ascensão na escala espiritual.

Na condição de criaturas de Deus contamos em nós mesmos com recursos pessoais extraordinários, tais como a mente, cérebro, vontade, inteligência, sentimento, emoção, senso moral, pensamento, meios de percepção e comunicação e impulsos para as atitudes. Com estes recursos realizamos os nossos trabalhos, ações, atividades e obras. Assim, vamos acumulando na memória os conteúdos e resultados dos acontecimentos e das nossas operações, determinando o estado de nossa consciência.

Cada condição de vida, missão, provação e realização servem de oportunidade para a nossa acumulação de sempre, maior sublimação em nossas potências mentais e íntimas. Assim, por esforços próprios, evoluímos e nos aproximamos do momento sublime de alçar voo para as regiões das esferas mais altas da vida maior, plenamente capacitados para atuar com sabedoria e amor, como ministros e mensageiros de Deus.

Durante todos os processos de aprendizado e crescimento na vida, estamos sempre de posse do livre-arbítrio e submetidos às leis de causa e efeito, vida em sociedade, reencarnação e progresso incessante. Então, aprendemos a educar os poderes da mente, aplicar bem o intelecto, manter os desejos sadios e direcionados para as boas escolhas e decisões, sustentar os sentimentos amorosos, manter as emoções controladas, ter o senso moral voltado para o bem-estar e a felicidade dos semelhantes, as atitudes positivas, os pensamentos empenhados na realização das boas obras e as falas exteriorizadas para produzir impressões agradáveis nos interlocutores. Desse modo, estabelecemos ações melhores, sustentamos a boa convivência e o bom relacionamento com os nossos semelhantes e conquistamos os progressos indispensáveis à escalada espiritual.

Ao mesmo tempo, tudo o que acontece conosco passa pela memória e pela consciência. Portanto, se empregamos as faculdades para o bem, então experimentamos o sucesso, satisfação, paz interior e felicidade nas trilhas para o mais alto.

Somente quando, por esforços próprios, conseguimos grande sublimidade em nossos desempenhos na família, campos de trabalho e atuação na vida social, experimentamos os resultados muito agradáveis pelo bom uso de nossas faculdades. Estes ficam registrados em nossa memória como provas a nosso favor, despertando na consciência a paz e a felicidade, pelos méritos indestrutíveis decorrentes das boas concretizações.

CONDIÇÕES DA MENTE E DO MUNDO INTERIOR QUE ATRAEM AS BOAS COMPANHIAS ESPIRITUAIS

A mente, o cérebro, a memória, o senso moral e a consciência estão intimamente relacionados entre si, detectando tudo o que se passa em nossa vida. Assim, são os principais desencadeadores das condições boas ou ruins dos mundos mental e íntimo e da atração das companhias e influências inevitáveis dos espíritos bons ou maus.

Apenas quando fazemos o adequado emprego do poder intelectual e moral, a emissão dos sentimentos elevados, os esforços para gerenciar bem as emoções, a exteriorização dos bons modos no falar, a manutenção das boas atitudes e a concretização das boas obras, conseguimos contar com as excelentes companhias dos parceiros espirituais elevados, atraídos pelas sintonias, afinidades e vibrações no mesmo diapasão nas energias mentais e forças íntimas.

LEITURA DA FAIXA MENTAL E ÍNTIMA QUE OS BENFEITORES ESPIRITUAIS FAZEM

Os benfeitores espirituais desfrutam do poder natural de ler a faixa mental e íntima dos seus tutelados e protegidos. Assim, estabelecem as providências sábias e justas e as influenciações necessárias que conduzem aos progressos intelectuais e morais, em cumprimento das programações para a jornada terrena.

Com essa facilidade em auscultar o mundo mental e íntimo

dos seus amparados e assistidos, para os ajudarem a obter sucesso na experiência carnal, eles se preocupam em direcioná-los mentalmente para os trabalhos e estudos evolutivos que vão melhorar as suas condições de vida e determinar os méritos para desfrutar das bem-aventuranças na vida futura.

INFLUÊNCIAS E ATUAÇÕES DOS BENFEITORES ESPIRITUAIS SOBRE O MUNDO MENTAL E ÍNTIMO DOS HOMENS QUE PRECISAM VOLTAR À PRÁTICA DO BEM

Os espíritos familiares e protetores procuram contrabalançar quaisquer atuações nefastas por parte dos espíritos maus e perigosos sobre certos homens com deficiência moral e condições lamentáveis na mente e no mundo íntimo, mas sem o poder de revogar as leis do livre-arbítrio e de causa e efeito.

Eles conseguem, na maioria das vezes, apenas orientá-los e estimulá-los mentalmente para que busquem os tratamentos corretos e que se esforcem para elevar principalmente o seu padrão moral e espiritual. Assim, atenuam as sintonias, influências e dominações por parte dos espíritos malévolos.

Somente se eles conseguirem voltar à prática persistente do bem e das virtudes, inevitavelmente atrairão muitas companhias espirituais elevadas, que afastarão naturalmente a presença dos maus espíritos, pela autoridade moral irresistível. Assim, abrem plenamente os campos de atuação dos benfeitores espirituais virtuosos, que intensificam as orientações, proteções e direcionamentos para as melhorias nas condições de vida.

Do lado do plano espiritual, jamais faltam as boas companhias, influências, compatibilidades morais, inspirações, intuições e forças sutis dos gênios da sabedoria e do amor, para aquelas pessoas que verdadeiramente se esforçam em obter o reequilíbrio, regeneração e elevação nos poderes da mente e do mundo interior, com reflexos imediatos sobre as condições do perispírito e o bem-estar no envoltório carnal.

INFLUÊNCIAS DOS BENFEITORES ESPIRITUAIS SOBRE OS MÉDIUNS QUE PRECISAM PERSISTIR NAS ATITUDES E AÇÕES QUE CORRESPONDEM ÀS SUAS BOAS QUALIDADES MENTAIS E NO MUNDO INTERIOR

Certos médiuns com faculdades autênticas afastaram-se da atuação intensa nos campos da fraternidade e prestação de serviços ao bem do próximo, desiludidos com alguns acontecimentos constrangedores ou críticas destrutivas recebidas de forma imerecida e inconveniente por parte de certos companheiros, abrindo brechas para as más influências espirituais.

Mas, seus guias espirituais continuam no desempenho das suas tarefas de acompanhamento, assistência, proteção e influenciação. Intensificam as suas sugestões mentais, no sentido de que relevem as condutas desastrosas dos seus parceiros, passando nas provações, e voltem com presteza para a prestação dos serviços úteis aos semelhantes, beneficiando principalmente a si mesmos na vida presente e para a vida futura.

Esses benfeitores espirituais conhecem e facilitam o cumprimento das programações para a reencarnação desses médiuns. Então, recorrem às ligações de mente para mente, transmissões mentais, permutas de ondas vibratórias em processos de emissão, percepção e recepção e intercâmbios de imagens e forma-pensamentos, intensificando suas relações e atuações sobre esses médiuns. Assim, estimulam-nos a exemplificar os princípios religiosos e morais que abraçaram e a persistirem na concretização dos ideais elevados, manutenção das atitudes nobres, realização das ações dignas e valiosas em benefício de muitos, favorecendo a acumulação dos méritos decorrentes do fiel cumprimento de suas missões difíceis.

As excelentes condições mentais e as imagens arquivadas na memória, que deixam o senso moral e a memória em paz, falam em favor desses médiuns. Então, graças às atuações eficientes dos benfeitores espirituais, eles sempre atendem rapidamente aos apelos recebidos para a volta ao cumprimento reto do mandato mediúnico, trabalhos respeitosos aos semelhantes e aos espíritos comunicantes, intermediação dos ensinamentos sérios e instrutivos dos mentores espirituais, divulgação das mensagens evangélicas e doutrinárias e concretização das obras de caridade que beneficiam a muitas pessoas necessitadas.

Dessa forma, os benfeitores espirituais invariavelmente conseguem que os médiuns assistidos passem pelas suas provações difíceis e retornem mais experientes e dedicados à recepção das lições e orientações pelo idioma do pensamento, engrandecendo suas jornadas evolutivas.

A missão desses médiuns, geralmente, lhes foi concedida como oportunidade muito valiosa para que obtenham maior elevação moral e espiritual ou que quitem dívidas de vida passada assumidas perante a Justiça. Então, os benfeitores espirituais tudo fazem para que, nas suas searas de atuação, ajam com nobreza moral e espiritual; dediquem preces e irradiações em favor dos homens e espíritos doentes e sofredores; recebam as manifestações e comunicações dos espíritos de todas as ordens de elevação intelectual e moral para o descortinar das realidades existentes no além-túmulo; registrem no papel as impressões recebidas telepaticamente e as transmissões mentais que impulsionam o engrandecimento moral, levam à prática das virtudes, realizações fraternas e bondosas, manutenção do equilíbrio na mente e principalmente do aumento da pureza no coração.

Para os benfeitores espirituais, as leituras que fazem dos arquivos, imagens, filmes, reminiscências e lembranças justificam plenamente as suas fortes atuações e influências sobre os médiuns tutelados e protegidos. Estes, invariavelmente, retribuem as bênçãos recebidas pela difusão dos princípios religiosos e morais, adoção dos hábitos saudáveis, valorização dos estados mentais elevados e melhoria no mundo íntimo, experimentando, em seus próprios benefícios, o bem-estar, paz, progressos e alegrias.

Capítulo 14

EXÉRCITOS DE BENFEITORES ESPIRITUAIS E ESPÍRITOS ILUMINADOS QUE ATUAM EM BENEFÍCIO DOS ESPÍRITOS E HOMENS

Persiste na reta consciência e faze o teu melhor.

Dos Planos Superiores, os amigos que te antecederam na Pátria Espiritual acompanham-te os triunfos ignorados pelos homens e abençoam-te o suor da paciência nas lutas necessárias; encorajam-te na causa do amor puro e sustentam-te as energias para que as tuas esperanças não desfaleçam; comungam-te as alegrias e as dores, ensinando-te a semear a felicidade nos outros, para que recolhas a felicidade maior; se tropeças, estendem-te os braços e, se choras, enxugam-te as lágrimas; sobretudo, esperam-te, confiantes, quando termines a tarefa, para te abraçarem, afetuosos, com a alegria de quem recebe um companheiro querido, de volta ao lar.

Persevera no bem, sabendo que viverás para sempre.

Espírito Emmanuel, no capítulo Viverás para sempre, do livro *Justiça Divina*.

EXÉRCITOS IMENSOS DE ESPÍRITOS iluminados na mente, pelas luzes dos valores intelectuais, e no próprio coração, pelo amor puro, contrabalançam, em toda parte, as influências e atuações perversas dos espíritos imperfeitos, que buscam prejudicar os homens no seu cotidiano, comprometendo a sua vida futura.

São pelotões enormes de espíritos nobres e respeitáveis que descem das colônias localizadas nas regiões das esferas espirituais mais altas, para protegerem, orientarem e encaminharem seus entes queridos encarnados para o êxito nas missões e provas na família, instituições e sociedade, com vistas à ascensão na hierarquia espiritual.

São cooperadores eficientes que agem no plano invisível, oferecendo influências notáveis, intuições oportunas e inspirações valiosas para que os homens permaneçam na prática das virtudes, principalmente nos seus momentos de dificuldades, lutas, impasses, constrangimentos e contrariedades.

Benfeitores espirituais que auxiliam e protegem os homens missionários

São incontáveis os benfeitores espirituais que acompanham e favorecem os espíritos que encarnaram para cumprir as missões e provas que envolvem a implantação incessante de avanços valiosos e consideráveis nos mais variados campos das ciências, artes, religiões e demais ocupações e atividades humanas.

Eles são os verdadeiros propulsores dos conhecimentos, técnicas e progressos, porque atuam com capacidades inusitadas e recursos extraordinários na transferência para as famílias e instituições dos avanços que já são corriqueiros nas colônias espirituais onde habitam nas regiões das esferas mais elevadas.

BENFEITORES ESPIRITUAIS VOLTADOS AOS PROGRESSOS NOS RAMOS DA SAÚDE, DO PERISPÍRITO E DO CORPO MATERIAL

Incontáveis grupos de espíritos bondosos e capacitados vincularam-se aos trabalhos em benefício da recuperação da saúde dos espíritos doentes e sofredores. Eles se especializaram em atuar principalmente nos círculos sombrios do umbral, com a finalidade de socorrer e ajudar na melhoria das condições mentais e íntimas lamentáveis daqueles espíritos que transgrediram as leis, ficaram retidos nas regiões purgatoriais e precisam amenizar os efeitos doentios no perispírito. Então, trabalham na melhoria das suas condições de vida, para que possam ser encaminhados em breve para a reencarnação regeneradora.

Muitos dos membros desses grupos participam também, como servidores espirituais habilitados a atuar nos mais variados ramos da saúde, nas instituições socorristas que estão instaladas nas colônias simples das regiões da esfera espiritual mais próxima da crosta da Terra. Com seus trabalhos amenizam os abalos, enfermidades e deformidades no perispírito dos espíritos que se iludiram com a conquista apenas dos tesouros materiais.

Eles são especialistas em cuidados médicos e serviços de enfermagem, atuando com paciência, humildade e discrição, para que consigam amenizar as fortes dores e angústias daqueles espíritos que, por maldade, arrogância, egoísmo e imprudência, menosprezaram o respeito aos direitos dos semelhantes, experimentando o rigor da lei de causa e efeito, que continuou atuando no plano espiritual.

Muitas vezes, esses membros dos grupos participam das caravanas dos bons espíritos, que circulam pelos caminhos e áreas do umbral, voltadas para o resgate, acolhimento, tratamento e recuperação dos muitos espíritos doentes e sofredores que precisam ser inseridos em programações reencarnatórias compulsórias, pelos graves embaraços de ordem mental, sentimental, emocional e perispiritual que criaram para si mesmos, em função das suas obras destruidoras para muitos homens e a sociedade.

Vários membros desses grupos de benfeitores espirituais ainda prestam atendimentos e serviços médicos e de enfermagem em hospitais e casas de saúde da crosta terrena. Eles participam ativamente, embora de modo imperceptível, em tratamentos aos doentes graves ou incuráveis, oferecendo-lhes alívio para as suas enfermidades, inseguranças, incertezas, aflições e dores. Muitas vezes, eles precisam antecipar os preparativos para o processo de desencarnação das pessoas que vão encerrar as suas missões, provas ou expiações na vida corporal evolutiva.

Muitos elementos desses grupos são especialistas em trabalhar de modo intenso ao lado dos médicos e enfermeiros terrenos. Eles auxiliam na solução e cura de muitos casos graves de saúde, atuando principalmente sobre o perispírito, que vai transferir automática e naturalmente as melhoras para as células e os órgãos do corpo material.

Muitas vezes, eles se dedicam ainda ao afastamento das perigosas influências negativas dos espíritos malfeitores e perseguidores, que atuam como inimigos, opositores e obsessores. Eles precisam evitar a pretendida destruição das condições de vida das suas vítimas enfermas, a partir das sérias desestruturações na saúde, profissão e família.

Com técnicas e recursos espirituais inusitados, eles aplicam remédios fluídicos muito salutares, produzidos nos laboratórios do plano espiritual, nos centros de força do perispírito. Além disso, com autoridade intelectual e moral, expulsam bandos de espíritos maus, amenizando os padecimentos que estão sendo impostos aos doentes, restabelecendo as condições de saúde e a serenidade e o bem-estar no meio familiar.

Existem ainda os grupos de benfeitores espirituais que se tornaram especialistas em favorecer os trabalhos das gestantes, obstetras e parteiras. Eles operam para o êxito dos processos de reencarnação que beneficiam os espíritos em evolução.

Por outro lado, estão ainda os grupos que ajudam os moribundos. Eles cuidam dos procedimentos da desencarnação, corte do cordão prateado e encaminhamento das almas dos recém-desencarnados para as regiões da esfera espiritual que merecem habitar por seus méritos morais e espirituais.

BENFEITORES ESPIRITUAIS VINCULADOS AOS ATENDIMENTOS ÀS FAMÍLIAS TERRENAS

Incalculáveis grupos de espíritos bondosos e experientes em assuntos domésticos, por terem sido avós, pais e filhos, protegem, socorrem e prestam assistência ampla aos membros das famílias que precisam manter a ordem na estrutura familiar, satisfazer as necessidades e obter os progressos materiais, morais e espirituais. Então, atendem inclusive as preces e pedidos de ajuda ou socorro que são endereçados às Alturas pelo fio mental.

Eles exercem influências ocultas eficientes na solução de muitos casos de desequilíbrios nos recursos da mente e do coração. Orientam mentalmente os membros das famílias que estão se iludindo apenas com a acumulação dos bens materiais e se descuidando das suas atitudes e ações morais. Atuam fortemente para eliminar as influências maléficas dos espíritos imperfeitos que pretendem causar doença, demência ou levar para o suicídio. Contrabalançam as interferências destruidoras das pessoas falsas que têm a intenção de causar desastres familiares por interesses inconfessáveis. Ficam atentos nas atitudes, condutas e ações das "pessoas problemas na família", para que não pratiquem os atos imprudentes e maldosos. Prestam muitas contribuições mentais nos momentos de mudanças e reorganizações no reduto familiar. Interferem positivamente em todas as ocorrências que levam os membros dos lares aos progressos materiais, morais e espirituais, principalmente removendo as influências danosas das forças espirituais menos dignas ou mesmo das pessoas inescrupulosas, que atuam sob as máscaras da hipocrisia, cinismo e falsidade querendo barrar suas conquistas. Favorecem o cumprimento das missões, afazeres, trabalhos e atividades, intuindo o valor da dedicação, responsabilidade e honestidade para a obtenção da prosperidade e do engrandecimento das condições de vida.

BENFEITORES ESPIRITUAIS VOLTADOS PARA AS ÁREAS DA EDUCAÇÃO E CULTURA

Incontáveis espíritos cultos, nobres e elevados, que foram educadores bem-sucedidos na experiência corporal, pediram para voltar a trabalhar na crosta terrena, atuando discretamente dentro das instituições voltadas à educação, cultura e ensino, principalmente das que estão implantando novas bases educacionais mais amplas ou integrais para transformar e melhorar as condições de vida dos habitantes das cidades do planeta.

Dessa forma, tornaram-se prestadores de serviços especiais muito úteis à proteção e expansão mental e íntima dos professores, funcionários e alunos dessas instituições. Então, dedicam-se com ardor no estímulo das pesquisas, estudos e aplicação dos recursos educativos que elevam os conhecimentos e práticas em todas as áreas que efetivamente melhoram as condições pessoais e de vida nas famílias e comunidades.

Benfeitores espirituais dedicados à expansão das atividades sociais e assistenciais

São muitos os grupos de espíritos elevados que operam nas instituições assistenciais terrenas, atraindo as pessoas e famílias que precisam de atividades, oportunidades e recursos fraternos, para que atendam suas necessidades e prosperem nas jornadas evolutivas. Eles atuam, inclusive, nas regiões das cercanias espirituais da crosta, para beneficiarem os espíritos que pertenceram às famílias que estão sendo assistidas e se encontram ainda condicionados às coisas da vida material.

Eles, geralmente, dedicam cuidados especiais aos membros das famílias que se tornaram valiosos patronos das instituições que oferecem formas de financiamento para os programas assistenciais voltados para as crianças das famílias carentes. Elas precisam da oferta dos cursos, orientações, treinamentos, atividades e recursos gerais e estão sendo aplicados na melhoria das suas condições de vida e nos progressos que atendam as suas programações reencarnatórias.

Numerosas equipes desses benfeitores atuam dentro das instituições públicas e privadas interferindo mentalmente sobre as pessoas que disponibilizam recursos para as atividades sociais e programas assistenciais. São participantes ocultos, mas valiosos porque concorrem imperceptivelmente para muitos progressos sociais que ocorrem na face da Terra, beneficiando as almas das pessoas que precisam voltar bem-sucedidas para o plano espiritual, com os trabalhos e ajudas que recebem em suas caminhadas evolutivas.

Benfeitores espirituais que amparam as instituições espíritas

> Enquanto lhes for permitido pela Divina Bondade, as criaturas desencarnadas, despertas para o bem, falarão às criaturas encarnadas, quanto aos imperativos da lei do bem. Isso porque todas as paixões inferiores que carregamos para o túmulo são calamidades mentais a valerem por loucura contagiosa, e, compreendendo-se que todos somos uma família única, é preciso reconhecer que o desequilíbrio, de um só, é fator de perturbação atingindo a família inteira.
>
> **Espírito Emmanuel, no capítulo Previdência, do livro**
> *Justiça Divina.*

Muitos grupos de espíritos sábios, benevolentes e moralmente elevados trabalham ao lado dos dirigentes, médiuns, trabalhadores e frequentadores das instituições espíritas, superando ou vencendo as extensas fronteiras vibratórias que separam os dois planos da vida.

Eles aplicam seus conhecimentos dilatados pelas luzes morais e realidades espirituais, recursos mentais e fluídicos poderosíssimos do perispírito nos intercâmbios entre as duas esferas da vida. Então, são especialistas em operar sobre os diferentes padrões de transformação e condensação da matéria universal, os campos vibratórios bem distintos e as energias peculiares de cada plano da vida. Com isso, possibilitam sucesso nos trabalhos espirituais e de ajuda fraterna e que os médiuns autênticos obtenham êxito na intermediação das mais variadas manifestações e comunicações dos espíritos de todas as ordens de elevação intelectual e moral.

Muitos desses mentores espirituais são especialistas em controlar e dominar o veículo físico dos médiuns que tutelam, operando com facilidade sobre os seus recursos mentais e íntimos e os poderes fluídicos do perispírito. Assim, são os principais agentes que concorrem para o sucesso na consecução da gama variada de fenômenos mediúnicos, característicos de cada intermediário entre os espíritos e os homens.

Nas instituições espíritas, atuam ainda os bons espíritos especialistas em recolher e transformar em remédios os fluidos benéficos emitidos pelos espíritos encarnados em condições de oferecer seus fluidos de natureza espiritual e material. Então, usam-nos para beneficiar os homens debilitados, doentes e sofredores, bem como os espíritos desequilibrados e necessitados de socorro urgente, portadores de abalos e enfermidades nos órgãos do perispírito.

Na realidade, esses trabalhos muito complexos e extensos precisam da combinação das emanações, forças e energias provenientes tanto do lado dos colaboradores encarnados, quanto do lado do plano espiritual. Assim, os materiais plásticos, elementos fluídicos salutares, emissões fluídicas do organismo mediúnico e emanações dos homens em geral são combinados com os fluidos espirituais mais sutis, em processos de combinação e transformação que geram medicamentos, que são destinados à melhoria das condições de vida de muitas pessoas e numerosos espíritos que precisam sair das situações de enfermidade, sofrimento e infelicidade.

Desse modo, muitas instituições espíritas atuam como verdadeiros laboratórios fluídicos, invisíveis aos olhos dos homens, onde equipes de bons espíritos fazem casamentos de forças e energias dos dois lados da vida, para a obtenção dos produtos revigoradores e curadores do plano espiritual, que produzem resultados surpreendentes na restauração dos centros de força do perispírito, com reflexos saudáveis nos órgãos do corpo de matéria densa.

Vastíssimos domínios e impérios estabelecidos pelos exércitos de benfeitores espirituais

Os exércitos compostos por incontáveis pelotões, grupos e equipes de entidades espirituais sábias, bondosas e nobres, que atuam como cocriadores em toda parte da crosta da Terra, bem como nas suas cercanias espirituais, atendem aos desígnios de Deus.

Eles favorecem os progressos incessantes de todos os filhos de Deus, encarnados ou desencarnados, que estão evoluindo na hierarquia espiritual para chegarem na angelitude.

Com suas múltiplas operações, sem cometerem injustiças, erros ou privilégios, executam seus trabalhos com muito planejamento, organização e eficiência. Então, contribuem com o progresso e evolução dos animais, homens e espíritos, que estão avançando sem cessar na ascensão na hierarquia verdadeira.

TERCEIRA PARTE:

ESPÍRITOS, REGIÕES E COLÔNIAS DA PRIMEIRA ESFERA ESPIRITUAL

Capítulo 15

CONDIÇÕES DE VIDA DOS ESPÍRITOS AINDA MORALMENTE IMPERFEITOS QUE HABITAM AS REGIÕES ÁRIDAS E TRISTES DA PRIMEIRA ESFERA ESPIRITUAL (UMBRAL)

Toda religião ensina que a alma será expurgada de todo o erro, em regiões inferiores.

A doutrina espírita não apenas explica que a alma, depois da morte, se vê mergulhada nos resultados das próprias ações infelizes, mas também esclarece que, na maioria dos casos, a estação terminal do purgatório é mesmo a Terra, onde reencontramos as consequências de nossas faltas, a fim de extingui-las, através da reencarnação.

Espírito Emmanuel, no capítulo Espíritas diante da morte, do livro *Justiça Divina*.

As PARAGENS E AMBIENTES naturais da primeira esfera do plano espiritual, próximos e ligados à crosta terrena, são totalmente diferentes dos das estâncias de paz, repouso, aprendizado, alegria e bem-estar, que estão situadas nas regiões da esfera logo acima, habitadas pelos espíritos inteligentes, esclarecidos sobre as realidades morais e espirituais e operantes no bem.

Essas regiões inferiores, vizinhas à crosta da Terra são tristes e obscuras pela atmosfera densa e pesada. Mas, servem de abrigo para as consciências culpadas que estão experimentando os resultados desagradáveis de suas más atitudes, condutas, ações e obras nos mais variados campos da vida corporal.

Elas são habitadas pelos espíritos moralmente ainda imperfeitos, que inevitavelmente estão suportando as duras consequências do que fizeram de errado na vida transitória, em formas de sofrimentos, incertezas e amarguras sobre o porvir, vertendo lágrimas de tristeza e gritos de desespero pelas difíceis condições de vida em que se viram submetidos.

Assim, vão despertando lentamente a consciência para os resultados do menosprezo na prática das virtudes e do bem e fazendo a colheita dos frutos amargos que semearam irresponsavelmente ao longo da desastrosa experiência terrena.

Condições do corpo espiritual (perispírito)

O corpo espiritual dos espíritos imperfeitos conserva as marcas, traumas e impressões das condições mentais desequilibradas, descontroles no mundo íntimo, vícios, maus hábitos, péssimas propensões, intenções desastrosas e ações nefastas praticadas. Os centros de força do perispírito foram atingidos seriamente com a imprudência e indisciplina com que conduziram o uso do livre-arbítrio e das faculdades.

União com os espíritos afins

Nas regiões inferiores da erraticidade, os espíritos imperfeitos se unem automaticamente uns aos outros pelas mesmas características pessoais, afinidades, interesses, futilidades e ilusões sobre as coisas de todas as ordens. Quando encarnados, eles só reconheceram o poder do dinheiro, títulos e honras e tudo fizeram para acumulá-los na experiência corporal, cultivando o egoísmo, avareza, más paixões, sensualismo, gozos dos prazeres materiais e atos violentos e criminosos.

Assim, depois da morte, as almas continuaram exteriorizando suas péssimas condições mentais e do mundo íntimo, submetidas aos mesmos fortes condicionamentos que adquiriram na vida carnal e à densidade que determinaram ao perispírito.

Então, passaram a viver em turmas imensas de espíritos perturbados e sofredores, geralmente sob as ameaças e ações dos espíritos dominadores, prevaricadores, agressores e cultivadores do desrespeito e violências.

Assim, tornaram-se membros das comunidades que experimentam entre si grandes dificuldades de convivência e de relacionamento, porque continuam escravizados aos maus hábitos, desejos, sentimentos, pensamentos e atos.

Enquanto não despertarem desejos mentais e interiores verdadeiros de melhoria nas próprias condições de vida, não atrairão a ajuda dos benfeitores espirituais que têm o poder de providenciar a saída das extensas agremiações, marcadas por tormentos e sofrimentos.

PODERES DA CONSCIÊNCIA E DA MEMÓRIA

A consciência manifesta-se na alma fora do corpo de carne com um poder muito mais vivo e atuante. Assim, automaticamente, faz a releitura insistente de todos os arquivos e imagens armazenadas na memória, recorrendo aos crivos do senso moral. Com essa revisão constante, não há como a mente continuar justificando os maus atos praticados, pelo poder acusatório do senso moral.

Através desse processo doloroso, as almas pecadoras vão

despertando lentamente os sentimentos de culpa, remorso e arrependimento, intensificando no perispírito os duros efeitos das suas quedas morais perante as provações, missões e lutas evolutivas terrenas.

ESPÍRITOS DO UMBRAL QUE TÊM ACESSO À CROSTA DA TERRA

> Estas regiões são as que mais se avizinham da Terra e justamente estão sob o que determina o sagrado estatuto da compensação, porque essas atmosferas pestilentas refletem os sentimentos que lá predominam. A inveja, a avareza, a ambição, o sensualismo campeiam livremente. Todos os seres, que aqui se amontoam, desvairadamente, podem descer até os lugares onde anteriormente viveram apegados a tudo quanto constitui o *substractum* dos seus prazeres. Não souberam vibrar com os ideais da alma e não quiseram abandonar as ilusões de seus dias terrenos.

Espírito Maria João de Deus, no livro *Cartas de uma morta*.

Muitos espíritos com tendências perversas se uniram e se integraram nas regiões do umbral às organizações perigosas e congregações terríveis que já encontraram formadas. Então, passaram a agir sob o comando e ordens dos espíritos maus e violentos que exploram os recursos e agem de modo dominador e destruidor, tanto nas áreas do umbral, quanto da crosta terrena.

Muitos desses espíritos que se ligaram a esses bandos perturbadores trilham os caminhos que dão acesso à crosta da Terra, para influenciarem negativamente os homens que lhes são afins. Então, exploram as mesmas características perversas e estimulam mentalmente a concretização dos trabalhos desonestos, disseminação dos vícios, execução dos planos gananciosos e a prática das violências, traições, sevícias, golpes e crimes.

A VIDA NAS ESFERAS ESPIRITUAIS | 159

Eles passam a acompanhar de perto os homens imprudentes, negligentes e inconsequentes, que se renderam às suas más influências mentais e íntimas. Então, estimulam-nos a transgredir abertamente às leis de Deus, para que, no futuro, suas almas retornem à vida espiritual na condição de espíritos com sérios desequilíbrios mentais, interiores e perispirituais, ficando facilmente sob o domínio dos grupos de espíritos malignos que controlam certas áreas do umbral.

ALMAS QUE VAGAM PELO UMBRAL

Há regiões obscuras, atopetadas de amargores, formadas pelas consciências polutas que as povoam.

Confrangente é a situação das almas sofredoras, que a esses ambientes se destinam, porque viverão com o fruto amargo das sementes que espalharam nos dias de sua temporária vida.

Tive ensejo de visitar alguns desses núcleos de pranto incontáveis e amaríssimos; e neles encontrei alguns de meus antigos conhecidos na Terra.

Quão dolorosos são os dias que ali pesadamente transcorrem.

É, ainda, às impressões arraigadas do corpo físico que se devem esses agrupamentos, onde pululam padeceres de toda espécie, mas que existem sob as determinações de uma lei natural, reguladora dos problemas das compensações.

Um espírito pode beneficiar-se com o que lhe provém do exterior, mas o seu verdadeiro mundo é aquele criado por seus pensamentos, atos e aspirações.

Espírito Maria João de Deus, no livro *Cartas de uma morta*.

Os agrupamentos existentes nas extensas regiões do umbral, vizinhas à crosta da Terra, abrigam multidões de espíritos transviados do bem, pelo voluntário menosprezo à prática das virtudes. Eles estão experimentando as consequências do que fizeram para si próprios. Então, não encontram nem parada agradável, nem sossego nas condições de vida, passando a viver em permanentes conflitos íntimos e com os outros, geralmente relembrando suas atitudes e ações imprudentes e más. A consciência, com o auxílio do senso moral, apresenta-lhes as análises lúcidas e verdadeiras dos erros e males que espalharam na vida carnal.

Assim, muitas vezes, resta-lhes apenas vagar sem esperança e rumo certo pelos caminhos tortuosos do umbral, tendo, algumas vezes, que se desviar, esconder ou fugir dos bandos perigosos que querem aprisioná-los para explorar suas péssimas tendências viciosas e condições de vida.

Quase todos eles desejam fortemente o retorno às antigas condições de vida que usufruíam nos fluidos carnais: administrar os interesses familiares e financeiros, gozar inescrupulosamente das experiências corporais e satisfazer livremente seus maus hábitos, vícios e tendências egoísticas nefastas.

Invariavelmente, sentem-se perdidos nos caminhos tortuosos das regiões do umbral que são círculos de purgação próximos da crosta planetária, analisando seus desequilíbrios mentais e íntimos, bem como os danos causados nos centros de força perispirituais.

CAMINHOS PARA A CROSTA DA TERRA

Muitos espíritos ainda bastante imperfeitos, habitantes de certas comunidades estabelecidas nas regiões do umbral próximas da crosta da Terra, aprenderam a trilhar os caminhos que permitem os contatos constantes com as almas da vida carnal.

Para isso, esses habitantes percorrem muitos caminhos simples que partem das suas comunidades mal planejadas, edificadas e estruturadas, para exercerem suas influências perversas sobre os homens que atendem muitos de seus interesses imediatos.

Então, depois de percorrerem esses caminhos mal elaborados, trilhas tortuosas, labirintos malformados e vias de comunicação bastante rudes, eles têm acesso à crosta da Terra, onde procuram estabelecer suas ligações com certos homens, estimulados pela detecção das mesmas afinidades e tendências.

Geralmente, esses caminhos foram sendo abertos e construídos ao longo do amplo período de colonização das regiões do umbral. Então, passam inclusive por áreas bastante acidentadas, topografias irregulares, zonas pantanosas e locais com picos altos, abismos ou mesmo precipícios muito profundos.

Muitos desses caminhos passam por regiões onde os ambientes naturais se caracterizam pelo predomínio da aridez, pobreza e tristeza; as energias estão bastante condensadas; e o vento sopra de modo intenso e forte; a temperatura varia muito; a neblina apresenta-se muito densa; a luz está ausente por toda parte, porque o sol e a lua não passam de bolas celestes emissoras de poucos raios de luz; a vegetação rasteira é muito escassa, porque os terrenos não favorecem o desenvolvimento da vida vegetal; os animais e as aves surgem de vez em quando, com suas aparências estranhas e desprovidas de beleza, embora sejam bastante úteis nessas áreas umbralinas.

> Nos planos adjacentes ao mundo, a vida espiritual transcorre em ambiente semelhante ao da vida terrena. Suas construções, à base de uma substância para vós desconhecida, têm, mais ou menos, as disposições que aí se observam; todavia, nas menores coisas, há um caráter de transição, obrigando o espírito a elevar suas aspirações e seus interesses para o Alto.

Espírito Maria João de Deus, no livro *Cartas de uma morta*.

Diferentes zonas umbralinas

Nos planos da erraticidade existem lugares especificados, onde se aliam os seres cujas mentes se afinam pelo mesmo diapasão. Vivem ali os que se apegaram em excesso às futilidades terrestres, sentindo-lhes desconsoladamente a ausência; os que colocaram acima de tudo as preocupações do egoísmo e da avareza; criando com suas ideias fixas todo um mundo de moedas e de valores fictícios, obsedados pela visão do ouro. No mundo, aqueles que demasiadamente se entregaram aos gozos carnais, somente encontrando nisso o único objetivo da existência, vivem com os reflexos das suas desvairadas paixões, e todos os quadros formados pelas vibrações dessas mentes inferiores e enfraquecidas caracterizam-se por suas densas trevas.

Espírito Maria João de Deus, no livro *Cartas de uma morta*.

São muitas e bastante diferenciadas e extensas as zonas umbralinas que partem da crosta terrestre e se expandem pelo lado da vida espiritual.

Pela bondade e misericórdia de Deus, elas servem de refúgio e abrigo para as multidões de espíritos que ainda se encontram em evolução nas posições primitivas da vida, manifestando ignorância, maldade, apego excessivo às coisas fúteis, valores, gozos e paixões materiais. Muitos desses espíritos desequilibraram com suas atitudes, decisões, vontades e atos, os recursos e potências da mente, tornando o perispírito gravemente denso e doente, a partir de seus centros de força.

Então, ficaram retidos nas vastas regiões umbralinas para que aprendam a refletir e colocar a seu favor a lei de causa e efeito com a reeducação, regeneração, esgotamento dos resíduos mentais e íntimos nefastos e combate aos condicionamentos inferiores que implantaram em si mesmos durante a experiência malsucedida na vida corporal.

Para eles, os sofrimentos nessas zonas purgatoriais são muito tristes e dolorosos, principalmente os decorrentes dos efeitos das ilusões e más paixões terrenas que cultivaram imprudentemente, até que passem a se esforçar para a libertação das correntes invisíveis que os escravizaram às futilidades materiais. Então, são reconhecidos facilmente e amparados pelos benfeitores espirituais que atuam fraternalmente nas regiões do umbral, abrindo oportunidades para o recomeço e aprendizados, geralmente internados em instituições beneficentes, instaladas nas zonas umbralinas, que inclusive planejam e providenciam as reencarnações expiatórias.

ÁREAS E ZONAS TREVOSAS

Algumas áreas das regiões do umbral possuem trevas compactas. Mas, mesmo assim, elas são habitadas por muitas almas que viveram no mundo carnal com excessivo egoísmo, orgulho, avareza, interesses materiais mesquinhos, condicionamentos nefastos, gozos dos vícios e realizações criminosas. Então, deterioraram de tal modo as suas condições mentais, do mundo interior e perispirituais, determinando para si mesmas condições de vida quase insuportáveis.

Algumas dessas zonas das trevas densas são habitadas por numerosos grupos de entidades humanas desencarnadas que preferem vagar e circular, mesmo enfrentando dificuldades nas planícies pantanosas e suportando o nevoeiro forte. Muitos dos elementos desses grupos apresentam no perispírito aparências animalescas, deformadas e monstruosas, podendo ser enquadrados entre certos seres horrendos que ainda estão situados entre os da humanidade e os da irracionalidade.

Muitos desses grupos são compostos por espíritos egocêntricos, com propósitos rasteiros, sentimentos frios e atuações claramente más e perigosas. Então, preocupam-se em fazer prisioneiros, através das contendas intermináveis que mantêm com outros grupos rivais, para escravizá-los ou torturá-los, ignorando os padecimentos alheios que podem levar à demência. Com suas peregrinações intermináveis nos círculos muito densos e trevosos do umbral, agem sobre os fluidos espirituais pesadíssimos e os ambientes desagradáveis criados em decorrência das suas emissões mentais inferiores, maus sentimentos, pensamentos perversos, recordações e revisões dos desastres morais cometidos.

Zonas expiatórias para as almas que faliram em suas missões e provas terrenas

Certas zonas expiatórias do umbral tornaram-se abrigo para as muitas almas que sucumbiram desastrosamente no cumprimento das suas missões, provas e tarefas evolutivas, na família, no trabalho profissional e nos campos de atuação social. Então, suportam, ao lado de espíritos diabólicos, monstruosos e violentos, as consequências naturais dos desastres morais que promoveram na convivência e nos relacionamentos com os semelhantes, nos projetos de vida com os seus familiares, nos negócios que administraram, profissões que exerceram e cargos importantes que ocuparam entre os homens.

Muitos desses espíritos falidos ficaram retidos nessas zonas trevosas depois que foram submetidos compulsoriamente a julgamentos severos em tribunais formados pelos seus inimigos, adversários, opositores, competidores e familiares prejudicados. Estes tinham como provas contra eles as imagens arquivadas na própria memória. Então, receberam como penas o enclausuramento e os padecimentos infernais.

ZONAS DESTINADAS A CERTOS ESPÍRITOS CRIMINOSOS

Certas zonas trevosas são habitadas por certos espíritos que praticaram crimes muito graves. Muitos deles estão retidos nelas há séculos, recapitulando incessantemente suas memórias comprometedoras, para que reflitam sobre suas experiências egoísticas e más, revejam insistentemente suas ações criminosas, até que se disponham à melhoria do estado mental e do mundo interior, despertar na consciência o arrependimento verdadeiro e o desejo real de reparação dos danos que causaram no perispírito, através dos esforços na retomada do processo evolutivo, através da reencarnação expiatória.

ZONAS SUBCROSTAIS

Algumas das áreas trevosas estão localizadas abaixo da superfície do globo terrestre. Nelas estão retidos muitos espíritos arrogantes que transgrediram ou desrespeitaram voluntária e profundamente as leis de Deus, promovendo desequilíbrios sérios em seus estados mentais e no mundo interior, e aumentando a densidade e o peso do perispírito. Então, precipitaram-se naturalmente para certos cárceres tenebrosos localizados em despenhadeiros da esfera subcrostal, onde ficarão até que se predisponham verdadeiramente à reencarnação expiatória.

ZONAS DO UMBRAL DESTINADAS AOS ESPÍRITOS JÁ BASTANTE INTELIGENTES, HABILIDOSOS E ESCLARECIDOS, MAS AINDA SEM PROGRESSOS MORAIS

Muitas das áreas do umbral congregam verdadeiras e imensas sociedades ou colônias de espíritos que já conquistaram avançado grau de desenvolvimento intelectual, amplos conhecimentos em variados campos e habilidades extraordinariamente aprimoradas para certas realizações. Mas, eles foram atraídos naturalmente e ficaram retidos nelas pelo mau uso que fizeram da inteligência com o livre-arbítrio. Quando encarnados, preocuparam-se apenas em ganhar e acumular dinheiro, valores e patrimônios, geralmente praticando golpes e artimanhas que prejudicaram muitas pessoas e famílias. Eles jamais pensaram em praticar os princípios religiosos, éticos e morais que conheceram. Apenas cuidaram egoisticamente de suas vidas pessoais, indiferentes aos gravíssimos erros morais que cometeram ao darem livre vazão aos seus impulsos íntimos mais indecentes.

Então, despertaram depois da morte em zonas muito densas do umbral, pelas condições do mundo mental. Os princípios irrevogáveis e inalteráveis da lei de gravitação da matéria em estado sutil agem sobre o corpo espiritual, que é instrumento da Justiça Perfeita. Então, a lei de atração puxou a organização viva do perispírito desses espíritos para as zonas umbralinas muito grosseiras e conturbadas.

> E se a Lei te permite conhecer o suplício das consciências transviadas, para lá do sepulcro, é para que trabalhes em teu próprio favor.
>
> Corrige em ti mesmo tudo aquilo que censuras nos outros. Clareia-te por dentro. Aprimora-te e serve.
>
> Enquanto no corpo físico, desfrutas o poder de controlar o pensamento, aparentando o que deves ser; no entanto, após a morte, eis que a vida é a verdade, mostrando-te como és.
>
> **Espírito Emmanuel, no capítulo Espíritos transviados, do livro *Justiça Divina*.**

Inúmeras providências que os benfeitores espirituais adotam em todas as partes do umbral

Pela bondade e misericórdia para com os Seus filhos, em processo incessante de evolução intelectual e moral, Deus permite que os batalhões dos exércitos de benfeitores espirituais estejam em todas as partes do plano espiritual e da crosta terrena prestando ajuda piedosa e proteção fraterna para os espíritos e homens que precisam caminhar para a perfeição espiritual, empreendendo esforços próprios.

Esses espíritos já bastante evoluídos intelectual e moralmente organizam e executam processos de amadurecimento e crescimento, quando necessário, empregando meios regenerativos e reeducativos para aqueles irmãos perfectíveis que precisam reformular o mundo mental e íntimo e aflorar os recursos e possibilidades do perispírito, para ascender na hierarquia verdadeira.

São espíritos bondosos e abnegados que descem frequentemente das suas colônias lindas das regiões das esferas espirituais mais elevadas para executarem as muitas incumbências e atividades progressistas ou cumprirem inúmeras tarefas socorristas nas regiões do umbral ou da crosta terrena, principalmente em benefício dos espíritos e homens que, pelo uso errado do livre-arbítrio, se tornaram maus, doentes e sofredores.

Invariavelmente, eles trabalham vinculados às instituições bem organizadas e equipadas que acompanham, discretamente, à distância tudo o que se passa nas condições de vida dos espíritos encarnados ou desencarnados em evolução, notadamente dos ainda primitivos, imperfeitos, pecadores, enfermos e sofredores.

São eles que detectam o conteúdo de todas as emissões mentais direcionadas a Deus, pedindo ajuda, perdão e amparo. Então, pelas suas faculdades e possibilidades mentais, leem as exteriorizações dos sentimentos e pensamentos, dando especial atenção àqueles de arrependimento ou desejos sinceros de melhoria nas condições desesperadoras de vida. Assim, rapidamente descem dos seus postos elevados, usando as suas faculdades volitivas muito adestradas, em resposta aos apelos de oportunidades de regeneração, redenção e evolução.

CAMINHOS DO UMBRAL QUE SÃO PERCORRIDOS PELAS CARAVANAS DOS BENFEITORES ESPIRITUAIS

As caravanas socorristas, operadas pelos benfeitores espirituais, são muito bem planejadas, organizadas, discretas e defendidas, pois precisam percorrer os caminhos tortuosos e perigosos do umbral. Elas, a qualquer momento, podem se deparar com certos bandos de espíritos maus e perigosos que controlam certas áreas trevosas, com seus vigias volitando a pequena altura do solo.

Então, os integrantes dessas caravanas precisam evitar o contato direto com esses espíritos, não chamando a atenção pelo modo ordeiro e dissimulado de se locomover. Se despertarem a fúria dos espíritos desventurados e dominadores, terão que enfrentá-los chumbados ao solo do umbral, porque os ambientes densos restringem o uso em equipes das suas faculdades de volitação bem adestradas. Se inevitavelmente precisassem se mover majestosamente pelos ares, causariam melindres e ações violentas por parte dos espíritos que dominam certas áreas umbralinas, revoltados com as ações que pretendem a retirada de suas vítimas escravizadas.

Desse modo, os membros das caravanas socorristas percorrem grandes distâncias em segurança, andando cautelosamente pelos caminhos tortuosos e enfrentando de frente as grandes dificuldades impostas pelas barreiras vibratórias e o grau de densidade das matérias sutis que formam os ambientes naturais. Essas caravanas de socorro amoroso aos irmãos verdadeiramente arrependidos pelos maus atos e crimes praticados seguem até que cumpram as suas tarefas de retirá-los e mantê-los afastados dos sítios das trevas, padecimentos, misérias mentais e morais e enfermidades perispirituais.

Os sinais e as disposições reais para a renovação espiritual e moral permitem o emprego eficiente dos cuidados médicos em postos assistenciais beneméritos, amenizando os efeitos danosos da fuga da honestidade, responsabilidade, princípios morais e retidões mentais. Com os tratamentos, os aleijões, feridas, deformidades e padecimentos no perispírito vão sendo recuperados e novas condições de saúde vão sendo sentidas na mente, no mundo íntimo e no corpo perispiritual, até que se apresentem em condições para a reencarnação expiatória.

QUALIFICAÇÃO DOS BENFEITORES ESPIRITUAIS

Muitos dos benfeitores espirituais que operam nas comunidades das regiões do umbral já foram na vida carnal médicos, enfermeiros ou profissionais dos variados ramos da saúde. Assim, solicitaram e obtiveram a autorização para prestar serviços fraternos em postos, hospitais e fundações de socorro que assistem os espíritos necessitados.

Muitos dos benfeitores já foram também educadores na vida corporal. Então, ligaram-se voluntariamente às instituições de caridade e abnegação com o intuito de continuarem empregando suas técnicas e recursos reeducativos na transformação mental e moral daqueles que menosprezaram os esforços para o bom uso de suas faculdades. Assim, beneficiam até mesmo os espíritos que chegaram, em decorrência de suas ações inescrupulosas, próximos da demência, melhorando as suas condições deploráveis e lamentáveis de saúde e vida.

Com suas orientações oportunas, calam vozes lamentosas, cessam gritarias de padecimento e param os choros decorrentes das dores das enfermidades e deformações graves que trouxeram dos infernos, abismos e precipícios purgatoriais das regiões de sombras espessas e trevas densas do umbral.

BENFEITORES ESPIRITUAIS QUE CONSTROEM E MANTÊM AS INSTITUIÇÕES BENEFICENTES NO UMBRAL

São muitos os benfeitores espirituais especializados em edificar, construir e manter os postos de socorro bem resistentes e as instituições hospitalares imponentes e bem estruturadas nas regiões escuras e tristes do umbral. Elas visam sempre o atendimento dos espíritos doentes e sofredores que se colocaram em condições mentais e íntimas propícias à regeneração, até o momento da reencarnação.

São edifícios que contam com engenhosos sistemas de defesa, porque muitos espíritos maus e perigosos os atacam com frequência, tentando destruí-los como modo de afastar os bons espíritos ou saqueá-los em busca dos seus mobiliários e ornamentos. Esses prédios despertam a ira dos espíritos perversos e dominadores, porque libertam muitas das suas vítimas e escravos, abrigando-os em ambientes confortáveis e em áreas com belas árvores, pomares bem formados e cultivados e plantas e flores ornamentais maravilhosas, adaptadas ao clima bastante adverso.

Esses postos de socorro e hospitais são vistos como verdadeiros oásis nos desertos do umbral. Eles foram preparados para abrigar imensa quantidade de espíritos doentes, deformados e sofredores, depois que foram resgatados pelas caravanas socorristas. Então, oferecem todas as especialidades médicas e são administradas por muitos espíritos que se especializaram nas técnicas gerenciais e no emprego dos recursos médicos eficientes.

Muitos dos hospitais servem de residência e ambientes de trabalho para os diretores, engenheiros, administradores, médicos, enfermeiros, técnicos e educadores bastante especializados que estão participando desde a construção desses centros avançados de medicina e enfermaria. Então, precisam estar sempre muito bem defendidos dos constantes ataques destruidores dos espíritos violentos, e perigosos, mantendo equipes de vigilância permanentes, que quebram os cercos agressivos e eliminam as interferências danosas dos inimigos, principalmente dos que querem resgatar os espíritos arrependidos que foram recolhidos pelas caravanas socorristas e retirados do umbral para viver em condições dignas.

BENFEITORES ESPIRITUAIS ESPECIALIZADOS NAS REENCARNAÇÕES COMPULSÓRIAS

São muitos os espíritos moralmente imperfeitos que foram resgatados, abrigados, assistidos e reeducados nas abnegadas congregações de socorro localizadas no umbral, para serem oportunamente encaminhados compulsoriamente para a reencarnação expiatória e evolutiva.

Esses renascimentos precisam ser muito bem planejados porque são muito dolorosos, pelas provas ríspidas, expiações inevitáveis e trabalhos intensivos reparadores e lutas regenerativas.

A grande dificuldade para os benfeitores espirituais que cuidam do planejamento, programação e operacionalização das reencarnações está sempre na escolha dos pais terrenos e dos ambientes domésticos e sociais mais propícios. Os filhos vão precisar de muito amor, carinho e dedicação para que sejam bem-sucedidos, principalmente nos tratamentos das doenças congênitas que inevitavelmente vão surgir pelas transferências do perispírito para o corpo material. Assim, as programações dos recursos, tarefas e oportunidades regenerativas e reeducativas a serem cumpridas contemplam a efetiva volta aos caminhos do progresso intelectual e moral.

Por parte do plano espiritual, essas novas e benditas experiências carnais contemplam sempre os trabalhos ininterruptos dos espíritos protetores e familiares que irão influenciar mentalmente os pais, os seus protegidos e os entes familiares, para que haja o efetivo cumprimento das responsabilidades perante a nova jornada de aperfeiçoamentos intelectuais, morais e espirituais.

Capítulo 16

CIDADES, COLÔNIAS E ORGANIZAÇÕES QUE OS ESPÍRITOS AINDA IMPERFEITOS CONSTROEM NO UMBRAL

Na primeira esfera, mais apegada à Terra e às suas ilusões, temos muitas organizações à maneira do planeta. São inúmeras as congregações de espíritos que se dedicam à salvaguarda de seus ideais religiosos sobre o orbe terráqueo. A luta estabelecida não é pequena. A nossa existência é a continuidade da vida material com todas as suas características. Vem daí o nosso contínuo conselho para preparardes uma vida melhor, pela aquisição de virtude e conhecimento.

Espírito Maria João de Deus, no livro *Cartas de uma morta*.

Não haveria penitência se não houvesse delinquente.

Notemos, ainda, que se a ciência médica no mundo ergue caridosamente o manicômio, para socorrer a loucura, a Providência Divina permite a colonização dos seres bestializados, além do túmulo, em regiões específicas do Espaço, para limitação e tratamento das calamidades mentais em que se projetaram ou que fizeram por merecer.

Desse modo, que nenhum de nós se esqueça da lei de ação e reação.

Isso porque a falta, que depende de nós, chega antes, e o sanatório que a corrige chega depois.

Espírito Emmanuel, no capítulo Pessoalmente, do livro
Justiça Divina.

NAS REGIÕES MUITO EXTENSAS e variadas da primeira esfera espiritual ficam retidos os espíritos moralmente imperfeitos que transgrediram a lei do bem com suas atitudes e obras inconvenientes praticadas durante a jornada evolutiva terrena.

Eles perderam o vaso físico pelo fenômeno da morte, mas suas almas, pela lei de causa e efeito, viram-se reunidas entre os seus semelhantes, pela similitude das afinidades e preferências, em processos de colonização nas regiões do umbral. Geralmente, aportam no lado da vida espiritual inferior trazendo ilusões, desarranjos mentais, íntimos e nos centros de forças perispirituais, que perduram por muito tempo, enquanto permanecerem as condições pessoais conturbadas que repercutiram fortemente nos centros de força e órgãos do perispírito.

Assim, colhem os frutos das plantações espinhosas que semearam durante a passagem transitória pela vida carnal na crosta do planeta, constrangidas a colonizar, se adaptar e se agitar pelo umbral, como personalidades tipicamente humanas, conservando as mesmas características masculinas e femininas, em difícil processo regenerador.

São almas que, pelas condições mentais e íntimas calamitosas e pelo correspondente grau de densidade da matéria sutil que forma o perispírito, não conseguem ascender às expressões lindas e luminosas na forma e aparência do corpo espiritual. Foram pessoas desonestas, irresponsáveis e más, que deixaram péssimas impressões nos círculos carnais, onde plantaram desordens, traições, violências e crimes.

INSTITUTOS, COLÉGIOS, EDUCANDÁRIOS DE ASSISTÊNCIA AOS ESPÍRITOS DOENTES E SOFREDORES

Libertas do envoltório de carne, essas almas viram-se com a necessidade de se adaptar, viver em colônias e vagar pelas regiões conturbadas circunvizinhas da crosta da Terra, expondo suas perturbações mentais, desequilíbrios íntimos e feias aparências no perispírito, as quais estavam ocultas enquanto foram homens. Raros deles decidem voluntariamente buscar rapidamente o reajustamento e a restauração espiritual e moral nos institutos, colégios e educandários que os benfeitores espirituais edificaram e mantêm nas regiões de baixo nível espiritual, visando beneficiar e melhorar as condições daquelas almas ainda imperfeitas, que se arrependeram sinceramente de suas ações delinquentes e infelizes.

Somente quando as dores e sofrimentos se tornam insuportáveis, premidos pelas recordações e julgamentos da consciência que analisa, com o auxílio do senso moral, os registros precisos da memória, despertam em si mesmos os sentimentos de culpa, remorso e arrependimento, aflorando na mente o desejo sincero de pedir perdão a Deus. Então, logo são identificados, assistidos e encaminhados para organizações que possuem ambientes de recuperação e transformação, onde encaram trabalhos e estudos renovadores e necessários à volta ao progresso, cura dos aleijões e doenças, reconquista do bem-estar e da bênção da reencarnação.

Esses processos de reeducação intelectual e moral são sempre muito longos e difíceis, mesmo recebendo apoio dos instrutores dessas instituições fraternas localizadas nas regiões expiatórias. Felizmente, mais cedo ou mais tarde, o processo de regeneração acaba inevitavelmente com uma nova oportunidade de renascimento retificador, programado para o exercício do trabalho e do bem nos círculos carnais, consolidando a melhora no mundo mental e íntimo, com reflexos sadios no perispírito e nos órgãos do corpo material.

COMUNIDADES EDIFICADAS NO UMBRAL

As edificações foram sendo feitas desde os primórdios da colonização das regiões do umbral, formando comunidades em que os espíritos imperfeitos passam a conviver e se relacionar uns com os outros, pelas mesmas características e necessidades, expondo suas amarguras, estados mentais e íntimos perturbados, aparência e condições rudes e doentias do perispírito. Então, se apoiam uns nos outros, muitas vezes sentindo vergonha de si mesmos pelas análises das memórias feitas pela consciência com o auxílio do senso moral. Muitos deles, por isso, decidiram buscar o reencontro com alguns de seus familiares já desencarnados, que desfrutavam a condição de benfeitores espirituais. Então, receberam ajuda e orientações, para que melhorassem o uso das faculdades e da liberdade de ação, concedidas por Deus para o progresso intelectual e moral.

Nessas cidades, com muitas construções transitórias levantadas pelas criaturas humanas distanciadas do bem, reencontraram as condições para a continuidade de suas más tendências, vícios, gozos e prazeres humanos, aos quais já haviam se escravizado antes mesmo da desencarnação.

Então, muitos deles integraram-se às associações destinadas à exploração das emanações e energias que partem das residências dos homens encarnados na crosta do mundo.

COLÔNIAS PURGATORIAIS

Vastos agrupamentos invisíveis aos olhos dos homens são verdadeiras colônias purgatoriais. Elas abrigam, em péssimas condições de vida, os espíritos com graves transviamentos nas condutas morais. São habitantes em reeducação e tratamento das insanidades mentais, que suportam ambientes restritos, onde imperam as desarmonias, revoltas, egoísmo e atos de violência. Muitos deles vivem em péssimas condições de vida em comunidades controladas por espíritos que se especializaram em oprimir os pecadores desavisados sobre a vida futura da alma, ignorantes das realidades espirituais, delinquentes morais, preguiçosos, suicidas, enfermiços, sofredores e infelizes, pelas más obras realizadas.

GRANDES IMPÉRIOS LIGADOS ÀS CIDADES DA CROSTA

Grandes impérios estão localizados bem próximos dos círculos da crosta terrena. Então, seus habitantes com inteligência ainda atrasada e moralidade pouco desenvolvida conseguem percorrer os caminhos que dão acesso às cidades dos homens terrestres.

Então, em grupos enormes, conseguem exercer sobre muitos espíritos encarnados permanentes influenciações malignas, explorações das suas imperfeições morais e estimulação às suas más tendências, maus hábitos, vícios, violências e crimes.

Esses impérios enormes são constituídos por muitas pequenas cidades estranhas, localizadas em áreas sombrias e sinistras, que abrigam grandes quantidades de inteligências que passaram a se devotar ao mal, sustentando ambientes de intrigas, desarmonias, maldades e crimes. São vastos aglomerados humanos governados por inteligências poderosas, mas sem princípios de moralidade, que exercem as funções de administradores, políticos, juízes, religiosos e carrascos. São espíritos frios, perversos, duros, maliciosos e dominadores implacáveis.

Cortiços, vielas e becos existentes no umbral

Muitas das vastíssimas aglomerações humanas nas regiões do umbral não passam de espécies de cortiços, favelas, vielas e becos, contendo casarios decadentes, palácios estranhos e casas de aparência bizarra. Muitos dos prédios são destinados especificamente para os espetáculos de entretenimentos com exibições e músicas exóticas, frequentados pelos habitantes desocupados, com aparência horrenda e aspecto miserável pela decadência mental e moral.

Em algumas das ruas são vistos espíritos que vagam sem rumo, conduzindo veículos puxados por escravos ou animais. Muitos deles repousam em praças formadas com plantas mirradas e sem nenhum trato. Em alguns becos surgem animais primitivos com a aparência ainda monstruosa e assustadora.

Comunidades do umbral sem estrutura de atendimento social

Em certas vias públicas dos extensos aglomerados populacionais são vistos facilmente quadros deploráveis, que chamam a atenção pela quantidade de mutilados, seres bestializados, aleijados de todos os matizes, entidades claramente desequilibradas mentalmente, criaturas deformadas no corpo sutil pelas condições íntimas, espíritos doentes e sofredores com aparência bizarra e horrenda no perispírito, vestindo roupagens imundas.

São verdadeiros reinos purgatoriais, que albergam por tempo indeterminado até mesmo certas inteligências sub-humanas e seres animalescos, que ainda precisam passar por muitas experiências evolutivas na carne como oportunidades educativas das suas faculdades. Então, os benfeitores espirituais atuam nessas comunidades providenciando as reencarnações que promovem os progressos intelectuais e morais.

Muitos dos seres ainda primitivos retornam ao corpo físico para a execução dos serviços muito rudes na crosta terrena, mas com o objetivo de aperfeiçoarem paulatinamente suas faculdades e engrandecerem as possibilidades do perispírito. Então, em condições de vida muito simples, executam atividades, trabalhos, ocupações e esforços que vão promovendo a ascensão intelectual e moral.

HABITANTES DO UMBRAL COM O PERISPÍRITO DEFORMADO

Muitas dessas extensas comunidades do umbral são habitadas por espíritos com graves deformidades no perispírito. Eles ficaram retidos nelas em decorrência da prática de atos horrendos durante a vida corporal. Então, sentem-se na condição de alienados e doentes mentais, tendo que se adaptar e viver em deploráveis condições de vida em colônias do umbral, como resultado das graves transgressões que cometeram às leis e principalmente em decorrência da lei de ação e reação.

Desse modo, expõem no perispírito o retrato vivo e indisfarçável dos sérios desequilíbrios mentais e íntimos que promoveram em si mesmos, com suas péssimas atitudes morais e realizações inconvenientes. Muitos desses espíritos exteriorizam no perispírito os estigmas da mesma idade corporal em que faleceram, revelando os desencantos que já experimentavam no final da vida corporal em decorrência dos atos maus, viciosos e imprudentes.

Eles são facilmente identificados pelos outros espíritos pelas deformidades e aleijões de todos os matizes, as idiotias mais variadas, as loucuras assustadoras e as fisionomias torturadas pelas doenças no perispírito.

Esses habitantes das comunidades compostas por imensos blocos representam as milhares de criaturas encarnadas que abusaram imprudentemente, mas conscientemente, dos sagrados dons da vida terrena. Após a morte, elas experimentaram a imposição da lei de causa e efeito, tendo que viver imantadas umas às outras, pelas mesmas afinidades e semelhanças na prática dos atos malevolentes e criminosos, encarando o poder da consciência e do senso moral em reavaliar as imagens na memória, que são provas contra esses réus dos atos malévolos e crimes lamentáveis.

Então, permanecerão nessas comunidades das zonas inferiores da vida espiritual até que consigam esgotar os resíduos dos males que acumularam no mundo mental e íntimo, sentindo os reflexos danosos nos centros de força do perispírito e as torturas redentoras que, por si mesmos, se fizeram merecedores. Somente quando livremente se dispuserem a rogar o perdão sincero e a misericórdia de Deus, receberão o amparo dos benfeitores espirituais que lhes concederão novas oportunidades transformadoras nos campos do bem, invariavelmente pela reencarnação.

COMUNIDADES DOS ESPÍRITOS SUGADORES DAS ENERGIAS DE CERTOS HOMENS

Muitos espíritos ociosos e viciados se afastam das suas comunidades tumultuadas para percorrerem os caminhos que dão acesso à crosta da Terra. Eles têm a mente fixada em sugar as energias emanadas de certos espíritos encarnados, assemelhando-se a espécies de vampiros invisíveis que atuam no campo carnal, escolhendo certas pessoas incautas que aceitam mentalmente suas companhias e influenciações, possibilitando a extração das suas altas reservas de forças a serem consumidas.

Eles identificam com muita facilidade os espíritos encarnados que merecem ser explorados em seus recursos vitais, porque leem as emissões mentais e detectam as mesmas afinidades pelos semelhantes hábitos, que mostram a ausência de quaisquer esforços para a elevação moral e a santificação.

Então, exercem de modo imperceptível a sua atuação maléfica sobre essas pessoas da esfera carnal, como forma de obter o sustento próprio com as energias que emanam das suas vítimas encarnadas, que foram identificadas pelos mesmos desejos baixos e preferências extravagantes.

Diariamente, eles partem das suas aglomerações situadas nas regiões conturbadas do umbral em verdadeiras expedições, sempre com o objetivo claro de dominarem certos homens inconsequentes que nem desconfiam da extensão das influenciações mentais a que estão sendo submetidos para a extração de valiosos recursos fluídicos.

ATUAÇÕES DOS BENFEITORES ESPIRITUAIS NAS VARIADAS COMUNIDADES DO UMBRAL

São incontáveis os benfeitores espirituais que deixaram suas colônias localizadas nas regiões mais altas para atuarem nas regiões do umbral, empregando técnicas e instrumentos muito apurados e benéficos.

Geralmente, eles foram os avós, pais e familiares dos espíritos que praticaram as invigilâncias, promovendo ações desastrosas na vida carnal. Então, ficaram retidos nas comunidades do umbral precisando de auxílio, tratamento e orientação, para que consigam amenizar seus desequilíbrios íntimos, as doenças no perispírito e os sofrimentos que causaram para si mesmo pela lei de causa e efeito.

Esses benfeitores espirituais atuam de modo discreto e oculto, até que seus entes queridos doentes e sofredores emitam sentimentos verdadeiros e pensamentos sinceros de arrependimento, misericórdia e perdão pelos males praticados. Ao desejarem do fundo da alma uma nova oportunidade de reabilitação e reparação, conseguem ver os socorristas que têm o poder de encaminhá-los para as instituições hospitalares bem organizadas, instaladas e mantidas no umbral mesmo. Muitos deles são resgatados pelas caravanas de socorro que vasculham e atuam nas comunidades das regiões purgatoriais do umbral, oferecendo os tratamentos que chegam até na reencarnação expiatória.

Porém, sempre é muito demorado o processo de recuperação desses espíritos imperfeitos que se dispuseram a receber o socorro dos benfeitores espirituais. Somente depois de serem submetidos a complicados e severos trabalhos de melhoria mental e no mundo íntimo, conseguem reparações no perispírito e os preparativos para a reencarnação que vai possibilitar novos esforços necessários à libertação dos atrasos intelectuais e dos males da pobreza moral, que caracterizam os espíritos que habitam as colônias das regiões do umbral.

Capítulo 17

BENFEITORES ESPIRITUAIS QUE AJUDAM OS HOMENS NO COMBATE AOS PROCESSOS OBSESSIVOS

———————<•♥•>———————

SÃO MUITOS OS BENFEITORES espirituais que atuam como espíritos protetores, familiares e amigos ao lado dos espíritos encarnados que estão mantendo inter-relações obsessivas com as entidades perversas e viciosas do lado invisível da vida, mas sempre respeitando o livre-arbítrio e a lei de causa e efeito.

Geralmente, as relações foram estabelecidas por afinidades, sintonias, cultivo dos mesmos hábitos, vícios e imperfeições morais. Então, há o consentimento explícito, pelas mesmas características, preferências e supostas necessidades.

Mas, muitos casos de obsessão foram desencadeados pelos espíritos ainda inferiores em termos morais para livremente interferirem diretamente sobre os modos de vida de certos homens, que aceitam facilmente as ligações de alma a alma e perispírito a perispírito, com reflexos danosos em órgãos do corpo material.

Dessa forma, os benfeitores espirituais não agem precipitadamente. Eles primeiro procuram identificar as causas verdadeiras que estão, geralmente, na falta de amadurecimento mental, moral e espiritual de ambas as partes. Então, acompanham, com sabedoria e bondade, por algum tempo, as influenciações persistentes e ações nefastas por parte dos espíritos obsessores. Se conveniente, fazem as interferências benéficas necessárias, respeitando a livre vontade, regida pela lei de ação e reação.

Somente quando as vítimas anseiam verdadeiramente combater o processo de obsessão, pelas consequências e extensões dos danos e sofrimentos que estão experimentando no corpo material, eles atuam, cortando as ligações mentais, íntimas e perispirituais com os espíritos perigosos, além de passarem a estimular mentalmente a reforma mental e os aprimoramentos no mundo íntimo, para que ocorram melhorias nas condições de vida, o restabelecimento do equilíbrio e a volta da saúde mental, espiritual e material.

Os benfeitores espirituais jamais são enganados, porque leem diretamente na tela da mente as imagens, desejos e propósitos verdadeiros. Então, adotam as providências edificantes, esgotando paulatinamente o poder dos quadros obsessivos. Identificados os esforços regeneradores e reparadores, eles cortam os fios tênues de energia magnética que ligam o cérebro do encarnado obsidiado ao do perispírito dos espíritos infelizes. Isso acaba com as fortes influências mentais e ligações perispirituais perniciosas. Então, os espíritos moralmente imperfeitos se sentem constrangidos a se afastar, sabendo que forças superiores libertaram seus ex-comparsas das más influenciações e dominações mentais.

Esses trabalhos eficientes dos benfeitores espirituais eliminam mesmo os processos obsessivos mais complexos e prolongados, que foram estabelecidos pelos mesmos desejos e ações inconvenientes por parte dos encarnados obsidiados e dos espíritos obsessores. Mas, se as vítimas vacilarem em prosseguir com seus bons propósitos na vida e abandonarem os trabalhos árduos de reconstrução do bem-estar, atrairão novamente a companhia dos espíritos obsessores com suas más influências, hábitos e vícios, restabelecendo as compatibilidades, sintonias mentais e ligações com os centros de força do perispírito, em complexas inter-relações com o corpo material.

Capítulo 18

LEI DE CAUSA E EFEITO, AÇÃO E REAÇÃO, SEMEADURA E COLHEITA, ATITUDE E CONSEQUÊNCIA, OBRA E RESULTADO

Em matéria de castigos, depois da morte, reflitamos, sim, na justiça da Lei que determina realmente seja dado a cada um conforme as próprias obras; entretanto, acima de tudo e em todas as circunstâncias, aceitemos Deus, na definição de Jesus, que no-lo revelou como sendo o "Pai nosso que está nos Céus".

Espírito Emmanuel, no capítulo Penas depois da morte, do livro *Justiça Divina*.

A lei é de ação e reação... A ação do mal pode ser rápida, mas ninguém sabe quanto tempo exigirá o serviço da reação, indispensável ao restabelecimento da harmonia soberana da vida, quebrada por nossas atitudes contrárias ao bem...

Espírito André Luiz, no capítulo 9 do livro *Ação e reação*.

PELAS LEIS IRREVOGÁVEIS DE Deus, cada filho colhe, depois da morte do envoltório corporal, exatamente e naturalmente de acordo com o que semeou de bom ou de ruim durante a sua jornada evolutiva para a angelitude.

Tudo o que ele sentiu, pensou e fez durante a sua vida carnal fica registrado em sua memória, podendo ser analisado a qualquer momento pela consciência dilatada, pelas realidades espirituais, com o auxílio do senso moral.

PODERES DA CONSCIÊNCIA E DO SENSO MORAL

Mesmo o espírito retido nas comunidades das regiões do umbral ou da crosta da Terra, pelas suas condições mentais e íntimas e situação do perispírito, experimenta em si mesmo o poder da Justiça Perfeita. Independentemente de sua vontade, passa pela revisão das suas obras, cujas imagens estão registradas, armazenadas e arquivadas em sua memória permanente. A consciência então assume o papel de juiz severo, despertando reflexões e mostrando-lhe as provas claras dos resultados dos raciocínios, sentimentos, pensamentos, atitudes e realizações, recorrendo sempre ao senso moral para ajudar no julgamento e detalhar os efeitos dos acertos e erros.

REPERCUSSÕES NO PERISPÍRITO

O estado de paz ou conflito na consciência, depois de resgatar, analisar e detalhar toda a história das semeaduras boas ou ruins durante a vida corporal, melhora ou agrava as condições de saúde ou enfermidade do perispírito.

Assim, o corpo espiritual torna-se um retrato vivo dos resultados das boas ou más ações e obras realizadas no transcurso da existência carnal evolutiva. Seus centros de força receberam os impactos ou repercussões boas ou más de tudo o que aconteceu e foi concretizado de bom ou ruim. Isso determina as condições sadias ou doentias, confortáveis ou infelizes de vida, em companhia dos espíritos que estão em mesmo padrão moral, vibratório e evolutivo.

Desse modo, nenhum espírito burla a justiça perfeita de Deus, que "dá exatamente a cada um segundo as suas próprias obras".

DETALHES DO PERISPÍRITO COMO INSTRUMENTO DA JUSTIÇA DE DEUS

O perispírito é instrumento da justiça de Deus, ao retratar e exteriorizar fielmente as verdadeiras condições mentais, espirituais e morais de cada espírito.

Por exemplo, se um espírito, quando encarnado, usou mal a sua inteligência ou agiu de modo egoísta, irresponsável, vicioso, violento ou mesmo criminoso, suas más obras ficam gravadas na memória, que está à disposição da consciência e do senso moral, mesmo que ele tenha conseguido mantê-las dissimuladas de seus semelhantes. Mas, os maus resultados disso já repercutiram nos centros de força do perispírito, determinando a sua densidade, flexibilidade, brilho, condição precária de saúde e aparência feia ou deformada na apresentação visível aos outros espíritos.

Desse modo, até mesmo antes do processo de desencarnação, os benfeitores espirituais já conheciam essa situação, fazendo a leitura fácil das condições mentais e analisando a situação do perispírito do espírito encarnado, além de identificar as características das companhias que merecia ter, pelas mesmas qualidades, afinidades e sintonias morais.

> Conforme a vida de nossa mente, assim vive nosso corpo espiritual. (...) Se pretendemos possuir um psicossoma sutilizado, capaz de reter a luz dos nossos melhores ideais, é imprescindível descondensá-lo, pela sublimação incessante de nossa mente, que precisará, então, centralizar-se no esforço infatigável do bem.
>
> **Espírito André Luiz, no capítulo XII do livro**
> ***Entre a Terra e o Céu.***

ESTÁGIO PURIFICADOR DECORRENTE DA LEI DE CAUSA E EFEITO

Incontáveis almas de homens e mulheres, de todas as idades, que transgrediram as leis do bem, são encaminhadas, pelos benfeitores espirituais, após o processo de desencarnação, para as comunidades do umbral em que já se encontram as suas merecidas companhias espirituais e morais afins. Trata-se da continuidade da lei de causa e efeito na vida espiritual, que está de acordo com a sabedoria e a justiça de Deus, porque permite que cada filho colha de acordo com as suas próprias semeaduras.

Assim, as almas que se tornaram inconsequentes passam a viver, depois da morte, em colônias das regiões umbralinas vizinhas à crosta da Terra, cujos habitantes estão nas suas mesmas condições. Por isso, o ditado verdadeiro: "a semeadura é livre, mas a colheita é obrigatória".

PROVAS E TESTEMUNHAS

Todas as provas a favor ou contra um espírito em evolução estão arquivadas na sua própria memória, podendo ser requisitadas e revisadas a qualquer momento pela consciência, com o auxílio do senso moral.

Por exemplo, as almas nobres que empregaram bem as suas faculdades intelectuais e cultivaram desejos, ideais, sentimentos e pensamentos elevados, concretizando boas obras e beneficiando os semelhantes, apresentam-se diante dos benfeitores espirituais com boas recordações, consciência em paz, condições mentais e íntimas superiores e excelente estado de saúde nos centros de força do perispírito, merecendo o encaminhamento para as lindas colônias das esferas espirituais mais elevadas.

ACERTOS DE CONTAS COM A JUSTIÇA PERFEITA

Os espíritos, em seus variados graus de evolução intelectual e moral, estão sempre submetidos aos acertos de contas com a Justiça Perfeita, que determina que os moralmente imperfeitos fiquem retidos nas colônias das regiões inferiores da vida espiritual, recebendo segundo as suas próprias atitudes, ao lado da compacta multidão de almas em idênticas características e similares condições mentais, necessitadas de processos de reajuste, regeneração e purificação.

Por outro lado, a Misericórdia Perfeita permite que os benfeitores espirituais estejam sempre acompanhando e assistindo esses espíritos em árduo processo de evolução nas comunidades das regiões tristes e sombrias do umbral. Eles aguardam pacientemente as reflexões da consciência, as revisões das imagens arquivadas na memória e os gritos do senso moral para que despertem os sentimentos de culpa e arrependimento.

Então, com os pedidos sinceros de perdão a Deus e os esforços que fazem para a recuperação, recebem o socorro das instituições de assistência fraterna, especializadas em tratamentos, reeducação, modificações mentais e íntimas, melhorias nas condições do perispírito e planejamento para uma nova existência na esfera carnal, para que efetivamente voltem para os caminhos do bem, trabalhando honestamente para progredir e aprendendo a servir com sabedoria e amor os seus semelhantes.

> Não há evolução, nem resgate, sem ação.
> Evolução é suor indispensável.
> Resgate é suor necessário com o pranto da consciência.
> Nossas dores respondem, assim, pelas falhas que demonstremos ou pelas culpas que contraímos.

A Lei estabelece, porém, que as provas e as penas se reduzam, ou se extingam, sempre que o aprendiz do progresso ou o devedor da justiça se consagre às tarefas do bem, aceitando, espontaneamente, o favor de servir e o privilégio de trabalhar.

Espírito Emmanuel, no capítulo No campo do espírito, do livro _Justiça Divina_.

Capítulo 19

ATUAÇÕES INCESSANTES DOS BENFEITORES ESPIRITUAIS EM TODA PARTE DA CROSTA DA TERRA E DAS SUAS VIZINHANÇAS ESPIRITUAIS

⟨•♥•⟩

Toda religião fala do céu, como sendo estância de alegria perene.

A doutrina espírita não apenas mostra que o céu existe, por felicidade suprema no espírito que sublimou a si mesmo, mas também elucida que os heróis da virtude não se imobilizam em paraísos estanques, e que, por mais elevados, na hierarquia moral, volvem a socorrer os irmãos de humanidade ainda situados na sombra.

Espírito Emmanuel, no capítulo Espíritas diante da morte, do livro *Justiça Divina*.

EXÉRCITOS DE BENFEITORES ESPIRITUAIS descem das regiões paradisíacas das esferas do reino dos céus para atuar em toda parte do umbral e da crosta terrestre, colaborando com o progresso intelectual e moral dos espíritos desencarnados e encarnados que, pelos desígnios de Deus, estão evoluindo na animalidade ou humanidade para chegar um dia na angelitude.

Eles são os verdadeiros patrocinadores dos progressos e aprimoramentos de todas as ordens, que exigem estudos disciplinados, trabalhos honestos, cultivo das virtudes e realização das boas obras.

Assim, ajudam na melhoria das condições de vida dos espíritos em toda parte, estabelecendo, inclusive, quando necessário, os processos de expiação e regeneração que, ao longo do tempo, aumentam o nível de desenvolvimento, bem-estar, alegria e felicidade.

Trata-se de um trabalho fraterno, bondoso, incessante e árduo, que não dispensa humildade, discrição, sabedoria, amor desinteressado e respeito ao livre-arbítrio do espírito, que se subordina aos mecanismos da lei de ação e reação, causa e efeito, semeadura e colheita.

Eles transmitem inspirações e sugestões mentais revolucionárias e engrandecedoras, mas sempre exigindo em contrapartida os esforços e o cumprimento da parte dos protegidos que precisam ascender na hierarquia espiritual, fazendo sacrifícios no cumprimento das suas missões, provas e ocupações que são instrumentos para a maior elevação intelectual e moral.

RECURSOS DOS BENFEITORES ESPIRITUAIS

Os benfeitores espirituais que já sublimaram, por esforços próprios, os seus recursos mentais, íntimos e perispirituais, facilitam o atendimento das necessidades dos espíritos e homens em evolução. Então, os assistem e protegem em toda parte, evitando principalmente que cometam erros graves que desencadeiem doenças e sofrimentos e atrasem os progressos. A missão deles é manter seus assistidos e protegidos fortalecidos na esperança de vitória e nos estudos e trabalhos que levam aos progressos e à felicidade duradoura.

Eles contam em seus misteres com a facilidade em ler as condições mentais e íntimas, intenções reais, desejos verdadeiros, qualidade dos impulsos, teor das reflexões na consciência, grau de evolução do senso moral, conteúdos na memória, padrões dos pensamentos, propensões ao bem, sinceridade das preces e força dos apelos mentais.

Então, conseguem agir de modo planejado e eficiente, inspirando mentalmente as providências, atitudes e ações indispensáveis à libertação das condições primitivas e difíceis de vida.

Eles, invariavelmente, recorrem aos muitos recursos valiosos que estão disponíveis em institutos especializados, instalados nas regiões da crosta da Terra ou do umbral, para atenderem os mecanismos da justiça, misericórdia e bondade de Deus. Então, reedificam destinos operando principalmente na elevação do padrão mental, sentimental e moral daqueles que precisam melhorar suas atitudes e ações para que deixem para trás as situações dolorosas e aflitivas em que se encontram.

Detalhes das atuações dos benfeitores espirituais nas regiões do umbral

Especificamente nas comunidades das regiões do umbral, os benfeitores espirituais atuam organizadamente, porque os ambientes são muito tristes, conturbados, instáveis, escuros e pesados. Então, em seus trabalhos assistenciais realizados com muita ordem e disciplina, empregam recursos importantes que trazem consigo do mais alto, para amenizarem principalmente as deformidades, doenças e sofrimentos decorrentes das maldades, vícios, delinquências, violências, crimes e suicídios.

As verdadeiras melhorias que pretendem obter decorrem quase sempre dos aprimoramentos nas condições mentais, íntimas e perispirituais, exigindo muita paciência e tempo, além do planejamento da reencarnação.

Além disso, muitas vezes, esses espíritos angélicos precisam vencer a forte oposição e as ações violentas dos espíritos vingadores, obsessores, impiedosos e maus, que dominam e governam certas localidades umbralinas. Eles impõem crueldade, maldade e atos de violência aos espíritos imprevidentes, infelizes, desmoralizados, torturados e flagelados, porque querem conservá-los nos limites dos seus impérios do mal.

Por isso, muitas vezes, os espíritos enobrecidos precisam fazer resgates difíceis antes de conduzi-los para os postos de tratamento e recuperação, instalados no umbral mesmo, para o restabelecimento mais eficiente e o retorno paulatino da saúde na mente, no mundo íntimo e no perispírito. Eles contam com as atuações de muitos médicos, enfermeiros, educadores e assistentes que empreendem muitos trabalhos e tratamentos regenerativos, os quais, invariavelmente, se encerram quando assumem as equipes que planejam, programam e operacionalizam as reencarnações compulsórias, expiatórias ou retificadoras.

São equipes muito bem treinadas, que cumprem à risca os planos e esquemas de socorro muito bem elaborados e eficientes, porque nenhum espírito que se estacionou no mal por ignorância e pouca moralidade, nem mesmo o pior criminoso ou com grave insanidade mental, pode ficar sem as providências regeneradoras dos representantes da misericórdia de Deus.

DETALHES DAS ATUAÇÕES DOS BENFEITORES ESPIRITUAIS NAS REGIÕES DA CROSTA DA TERRA

Incontáveis batalhões de benfeitores das esferas do saber, amor e luz operam diuturnamente em toda parte da crosta planetária. Eles acompanham, assistem, orientam, amparam, protegem e avaliam os desempenhos dos espíritos encarnados que programaram para si mesmos os esforços e lutas que vão determinar o sucesso nas suas missões, provas ou mesmo expiações evolutivas.

Muitos deles atuam dentro das famílias, instituições e sociedades na posição de supervisores, colaboradores pacientes, anjos da guarda, espíritos familiares, entidades protetoras e amigos incansáveis. Eles se preocupam inclusive com o processo evolutivo até mesmo dos animais e espíritos ainda bastante primitivos, ignorantes, embrutecidos e vacilantes na prática do bem. Todos são filhos de Deus que merecem suas boas influências, inspirações, intuições e providências úteis à maior conquista do progresso intelectual e moral.

SERVIÇOS ÚTEIS E INDISPENSÁVEIS QUE OS BENFEITORES ESPIRITUAIS PRESTAM AOS ESPÍRITOS ENCARNADOS

Os benfeitores enobrecidos que descem das colônias das regiões das esferas mais altas do plano espiritual, se fazem presentes em toda parte da crosta da Terra: abrigos, casas, famílias, sítios, empresas, instituições públicas e privadas, escolas, universidades, locais de entretenimentos, postos de saúde, hospitais, maternidades, igrejas, presídios, necrotérios, cemitérios, e mesmo nos locais mais isolados. Deslocam-se com suas enormes capacidades volitivas, para serem úteis colaboradores nas ocupações, necessidades, missões, provas e expiações dos filhos de Deus que estão em permanente progresso material, intelectual, espiritual e moral. Ao elevarem as condições de vida de seus assistidos e protegidos, promovem o planeta na categoria dos mundos materiais habitados.

Esses benfeitores espirituais são muito sábios, amorosos, qualificados e experientes, porque já foram, durante os seus processos evolutivos, pais, avós, irmãos, familiares, amigos e profissionais que atuaram nos mais variados campos da humanidade.

Então, se dispuseram voluntariamente a prestar colaborações

ocultas aos homens, notadamente aos religiosos autênticos que prestam serviços úteis, buscam o entendimento dos mistérios das coisas do reino de Deus, cultivam a prática das virtudes e difundem os princípios religiosos, espirituais e morais que engrandecem as condições de vida.

Muitos deles foram sábios em campos das ciências terrenas. Então, inspiram e direcionam os cientistas encarnados nos estudos, pesquisas, descobertas e implantações de avanços valiosos.

Outros foram médicos dedicados a certas especialidades da medicina. Então, pediram para voltar para ajudar de modo oculto os profissionais que tratam, amenizam e curam os desequilíbrios na mente e as doenças, deformidades e sofrimentos.

Muitos foram educadores gentis, pacientes, carinhosos e nobres. Então, solicitaram autorização para acompanhar de perto a fase escolar de muitas criancinhas e jovens que programaram para si mesmos o destaque em certas profissões e áreas de atuação.

Vários espíritos beneméritos decidiram se tornar companheiros invisíveis das pessoas deprimidas, traumatizadas, decepcionadas, desanimadas, tristes ou com tendências ao suicídio, para que enfrentem com coragem e esperança as suas provas evolutivas e persistam em realizar os empreendimentos valiosos que programaram para si mesmas, antes da reencarnação, nos campos das artes, produção de bens, serviços e coisas essenciais.

Esses benfeitores espirituais invariavelmente apresentam sugestões e falam diretamente nos tímpanos do templo mental dos homens, estimulando-os na consecução dos seus propósitos elevados e na aquisição das qualidades e méritos que os ascendem na hierarquia espiritual.

Especificamente com relação aos homens que desenvolveram suas capacidades mediúnicas, eles tornam-se guias espirituais daqueles que verdadeiramente praticam a caridade e se esforçam em difundir os conhecimentos que recebem acerca da complexidade da continuidade da vida da alma no plano espiritual, bem como da grandiosidade da finalidade da obra de Deus.

QUARTA PARTE:

REGIÕES DA SEGUNDA ESFERA ESPIRITUAL E DAS ESFERAS INTERMEDIÁRIAS DA VIDA ESPIRITUAL

Capítulo 20

BOAS CONDIÇÕES DE VIDA PARA OS ESPÍRITOS QUE HABITAM AS COLÔNIAS EXISTENTES NAS REGIÕES DA SEGUNDA ESFERA ESPIRITUAL

Somente agora consegui passar à segunda esfera, depois de penosos labores em favor do burilamento de minha personalidade. Procurarei resumir o mais possível para oferecer-te uma ideia do meu *habitat*.

Aqui, filho, sinto-me surpreendida, porque vejo uma espécie de continuação do planeta que deixamos. Imagina a Terra, cheia de suas belezas naturais, porém, moralmente mais aperfeiçoada e terás a imagem dessa segunda esfera que me serve de habitação.

Temos casas, pássaros, animais, reuniões, institutos como os das famílias terrenas, onde se agrupam os espíritos através das mais santas afinidades.

A arte aqui é mais linda e mais perfeita e, como o culto a Deus faz parte integrante de todas as coisas de nossa nova vida, há muita alegria entre nós. Eu, por exemplo, sinto-me rodeada de companheiros muito bondosos, com quem me entrego às tarefas que me são afetas.

Nosso governador chama-se Aulus. É um elevado espírito, cujo progresso e superioridade estamos distantes de alcançar. Toda a atividade do distrito espiritual sob a administração de

Aulus se compõe de núcleos destinados a socorros e auxílios a quantos se debatem entre as incertezas e as lágrimas da Terra.

Nossa especialidade é examinar as preces dos seres terrenos, acudindo às casas de oração ou a qualquer lugar onde há um espírito que pede e que sofre.

Da esfera em que me encontro percebo perfeitamente que existe uma escada de luz atravessando os abismos ligando as esferas umas às outras.

A região imediatamente vizinha da Terra abriga muitos sofredores e muitos desesperados. Aí, frequentemente, descemos para buscar irmãos nossos que suplicam e choram, implorando o socorro e o auxílio de Deus.

Muitas almas amantes, que poderiam ter ascendido a planos mais superiores e formosos, aqui prosseguem ajudando aos que pelejam, estacionando voluntariamente nessas esferas inferiores, nas quais me encontro, para esperarem um noivo, um pai, um irmão, uma mãe, muitos queridos do coração.

Há entidades, aqui, que só cuidam da confecção dos trajes de seus companheiros; há música e instrumentos mais perfeitos e mais adaptáveis à harmonia que os conhecidos na Terra.

Temos festas e assembleias seletas, meios de comunicação, visões à distância, através de processos que os homens estão ainda muito longe de entender.

A nossa matéria é mais delicada; o mundo vegetal, muito mais soberbo e mais rico; minerais também os há, mais complexos e mais formosos nas suas estranhas colorações.

Os saxões, os latinos, os árabes, os orientais, os africanos formam aqui grandes falanges, à parte, e em locais diferentes uns dos outros. Nos núcleos de suas atividades, conservam os costumes que os caracterizavam e é profundamente interessante observarmos de perto como essas imensas colônias espirituais diferem uma das outras, apesar de se encontrarem ligadas pelos mais santos laços da fraternidade e do amor.

Quando demonstramos resignação aos ditames do Alto e boa vontade na execução da tarefa que nos é designada, conseguimos a companhia de amigos, cheios de sabedoria, que nos arrebatam temporariamente da esfera a que pertencemos, conduzindo-nos à visão grandiosa de outras manifestações mais elevadas da vida superior, no seio dos espaços infinitos.

Espírito Maria João de Deus, no livro *Cartas de uma morta*.

A SEGUNDA ESFERA ESPIRITUAL que rodeia o planeta Terra é, para as almas bondosas e justas, recém-chegadas da crosta terrena com o auxílio dos benfeitores espirituais, após transcorrido o processo de desencarnação, a manutenção de suas personalidades e características elevadas e ingresso em atividades nobres em melhores condições de vida, conforme descrito acima.

Esses avanços encontrados nessas cidades espirituais, nos mais variados campos das ocupações dos espíritos, estão sendo implantados paulatinamente na crosta planetária, pelos espíritos encarnados missionários, que partiram em equipes de espíritos elevados, depois do planejamento e programação da encarnação, com vistas à elevação das condições de vida na superfície terrena e à regeneração da humanidade.

Nas regiões da segunda esfera espiritual as almas bondosas são muito bem recebidas por companheiros sábios e amorosos, geralmente do mesmo grupo étnico, pelos seus méritos morais, aperfeiçoamentos e boas obras que promoveram com o uso de suas faculdades. Então, integram-se às instituições e atividades nobres, que propiciam as conquistas permanentes. Assim que possível, passam a ajudar os familiares e homens na disseminação do bem e do progresso nas localidades diversas das nações do planeta.

Capítulo 21

COLÔNIAS ESPIRITUAIS LINDAS E BEM ESTRUTURADAS

—————⟨•♥•⟩—————

AS ALMAS QUE PRATICARAM as virtudes e foram bem-sucedidas nas difíceis experiências corporais na matéria em estado mais denso, pelas suas condições mentais, íntimas e sutilezas perispirituais, conseguiram acesso fácil às belas colônias habitacionais localizadas nas regiões da segunda esfera espiritual.

Pelas afinidades e sintonias com os benfeitores espirituais, foram bem recebidas, conduzidas e abrigadas em instituições das cidades bem organizadas, com lindas ruas floridas e casas residenciais bem estruturadas, que servem de moradia para os habitantes das comunidades alegres e felizes. As conquistas intelectuais e morais resultantes das suas boas obras realizadas abriram o caminho para os novos conhecimentos nos campos das ciências, artes, profissões e expansão do cultivo do amor fraterno, caridade e justiça.

Esses núcleos habitacionais das regiões da luz da segunda esfera espiritual são as verdadeiras fontes e modelos para o exercício do bom caráter, trabalhos, honestidade, saber, fraternidade, esperança, fé e confiança em Deus, estabelecendo em toda parte os ambientes de progresso, harmonia, paz e felicidade.

Embora isso, os espíritos com a consciência em paz que habitam essas lindas e delicadas colônias das vastas regiões da segunda esfera espiritual estão vinculados ainda à vida evolutiva na crosta do planeta, principalmente pelas necessidades das reencarnações e dos entes queridos que estão encarnados.

Então, vivem aprendendo, acumulando conhecimentos, experiências, qualidades, capacidades e habilidades e operando para o engrandecimento ainda mais dos ambientes maravilhosos que encontraram nessas cidades admiráveis. Muitos deles, por seus méritos, são convidados a integrar as excursões de visitas aos habitantes das regiões das esferas espirituais intermediárias, geralmente para assimilarem novos aprendizados e técnicas inusitadas, que vão permitir melhor transformação dos recursos naturais abundantes, cultivo dos vegetais belos e exuberantes e utilização dos minerais formosos, com suas lindas colorações e propriedades ornamentais.

Porém, esses ambientes muito agradáveis encontrados nas cidades, prédios e instituições, permitindo convivências progressistas e relacionamentos sociais primorosos, caracterizam-se pela transitoriedade.

Pela lei da reencarnação, um dia, os espíritos terão que se ausentar das suas lindas colônias bem cuidadas, organizadas e estruturadas, para cumprirem missões, provas e trabalhos evolutivos na vida carnal. Então, com esforços próprios, prosseguirão no aprimoramento das suas características, visando a entrada nas colônias existentes nas regiões das esferas espirituais mais altas.

Capítulo 22

REGIÕES HABITADAS POR ESPÍRITOS COM CARACTERÍSTICAS E COSTUMES BEM DIFERENTES

AS DIVERSAS E BEM diferentes regiões da segunda esfera da vida espiritual, ainda relativamente próximas da crosta terrena, foram colonizadas por espíritos moralmente elevados, que construíram grandes povoações, comunidades, núcleos e falanges bem diversificadas de espíritos. Então, se instalaram nelas e foram aprimorando muitas instituições avançadas, favorecendo a manifestação dos bons costumes, hábitos sadios, crenças particulares, inclusive as religiosas, ideais e modos nobres de sentir, pensar, falar e agir.

Assim, criaram as condições propícias para que os bons espíritos, que desencarnaram e chegaram da superfície do planeta, continuem a viver satisfeitos e felizes, desfrutando da união com os outros pelas afinidades morais e espirituais, prática da sabedoria, amor, justiça e fraternidade e objetivos comuns de progresso e ascensão na hierarquia verdadeira.

Capítulo 23

AJUDA AOS COMPATRIOTAS QUE FICARAM RETIDOS NO UMBRAL OU VIVENDO NA CROSTA DA TERRA

⟨ • ♥ • ⟩

ALÉM DISSO, OS BONS espíritos que conquistaram os méritos para viver em ótimas condições de vida nas colônias das regiões da segunda esfera espiritual, não se isolaram egoisticamente a ponto de esquecerem de acompanhar à distância as necessidades evolutivas e de aprimoramentos dos seus entes queridos que continuaram encarnados para evoluir na crosta do planeta.

Então, esforçam-se para restabelecer as fortes ligações afetivas e expandir os laços verdadeiros de amor, amizade, companheirismo, fraternidade e respeito. Assim que possível, retornam ao lado dos familiares nos seus antigos ambientes domésticos, com o propósito firme de influenciarem mentalmente e direcionarem os entes queridos encarnados para os trabalhos honestos, realização do bem e engrandecimento das suas qualidades intelectuais e morais, para que consigam também ser bem-sucedidos ante as missões e provações evolutivas e criar um destino feliz na vida futura.

Muitos deles retornam com o sério propósito de auxiliar seus compatriotas na implantação de melhores tradições e costumes, bem como de aprimoramentos e avanços nos campos científicos, artísticos e sociais, para que os espíritos encarnados, em seus povos e nações amadas, consigam elevar, sem as crises e interrupções, as condições de vida, ascendendo a Terra na escala dos mundos materiais habitados.

Esses espíritos, já bastante inteligentes, cultos, habilidosos e bondosos, se preocupam inclusive em acompanhar as condições de vida dos seus compatriotas que ficaram retidos nas regiões áridas e tristes do umbral. Então, quando podem, integram-se às caravanas que exercem influências ocultas sobre os espíritos doentes e sofredores, que precisam da renovação mental e íntima, para que melhorem as condições perispirituais e possam ser internados em instituições de amparo e tratamento, que inclusive planejam as reencarnações.

Portanto, os habitantes das cidades das regiões da segunda esfera espiritual vivem preocupados em inspirar, influenciar, ajudar e proteger seus familiares, amigos e compatriotas, tanto encarnados na face da Terra, quanto retidos no umbral pelas suas ilusões, vícios, condicionamentos e faltas morais graves cometidas perante as experiências, provas e missões evolutivas.

Eles agem assim porque se tornaram conscientes de que todos os espíritos são filhos e membros perfectíveis da família universal de Deus. Então, fraternalmente, precisam dos amparos nos trabalhos, esforços, lutas e dores, que aprimoram o uso das faculdades e estabelecem os progressos de todas as ordens, permitindo a própria ascensão na hierarquia verdadeira.

Com o cultivo das virtudes, educação das faculdades mentais, cultivo do amor nos sentimentos, equilíbrio nas emoções, exteriorização da sexualidade com disciplina e responsabilidade, enobrecimento no modo de ser, sentir, pensar, falar e agir e concretização das boas obras, o espírito em evolução está se preparando para alçar voo para as colônias das regiões das esferas espirituais mais elevadas.

Capítulo 24

Sol

O SOL QUE BRILHA de modo belo e radioso nas regiões da segunda esfera espiritual, bem como nas das esferas intermediárias, é o mesmo que os homens veem e admiram da crosta da Terra, reconhecendo seus benefícios e bênçãos pelos recursos e variadas espécies de vida que ele origina e sustenta.

Sua luz linda e brilhante ilumina os ambientes encantadores e muito variados das regiões das esferas espirituais mais elevadas, tornando-os repletos de vida e esplendores e despertando nos espíritos a gratidão ao Criador de todas as coisas.

A beleza da luz da nossa estrela nas regiões das esferas mais altas do plano espiritual não é atenuada, porque não há a formação dos nevoeiros densos. Mas, a irradiação da luz varia de intensidade com a passagem do período do dia para o da noite e vice-versa, mas sempre se faz presente, sustentando a vida em abundância que caracteriza as áreas formosas das regiões das esferas espirituais.

Os espíritos elevados sentem a atenuação desse poder de brilho da luz solar, quando se aproximam das regiões conturbadas do umbral, que chegam até as proximidades da crosta da Terra, pela origem de péssimas condições climáticas. Quando entram nas condições atmosféricas da crosta constatam que as condições do clima tornam os ambientes naturais lindos e agradáveis; que os recursos da natureza são esplendorosos, diferentes e muito variados, destinados aos trabalhos evolutivos dos espíritos encarnados.

Capítulo 25

LUA

◄———❰ • ♥ • ❱———►

A LUA LINDA QUE circula em torno do planeta é vista e admirada também pelos espíritos, pelos seus espetáculos de majestade e suas belezas naturais. Só que nas localidades das esferas espirituais ascendentes mais elevadas, ela é observada em um tamanho cada vez maior. Isso é visto com naturalidade pelos espíritos, porque cada esfera espiritual ascendente, a partir da crosta terrena, está em posição mais alta em relação à sua anterior.

Então, os espíritos que habitam as colônias das esferas espirituais mais elevadas admiram todos os detalhes da paisagem lunar, admirando seus encantos e acidentes geográficos, por estarem bem próximos.

Desse modo, a luz da lua ilumina, clareia e embeleza os lindos ambientes naturais, caminhos e recantos das colônias das regiões da segunda esfera espiritual, bem como das esferas intermediárias.

Apenas os espíritos que ficaram retidos nas regiões do umbral a veem de modo mais ou menos atenuado, pelas condições e mudanças climáticas. Mas, essa luz vai voltando a uma intensidade agradável, à medida da proximidade da superfície mais densa do planeta.

Capítulo 26

ÁGUA

—◀———❬ • ♥ • ❭———▶—

A ÁGUA QUE É utilizada pelos habitantes das colônias das regiões da segunda esfera espiritual é considerada uma das enormes bênçãos concedidas por Deus.

Ela não é muito diferente em suas características da água que existe nas regiões da crosta da Terra, embora seja formada pela combinação das partículas e elementos da matéria primitiva em estado bem mais sutil e flexível. Mas, a sua diferença marcante em relação à água existente na crosta do planeta, está principalmente em suas propriedades físico-químicos muito sutis.

A água diferente existente nas regiões das esferas que abrigam a vida espiritual permite a formação dos rios de pequenas ou grandes proporções. Suas margens estão sempre ornamentadas com vegetações abundantes, viçosas e belas.

Os bons espíritos canalizam a água dos rios para imensas caixas-depósitos, construídas nos locais mais apropriados. Depois das coletas abundantes, ela é tratada e distribuída dos grandes reservatórios para os depósitos menores, em variadas localidades das colônias espirituais, para distribuição de seus benefícios para a população.

As características da pureza e leveza da água utilizada nas

regiões da segunda esfera espiritual permitem que os habitantes das colônias supram muitas das suas necessidades e favoreçam suas muito variadas atividades incessantes. Eles a empregam não somente no atendimento das muitas exigências do corpo perispiritual, mas também, notadamente, em variados processos de produção de alimentos e remédios.

Evidentemente, depois de utilizada, a água precisa ser tratada antes de ser devolvida e se integrar nos rios, que prosseguem em seu curso normal até chegar no imenso oceano.

Nas vastas regiões áridas do umbral, a água não é abundante. Isso dificulta o surgimento de uma natureza maravilhosa e de ambientes naturais férteis.

Já nas regiões das esferas intermediárias e superiores do plano espiritual, a densidade da água é tenuíssima, muito fluídica e flexível, prestando-se às muito variadas utilizações dos espíritos.

Dessa forma, a água está presente em toda parte do Universo.

Capítulo 27

VEGETAÇÃO

———⟨•♥•⟩———

A VEGETAÇÃO EXUBERANTE E diferenciada embeleza toda parte das regiões da segunda esfera espiritual.

Isso causa muita surpresa para os bons espíritos recém-chegados da vida corporal, quando admiram as cores brilhantes das folhagens, os tipos de flores, perfumes e frutos muito variados que são produzidos pelas muitas espécies de plantas, arbustos e árvores.

Desse modo não conseguem fazer comparações com os tipos de vegetais conhecidos e cultivados pelos homens na crosta da Terra.

Os ambientes naturais formados pelas incontáveis vegetações existentes nas regiões da segunda esfera da vida espiritual são impressionantes, a ponto de estimularem muitos espíritos aos estudos e pesquisas da botânica. Muitos deles se tornaram especialistas em operar melhorias nas características das espécies de vegetação, adaptando-as inclusive para que certas mutações permitam o seu florescimento na crosta da Terra.

Certas áreas repletas de vegetações bem diversificadas, esplêndidas, delicadas, sublimes e belas pelas formas harmoniosas prestam-se a receber as almas semilibertas do corpo material pela influência do sono. Elas guardam as impressões nos sonhos, mas não conseguem descrevê-las para os seus companheiros de jornada evolutiva na crosta planetária pela notável diferença na beleza.

Durante o dia, a vegetação viçosa brilha intensamente à luz do sol, expondo lindas combinações de cores, muito diferentes das que existem na crosta da Terra.

Durante a noite, a luz linda da lua destaca muitos aspectos inusitados nas riquíssimas vegetações, que produzem variados tipos de flores, perfumes deliciosos e frutos muito apreciados.

Graças à qualidade dos solos cultiváveis, as regiões da segunda esfera espiritual prestam-se ao crescimento de imensa quantidade de plantas. Assim, são selecionadas enormes variedades de árvores frondosas e acolhedoras, que possibilitam que os bons espíritos formem bosques com florações constantes. Certos espíritos dedicam-se ao cultivo de espécies de plantas maravilhosas, que se prestam à formação de pomares e hortas fartas. Outros espíritos especializaram-se na escolha dos vegetais coloridos, que produzem flores muito perfumadas, para a elaboração de formosos jardins delicados, onde muitos espíritos admiradores da natureza sentam-se em bancos para sentir o vento fresco e manso que assopra agradavelmente, assistir o balançar delicado dos galhos e folhas das pequenas aglomerações de espécies de vegetais, e apreciar o inebriante aroma dos perfumes muito variados e deliciosos que estão no ar.

Certos bosques, parques e jardins são tão lindos, que são frequentados por muitos casais que estão em fase de namoro e noivado. Neles, detalham seus planos para a nova experiência carnal; fazem promessas mútuas de amor e fidelidade para a reencarnação que está sendo planejada; mantêm longas conversas abertas sobre os detalhes do casamento na crosta terrena que vai permitir o enriquecimento dos patrimônios pessoais e o cumprimento de missões, provas e acertos de contas com a Justiça, na nova vida em família e sociedade.

Certos espíritos especializados em jardinagem selecionam e cultivam os mais variados tipos de vegetações apropriadas a enfeitar as ruas e avenidas das colônias, bem como os caminhos e as estradas largas que ligam umas localidades às outras. Assim, em muitas partes estão certas glicínias de prodigiosa beleza, lírios de brancura da neve, rosas com tamanhos e cores muito diferenciados. Em muitas localidades eles constroem caramanchões com formatos caprichosos, recantos ornamentados com trepadeiras viçosas, ambientes cercados com bambus altos e áreas ornamentadas com violetas muito coloridas.

Quase todos os habitantes das residências existentes nas colônias espirituais reservam grande parte do tempo disponível para a formação e manutenção de belos jardins ornamentais. Então, escolhem e cultivam suas vegetações preferidas que produzem flores maravilhosas e perfumes deliciosos que embalsamam o ar diáfano.

Capítulo 28

ANIMAIS E AVES

———⟨ • ♥ • ⟩———

As ALMAS DOS CÃES, com suas características espertas, admiráveis e alegres, vivem na companhia, convivência e relacionamentos com os bons espíritos que os acolhem nas colônias das regiões da segunda esfera da vida espiritual.

Muitos deles, ao lado de outros animais quadrúpedes, prestam serviços muito valiosos para os bons espíritos que se dirigem em caravanas para atuar nas regiões tristes e escuras do umbral. Assim, são companheiros confiáveis e fiéis nas excursões de ajuda aos desencarnados que ali ficaram retidos em processos reeducativos, impostos pela lei de causa e efeito, pelas lamentáveis condições mentais, com reflexos no perispírito.

As almas das aves são as que chamam muito a atenção, por viverem em bandos enormes, exibindo suas plumagens muito coloridas, fazendo voos rápidos e soltando seus cantos altos e peculiares.

Muitos animais silvestres vivem livres sob o abrigo oferecido pelas árvores e vegetações. Então, são facilmente encontrados em quase todos os bosques, parques e jardins.

Eles não temem os humanos que mereceram habitar nas colônias das regiões da segunda esfera espiritual, porque são tratados com muito respeito, carinho e amor pelos bons espíritos, notadamente pelos que estudam os seus comportamentos e modos peculiares de ser e agir.

Muitos especialistas nesses estudos ou voltados aos trabalhos com o reino animal, quando chega o momento oportuno, os direcionam para as encarnações, com vistas à continuidade dos progressos mentais e íntimos, engrandecimento dos instintos e evolução na hierarquia espiritual, até a conquista dos primeiros degraus na humanidade.

Capítulo 29

MÚSICA CELESTE

A MÚSICA CELESTE ESTÁ presente em toda parte das lindas cidades localizadas nas regiões da segunda esfera espiritual. Ela é sempre muito admirada e valorizada pelos espíritos, por ser grandiosa e bem executada em instrumentos musicais perfeitos. Incontáveis músicos habilidosos dedicam-se incessantemente ao desenvolvimento das harmonias novas e admiráveis.

Não há meio adequado de fazer comparação da música celeste com a existente nos círculos da vida corporal. Apenas a música dos espíritos moralmente imperfeitos, retidos nas regiões umbralinas da espiritualidade, por leis sábias e justas, pode ser equiparada a certos estilos de músicas mal compostas e executadas, que são ouvidas nos círculos carnais.

A melodia celeste tem uma beleza surpreendente. Os compositores sabem combinar com muita maestria e habilidade as notas musicais e acordes, produzindo linhas melódicas e harmonias maravilhosas. Muitos corações sensíveis ficam comovidos e com as energias mentais e íntimas renovadas com as músicas muito agradáveis que são executadas nos ambientes residenciais, de reuniões e festas variadas.

Incontáveis instituições dedicadas à música oferecem cursos

226 | Geziel Andrade

a compositores e músicos, visando sempre a ampliação do cultivo e o engrandecimento da maravilhosa música celeste, tentando
aproximá-la da arte musical divina que existe nas colônias das
regiões das esferas mais altas da vida espiritual.

APRESENTAÇÕES PÚBLICAS DE MÚSICAS

Muitos conjuntos artísticos, e mesmo alguns músicos habilidosos, dedicam-se às apresentações musicais públicas muito
comoventes e apreciadas. A grande maioria desses artistas já re-
tornou à vida espiritual muito experiente nos campos da música,
pois dedicaram uma vida carnal inteira às vivências e execuções
de variadas modalidades de música na crosta da Terra.

Embora isso, no plano espiritual eles descobriram encantos
diferentes e novos na música celeste. Então, cuidaram de ampliar
suas técnicas, possibilidades, habilidades e realizações musicais.
Muitos deles estabeleceram como meta futura, uma reencarnação em missão, para que, com habilidades inatas, consigam con-
tribuir para o incessante aperfeiçoamento e engrandecimento da
música terrena.

Incontáveis espíritos, mantendo características masculinas
ou femininas no perispírito, e com suas aparências preferidas de
idosos, adultos rejuvenescidos, jovens e crianças, mantiveram o
desejo ardente de continuar crescendo na arte musical, com as
novidades e variedades que encontraram no reino dos céus. Então, inscreveram-se em cursos oferecidos por muitas instituições
dedicadas ao ensino da música e que promovem apresentações e
execuções musicais em praças, bosques e áreas livres.

Com a conquista de novos conhecimentos teóricos, habilidades inusitadas e técnicas aprimoradas de composição e execução
candidatam-se às exibições públicas, firmando novas tendências
e estilos musicais, os quais pretendem levar para a nova encar-

nação evolutiva onde pretendem continuar atuando nos campos da já linda e admirável arte musical terrena.

MÚSICAS CANTADAS

As músicas cantadas são muito comoventes, pela harmoniosa execução, bela letra, sonoridade inimaginável e variações inigualáveis no ritmo ou andamento. Elas encantam os espíritos apreciadores da música celeste, que prestigiam as apresentações públicas de seus cantores preferidos.

Particularmente, as vozes infantis são muito apreciadas e admiradas, por elevar às culminâncias os sentimentos e as emoções. As crianças formam corais enormes, dedicados ao estudo, propagação da música cantada e execução pública das canções e hinos muito apreciados pelo grande público.

Muitos cantores famosos têm vozes inusitadas, afinadíssimas e harmoniosas. Suas apresentações públicas elevam ao Pai Supremo hinos inolvidáveis de louvor e gratidão. Então, despertam emoções fortes, e até mesmo choro discreto, pelos variados temas inusitados e motivos sonoros sublimes em seus concertos comoventes.

Existem ainda as músicas cantadas, cujas letras falam das muitas lições e exemplos de Jesus, bem como de suas passagens terrenas. Geralmente, elas são entoadas na forma de formosos hinos religiosos, que prestam louvor à sabedoria e bondade do Mestre. Então, os corações dos espíritos cristãos enchem-se de admiração, encantamento, fé, esperança e confiança em Deus, gerando intraduzível bem-estar. Essas músicas evangélicas são muito bem compostas e cantadas, destacando notas, melodias e letras muito bem combinadas e estruturadas, fortalecendo as almas religiosas nos esforços para a prática dos ensinamentos morais de Jesus.

INSTRUMENTOS MUSICAIS

Os variados tipos de instrumentos musicais lindos e brilhantes são elaborados com materiais muito refinados, o que facilita a execução das músicas com maestria, por parte dos músicos criativos, habilidosos e experientes. Eles vibram de um modo tão admirável e sublime, que embalam variadas melodias belíssimas, fazendo brotar lágrimas de emoção nos olhos dos ouvintes.

Os acordes são executados de modo tão formoso pelos membros das orquestras, que colocam no ar a plenitude da beleza das melodias e arranjos que foram compostos nas partituras com inigualável criatividade e competência.

Invariavelmente, os maestros são muito admirados. Eles encaminham as execuções com muita beleza, graça, disciplina e exatidão. Quando as músicas são cantadas, os músicos muito hábeis tiram sons dos seus instrumentos musicais diferentes, produzindo acompanhamentos e efeitos sonoros maravilhosos, que causam admiração marcante e até mesmo comoção no público que aprecia os espetáculos musicais.

Muitas orquestras grandiosas participam de eventos musicais em grandes auditórios, para públicos enormes. Então, as músicas instrumentais executadas com grande número de variados instrumentos atingem performances notáveis, tornando a música celeste sagrada ou, no mínimo, de ordem santificada. Algumas dessas apresentações orquestrais são realizadas em espaços abertos muito amplos. Então, atraem e atingem um público imenso de apreciadores, pois executam estilos muito variados de músicas.

Certos espaços abertos são reservados para as pequenas orquestras ou grupos musicais. Alguns destes, inclusive, fazem apresentações de músicas experimentais inusitadas, para pequenos grupos de espíritos que apreciam e valorizam as novas criações musicais ou aquelas executadas por instrumentos diferentes, que foram construídos com admirável perfeição.

Músicas nos locais de trabalho

Muitos locais de trabalho contam com uma música ambiente muito agradável, para estimular a execução das tarefas ou a produção em condições descontraídas e excelentes. Geralmente, as instalações produtivas disponibilizam aos seus colaboradores a audição das belas melodias instrumentais, porque seus diretores julgam que esse tipo de música é mais pertinente para alegrar, manter a concentração e aumentar o rendimento do serviço.

Músicas nos ambientes domésticos

Todos os ambientes domésticos contam com muito variados tipos de músicas celestes para a descontração, harmonização das reuniões familiares e execução dos trabalhos de manutenção do lar ou mesmo dos processos de produção ou de prestação de serviços úteis à comunidade.

Compositores

Os compositores das músicas celestes são muito admirados, valorizados e prestigiados pela criatividade dos muito variados estilos, bem como pelas inspirações inusitadas que recebem da arte musical superior que existe nas regiões das esferas mais altas da vida espiritual.

Muitos deles não restringem suas atuações ao campo da música do plano espiritual. Eles dirigem-se à crosta da Terra para levarem suas influências, inspirações e intuições aos compositores e músicos que atuam nos variados campos da música na vida carnal, visando o engrandecimento dessa bela arte.

Muitos dos compositores criativos e experientes reúnem-se em lares ou institutos que se dedicam a criar manifestações musicais diferentes, novas ou mais incomuns. Assim, experimentam a sofisticação de certas harmonias e ritmos e buscam formas mais puras, belas e sublimes de abrilhantar, emocionar e alegrar seus eventos musicais, servindo de estímulo aos trabalhos dos novos compositores de músicas.

Capítulo 30

TRABALHOS E ATIVIDADES INCESSANTES

Os BONS ESPÍRITOS DEDICAM-SE a muitos e variados tipos de trabalhos incessantes e indispensáveis nas residências e instituições existentes nas colônias das regiões da segunda esfera espiritual.

Para eles, a submissão à lei do trabalho é recompensada pelo aperfeiçoamento no uso das suas faculdades, progressos de todas as ordens e a melhoria nas condições de vida. Assim, empregam esforços próprios para reunirem os méritos que possibilitam a ascensão na hierarquia espiritual e para habitação nas regiões de esfera espiritual mais alta.

Eles estão conscientes de que a vida em sociedade avançada exige organização, ordem, disciplina e respeito, notadamente na execução das incontáveis tarefas que implantam o bem-estar individual e coletivo. Então, voluntariamente, buscam as ocupações e atividades nobres que suprem as suas necessidades de progressos e aprimoramentos nos ambientes em que convivem e se relacionam com os outros.

Atividades dos bons espíritos nas regiões do umbral

Muitos espíritos notáveis, pelas suas importantes conquistas intelectuais e morais já realizadas, deixam as suas colônias espirituais lindas para executarem serviços úteis aos espíritos sofredores e doentes das comunidades das regiões áridas, tristes e escuras do umbral.

São espíritos respeitáveis, humildes, experientes e caridosos, que se dispõem a realizar trabalhos e atividades fraternas em benefício dos irmãos que se tornaram doentes e sofredores pelos desrespeitos graves à lei do bem. Muitos deles integram-se às caravanas com equipes de especialistas em obter as transformações mentais e íntimas e renovar o estado de saúde no perispírito.

Então, prestam diariamente seus serviços valiosos nas comunidades mal estruturadas e desprovidas de recursos existentes nas regiões inferiores do plano espiritual, visando a acumulação de maiores conhecimentos e méritos morais e espirituais. Essas equipes das caravanas prestam colaboração de suma importância, utilizando técnicas e recursos avançados que trazem de suas colônias progressistas. Assim, conseguem que muitos espíritos bastante imperfeitos em termos morais, que levam uma vida tumultuada e complicada, possam ser socorridos e encaminhados para as instituições que promovem as reparações necessárias e planejam as reencarnações.

Tarefas dos espíritos moralmente elevados na crosta do planeta

Muitos espíritos sábios, bondosos, piedosos, operosos e felizes escolheram realizar tarefas e prestar socorros fraternos aos espíritos que, por falta de méritos morais, ficaram retidos em difíceis condições de vida nos ambientes espirituais da crosta da Terra, vagando errantes, enfraquecidos nos centros de força do perispírito e carentes de entendimento das complexas realidades vigentes no plano espiritual.

Geralmente, eles precisam de apoio, orientações precisas, lições consoladoras e noções claras sobre as providências que precisam adotar com sinceridade para que sejam acolhidos nas instituições especializadas em melhorar as suas condições tristes, doentias e sofredoras de existência, agravadas pelas perturbações dos bandos de espíritos maus, viciosos e perigosos que atuam na superfície densa do planeta.

Esses benfeitores espirituais são muito respeitados pelo grande saber e virtudes. Então, sabem como beneficiar os irmãos incautos que se afastaram voluntariamente dos bons caminhos e precisam de assistência para não chegarem próximos da insanidade mental.

TAREFAS DOS BONS ESPÍRITOS QUE SE DEDICAM AO ACOLHIMENTO DAS ALMAS BEM-AVENTURADAS

Incontáveis espíritos elevados atuam na crosta da Terra favorecendo o processo de desencarnação das pessoas que já cumpriram suas missões e provas evolutivas. Então, recebem com admiração, gentileza e alegria os espíritos que na vida corporal realizaram esforços próprios para concretizar as boas obras e obter grande elevação intelectual e moral.

Para esses espíritos especializados nos processos de desencarnação é muito grande a satisfação em acolher, amparar e beneficiar as almas bem-aventuradas que vão ser encaminhadas para adaptação em suas famílias espirituais ou nas instituições que lhes oferecem tratamentos para a rápida recuperação e lhes abrem as oportunidades de ocupações nobres e atividades evolutivas nas colônias das regiões de esfera espiritual mais alta.

ATIVIDADES DOS ESPÍRITOS PROTETORES, ESPECIFICAMENTE JUNTO AOS ESPÍRITOS MISSIONÁRIOS ENCARNADOS NA CROSTA DA TERRA

Incontáveis espíritos elevados realizam os trabalhos anônimos de acompanhamento, proteção e influenciação mental dos homens missionários que, às duras disciplinas e esforços inovadores, estão implantando progressos importantes nas famílias e instituições das sociedades terrenas. Esses benfeitores espirituais solicitaram permissão para permanecer trabalhando nos ambientes da crosta da Terra em que estão atuando as almas missionárias que esgotam muitas carências e promovem aprimoramentos que elevam os padrões de vida das pessoas vinculadas a elas.

Esses benfeitores espirituais são os companheiros invisíveis que facilitam o sucesso no cumprimento das programações reencarnatórias, inclusive afastando as tentativas e impulsos dos homens e maus espíritos que desejam destruir as iniciativas bem-intencionadas e as realizações que darão grandes saltos nos progressos sociais e no bem-estar das coletividades.

ESPÍRITOS NOBRES DISSEMINADORES DO PROGRESSO MORAL

Muitos espíritos bem classificados na hierarquia espiritual pediram permissão para trabalhar em locais bem distantes das suas residências nas colônias radiosas das regiões da segunda esfera espiritual. Eles desejam participar, do lado invisível da vida, com seus poderosos recursos mentais, íntimos e perispirituais, das tarefas e atividades dos homens e das organizações terrenas voltadas à disseminação dos princípios e práticas morais e éticas, nos mais variados campos familiares, científicos, políticos, governamentais, econômicos, institucionais, religiosos, filosóficos e sociais.

Eles são fortes aliados dos homens missionários, que ocupam funções influentes como pais, educadores, sacerdotes, políticos, cientistas, artistas, filósofos, empresários e executores das políticas públicas. Assim, influenciam suas mentes para que defendam abertamente a disseminação e implantação da educação e dos progressos morais nas estruturas das famílias, instituições, cidades e nações da crosta da Terra, encaminhando-as para a equiparação no grau de moralidade já existente em suas colônias espirituais. Somente desse modo, obterão as melhorias reais nas condições de vida dos habitantes das sociedades, bem como a elevação do planeta Terra na hierarquia dos mundos habitados.

Para isso, os homens missionários recebem grandes influências diretas deles durante os momentos de desprendimento parcial da alma propiciado pelo sono do corpo físico. As almas visitam instituições de educação moral, participam de estágios de treinamentos, instruções e obtenção de técnicas valiosas na disseminação e implantação dos avanços morais que beneficiarão as pessoas das aglomerações humanas.

Capítulo 31

OUTRAS OCUPAÇÕES DOS BONS ESPÍRITOS PARA O TEMPO DISPONÍVEL

———◄—— ‹ • ♥ • › ——►———

SÃO INCONTÁVEIS AS OCUPAÇÕES e atividades que os bons espíritos exercem, sendo a grande maioria delas típicas do plano espiritual, fazendo boa utilização do sempre valioso tempo disponível na conquista de maiores progressos intelectuais e morais, que geram maior bem-estar e felicidade.

Então, vivem sempre preocupados em cumprir períodos longos de trabalhos, realizando tarefas produtivas e programas nobres e importantes, porque não sentem a necessidade de períodos longos de repouso e descanso para a mente e o perispírito. Também contam com bastante tempo, porque recorrem às comunicações mentais à distância e aos deslocamentos muito rápidos pela utilização das faculdades volitivas.

Assim, são servidores muito produtivos, úteis, alegres e felizes, tendo como meta os trabalhos fraternos em benefício dos semelhantes e as conquistas de méritos que aceleram a ascensão na hierarquia espiritual.

Mesmo assim, após períodos convenientes de trabalhos, muitas vezes árduos, eles tiram as férias que os permitem visitar e passar algum tempo com os familiares e amigos em suas residências confortáveis em outras colônias distantes; realizar excursões para lugares muito agradáveis e belos, onde revigoram e fortalecem as forças e energias da mente e do corpo espiritual; se inscrevem em cursos, para obter novas lições, orientações, instruções e estímulos dos espíritos superiores; dedicar a detalhados estudos sobre assuntos e matérias de interesse prático para o cotidiano; visitar bibliotecas que guardam livros raros e materiais muitos instrutivos sobre a colonização do planeta; frequentar com calma bosques, parques e jardins admiráveis, para observar a vegetação variada e exuberante, ver os animais espertos e mansos, admirar as aves muito coloridas com seus cantos surpreendentes, contemplar os arvoredos extensos, admirados pelas suas flores perfumadas; participar de reuniões, palestras, assembleias e eventos sociais variados, nos quais elevam o saber, cultura, entendimento das ciências e artes e obtêm orientações sobre os modos de praticar o amor a Deus e ao próximo.

Capítulo 32

REGIÕES DESTINADAS AOS REENCONTROS ESPIRITUAIS

———◄———⟨ • ♥ • ⟩———►———

MUITOS ESPÍRITOS SÁBIOS E bondosos preferiram permanecer habitando, trabalhando, exercendo funções e ocupações importantes e realizando atividades nobres nas colônias da segunda esfera espiritual que estão mais próximas da crosta da Terra. Decidiram isso, porque estão esperando o momento da desencarnação de almas de afetos queridos, que foram o pai, mãe, marido, esposa, irmão, irmã, filho, filha, parentes próximos e amigos verdadeiros na experiência carnal.

Então, renunciaram à subida para uma colônia de região mais esplendorosa da esfera intermediária, para continuarem cultivando os elos de amor, laços de respeito e admiração, afinidades morais, sintonias espirituais e, ao mesmo tempo, protegendo aqueles entes queridos e companheiros leais e sinceros, com os quais estabeleceram alianças para a longa jornada evolutiva rumo à angelitude.

Nessas regiões, eles encontram mais facilidades para promover reencontros espirituais, durante o desprendimento parcial da alma sob a influência do sono reparador. Desse modo, diretamente, externam seus sentimentos amorosos, reduzem as saudades, influenciam para o trabalho e o bem, orientam e auxiliam as almas queridas para os caminhos dos progressos intelectuais e morais.

Muitos deles, durante a semilibertação da alma do seu envoltório corporal, em contato direto, revisam e reafirmam seus planos detalhados e maravilhosos de longo prazo, para que possam, em parceria, reunir os méritos que abrem as portas dos reinos das bem-aventuranças.

Capítulo 33

DIFERENÇAS ENTRE AS MUITAS COLÔNIAS ESPIRITUAIS

————⟨•♥•⟩————

As COLÔNIAS ESPIRITUAIS LOCALIZADAS nas vastas e variadas regiões da segunda esfera espiritual são muito diferentes entre si, principalmente em decorrência das características predominantes na maioria dos seus habitantes.

Cada uma delas tem peculiaridades próprias marcantes, erigidas ao longo de muito tempo, em função das qualidades pessoais dos povos que as edificaram, bem como das afinidades, experiências, capacidades, preferências e atividades da maioria dos seus habitantes no cotidiano. Desse modo, cada uma delas é o resultado dos gostos, hábitos, relacionamentos, cultura, religião, preferências, avanços, aquisições evolutivas, ocupações e atividades predominantes para a grande parte dos moradores.

Evidentemente, os habitantes dessas comunidades espirituais bem diversificadas trocam entre si, influências progressistas notáveis, e até mesmo recebem influências inovadoras, transformadoras e renovadoras dos habitantes das colônias localizadas nas regiões das esferas intermediárias mais altas, quando ocorrem visitas, viagens e excursões instrutivas.

Assim, das esferas mais altas da vida descem muitas das influências para a implantação de instituições progressistas; residências bem mais organizadas e estruturadas; imitação das belezas arquitetônicas nas edificações, praças e bosques; reprodução das benfeitorias em órgãos públicos e implantação das providências que vão melhorando as condições de vida dos habitantes.

Cada colônia espiritual se destaca pela originalidade imposta por grande parte dos seus residentes, porém, em nenhuma delas constata-se um grande salto em relação às outras, porque os governantes de todas priorizam as múltiplas oportunidades de trabalhos, atividades, ocupações, aquisições de experiências e realizações que promovem os progressos incessantes dos espíritos em evolução.

Todos os habitantes dessas colônias estão claramente conscientizados de quanto é transitória a permanência e realizações deles nas atuais condições de vida, porque estão submetidos à lei do progresso que tudo altera, transforma e aprimora. Além disso, sabem que estão em processo permanente de alterações, mudanças e aperfeiçoamentos incessantes, tendo que partir, a qualquer momento, em missões, provas ou expiações, para as novas reencarnações evolutivas.

Muitos deles se esforçam tanto para obter méritos, que recebem convites, determinações, promoções e ordens dos espíritos superiores, para que ascendam a outros estágios evolutivos, habitando em colônia das regiões de esfera espiritual mais alta.

Então, em todos os habitantes das colônias predomina um sentimento de transitoriedade muito marcante, principalmente naqueles que já estão se preparando para reencarnar com a missão de implantar suas descobertas, criações, inventos, inovações e transformações em certas áreas da superfície densa do planeta.

Capítulo 34

Governos, ministérios e departamentos nas sociedades espirituais

Todas as colônias espirituais localizadas nas regiões da segunda esfera espiritual, bem como nas das esferas intermediárias e superiores, são governadas por espíritos muito elevados.

Eles são técnicos e especialistas em governar, planejar e executar os trabalhos comunitários com eficiência. Assim, atendem as necessidades evolutivas e de bem-estar dos habitantes das comunidades.

Cada distrito de uma colônia tem um responsável próprio, que é muito respeitado pelas suas competências e admirado pelas suas técnicas gerenciais, administrativas e operacionais, qualidades morais elevadas, conhecimentos amplos, experiências valiosas, tomada de decisões sábias e justas, habilidades comprovadas e boa organização das funções e trabalhos dos departamentos. Assim, esses pequenos núcleos de governança prestam excelentes serviços úteis aos habitantes, sendo muito valorizados e prestigiados.

Serviços públicos que são estendidos até as regiões do umbral

Alguns departamentos de governo estendem a sua prestação de serviços, geralmente muito complexos, às organizações que instalaram nas comunidades das regiões do umbral. Estas recebem expedições e caravanas que participam dos serviços necessários ao resgate e amparo dos espíritos doentes e sofredores, que se mostraram arrependidos dos seus erros, vícios ou crimes, e apresentam boas perspectivas de renovação mental e íntima.

Os bons espíritos que trabalham nessas instituições atuam em contato direto com os espíritos que ficaram retidos nas cidadelas das regiões inferiores do plano umbralino, necessitando de atendimento e amparo fraterno para a reversão do poder da lei de causa e efeito.

Essas pequenas organizações e estruturas governamentais de atendimento médico e social sempre estão muito bem protegidas dos ataques dos espíritos violentos e maus, para que consigam executar suas extensas obras assistenciais, socorristas e regenerativas, pela melhoria das condições mentais e íntimas, renovação da esperança e esforços para a libertação das doenças, mutilações e deformidades no perispírito.

Esses órgãos públicos instalados em comunidades do umbral encaminham muitos espíritos arrependidos para a regeneração através das imediatas reencarnações compulsórias. Então, são internados em departamentos apropriados, que prestam os primeiros socorros médicos e planejam, programam e operacionalizam os renascimentos na crosta.

Muitas vezes, os recursos desses postos assistenciais são muito escassos pelas condições precárias existentes nas comunidades em que estão instalados Mas, mesmo assim, jamais deixam de prestar socorros laboriosos, complicados e especializados aos espíritos que se mostram em condições de sair das zonas inferiores do umbral para continuar a evoluir.

É comum muitos espíritos recolhidos desistirem dos tratamentos e programas de regeneração. Eles se mostram insatisfeitos e revoltados com as atuações exigidas nos campos do bem, agravando seus sérios desequilíbrios mentais. Então, muitas vezes, seus familiares desencarnados imploram pela reencarnação compulsória, para que os benfeitores espirituais vigilantes não os devolvam às áreas tumultuadas do umbral, até que estejam em novas condições e convalescença, regeneração e preparação para a reencarnação.

SERVIÇOS GOVERNAMENTAIS PRESTADOS NA CROSTA DA TERRA

Muitos departamentos dos órgãos governamentais das colônias espirituais estão bastante vinculados aos espíritos que se submeteram à reencarnação evolutiva. Então, designam os benfeitores espirituais que têm a incumbência de influenciá-los para a prática do bem, protegê-los dos perigos e ameaças, ajudá-los ante as missões, provas, expiações, dores e dificuldades evolutivas, para que tenham êxito no cumprimento de suas programações nobres.

Desse modo, incontáveis departamentos governamentais gravitam em torno dos interesses e das necessidades dos espíritos que reingressaram na face terrena para evoluir com as novas experiências corporais, recebendo orientações mentais e proteção dos seus anjos da guarda e espíritos protetores muito vigilantes, principalmente quanto às influências mentais negativas, obsessões ou mesmo processos de possessão por parte dos espíritos maus, perversos, sugadores de energias, viciosos ou mesmo criminosos, que atuam nas comunidades da crosta da Terra e suas adjacências ao umbral.

Os departamentos governamentais que cuidam das reencarnações dos espíritos missionários escolhem para estes, anjos protetores muito elevados e poderosos, porque precisam de muita assistência e proteção. Então, permanecem sempre fortemente amparados e ligados às instituições bem estruturadas dos governos das suas colônias espirituais. Assim, cumprem com sucesso suas missões que melhoram as condições de vida dos homens nas sociedades e nações, elevando a classificação da Terra na hierarquia dos mundos habitados.

RESPEITO À HIERARQUIA NAS INSTITUIÇÕES PÚBLICAS DAS CIDADES ESPIRITUAIS

As instituições governamentais funcionam plenamente voltadas ao perfeito atingimento de seus objetivos e suas metas. Para isso, contam com uma hierarquia muito valorizada, respeitada e prestigiada. Elas precisam de muita ordem, disciplina rígida, observância dos regulamentos internos e excelência na prestação dos serviços públicos indispensáveis ao bem-estar dos cidadãos, dos espíritos retidos nas regiões do umbral e dos homens em evolução na superfície do planeta.

Os governadores, ministros, dirigentes e funcionários públicos são bastante capacitados, responsáveis e admirados pela gentileza, sinceridade, honestidade e eficiência com que empregam os recursos e conduzem a execução das suas tarefas de engrandecimento dos patrimônios públicos e obrigações de suprir as necessidades e anseios dos espíritos vinculados às colônias espirituais, que envolvem alimentação, saúde, vestuário, fontes de energia, meios de transporte, educação, cultura, espiritualização, relações sociais, entretenimentos e processos de reencarnação e de desencarnação.

Capítulo 35

CONSTRUÇÕES E EDIFICAÇÕES NAS COLÔNIAS ESPIRITUAIS

————⟨•♥•⟩————

As CONSTRUÇÕES E EDIFICAÇÕES existentes nas colônias localizadas nas regiões da segunda esfera espiritual estão sendo instaladas pelos bons espíritos ao longo dos muitos milênios de colonização do planeta Terra. Por isso, elas variam bastante em estrutura, estilo e aparência.

Mas, elas sempre serviram de modelo para os espíritos encarnados, que as visitam durante a liberdade parcial possibilitada pelo sono. Então, as copiam para a vida corporal, em função da clareza das recordações, intuições e ideias inatas. Desse modo, foram sendo paulatinamente materializadas pelos espíritos encarnados durante os processos de colonização, povoamentos e formação de aglomerados habitacionais instalados na crosta da Terra.

As inspirações e visualizações mentais das infraestruturas de habitação e comunicação existentes nas cidades espirituais foram sendo, evidentemente, adaptadas às necessidades de melhoria nas condições de vida dos homens.

CARACTERÍSTICAS DOS EDIFÍCIOS E PRÉDIOS

Os edifícios e prédios geralmente são construídos com janelas muito amplas, para que a luz solar linda e preciosa ofereça claridade confortadora aos cômodos muito bem ornamentados.

Além disso, essas janelas amplas nas edificações possibilitam que os espíritos tenham uma visão muito agradável dos horizontes, bosques, parques e jardins extensos, belos e muito bem cuidados, onde animais variados e aves encantadoras vivem e se movimentam com muita beleza, graça e esperteza.

Todos os prédios e edifícios possuem arquiteturas admiráveis, formas lindas e aparências inovadoras, em função das qualidades intelectuais e criatividade dos planejadores e executores. Estes empregam materiais lindos e flexíveis, permitindo que as construções estejam distribuídas pelos amplos espaços dos distritos das colônias, cercadas de muitas árvores, arbustos e plantas ornamentais, que produzem flores abundantes, muito variadas e coloridas. Por sinal, o cultivo de vegetações com muito esmero é bastante valorizado, tornando maravilhosos os recantos ajardinados que permitem os acessos e entradas para os imóveis belos e admiráveis.

RESIDÊNCIAS

As casas residenciais são também encantadoras e muito confortáveis. Elas foram construídas para possibilitar boa acomodação para os residentes, que se reúnem em famílias pelos laços fraternos de muitas reencarnações juntas e afinidades morais e espirituais anteriormente estabelecidas. Assim, ocupam os seus aposentos acolhedores e ricamente mobiliados, desfrutando de excelentes companhias e agradáveis condições de vida.

Poucas dessas construções residenciais são propriedades

particulares. Geralmente, elas pertencem ao patrimônio comum formado durante milênios de colonização, pelo caráter de transitoriedade que os seus moradores aprendem a lhes atribuir, em função da trajetória evolutiva incessante do espírito, ora desencarnados nas muitas regiões das múltiplas esferas espirituais, ora encarnados nas regiões da crosta do planeta.

As residências que estão sob o controle da governadoria de cada enorme conjunto habitacional são bem estruturadas e cuidadas, para oferecerem benefícios e bem-estar aos habitantes temporários, sempre muito conscientes de que estão em trânsito, pela promoção para habitar outras colônias existentes nas esferas mais altas ou para a reencarnação evolutiva na crosta da Terra ou na de outros planetas habitados.

Então, para eles, não há o objetivo de possuir residências particulares. Apenas ocupam-nas temporariamente, em função das suas necessidades evolutivas, durante o período em que estiverem desencarnados, se esforçando para cumprir com méritos o processo de ascensão que leva à angelitude.

Evidentemente, os membros de algumas famílias podem fazer a aquisição de habitação, residência ou moradia própria. Geralmente essas famílias reúnem grande quantidade de espíritos fortemente ligados entre si, pelas afinidades, laços morais e espirituais, elos de amor, companheirismo, aliança, união e respeito estabelecidos ao longo de milênios. Então, os membros dessas pequenas comunidades estão evoluindo em conjunto, desejando estar em estreita sintonia uns com os outros. Assim, participam ativamente das ocupações, atividades e processos de reencarnação e desencarnação de cada elemento do grupo familiar. Quando um deles volta da experiência corporal evolutiva na crosta terrena, é muito bem recebido e acolhido na residência do seu grupamento afetivo.

Para a aquisição de núcleo familiar voltado ao bem-estar temporário dos muitos espíritos afins, os compradores utilizam o bônus-hora, que foi conquistado com os trabalhos nobres e os valiosos serviços prestados às instituições e espíritos da comunidade. Mas, isso não os isenta de permanecerem plenamente conscientes da transitoriedade da posse. As mudanças vão ocorrer e se impor à medida das novas conquistas intelectuais e morais e da aproximação da meta estabelecida por Deus, que é obter a perfeição espiritual.

BÔNUS-HORA

O bônus-hora é o dinheiro que circula nas colônias espirituais. Por sinal, as moedas criadas nas nações terrenas foram sendo lentamente copiadas pelos espíritos encarnados, para se assemelharem aos meios de pagamento das colônias espirituais, que atendem as necessidades de produção, circulação e consumo.

O bônus-hora é instrumento indispensável aos progressos que são incessantemente implantados nas sociedades espirituais. Todo trabalhador tem direito justo a ele, sendo sua prerrogativa recebê-lo pelos esforços que empreende no engrandecimento do patrimônio comum. Trata-se de recompensa valiosa pelo bom emprego e exercício das faculdades dos empreendedores nobres.

O bônus-hora, estimulador das atividades produtivas e úteis, é bastante empregado na construção dos novos edifícios e na criação de inúmeros produtos, materiais e bens, destinados a suprir as necessidades individuais e coletivas dos espíritos.

O bônus-hora estimula os espíritos em evolução a levar uma existência muito laboriosa e útil aos seus semelhantes, o que aprimora o uso de suas faculdades e aumenta suas habilidades, qualidades pessoais, conhecimentos úteis e experiências valiosas, indispensáveis à ascensão na hierarquia verdadeira. Assim, as comunidades vão se engrandecendo, possibilitando sempre melhores condições de vida para os espíritos.

Construção e manutenção das instituições de socorro aos espíritos doentes e sofredores do umbral

A governadoria das cidades espirituais tem por incumbência a construção dos prédios e manutenção das instituições que prestam socorro e serviços fraternos para os espíritos doentes e sofredores, que ficaram retidos nas comunidades das regiões do umbral, pelas suas lamentáveis condições, até que estejam aptos à regeneração e retomada dos seus processos evolutivos pela reencarnação.

Dessa forma, são muitos os órgãos públicos envolvidos com os trabalhos em favor dos espíritos necessitados de tratamentos, esclarecimentos, assistência, orientação, reeducação e encaminhamento. Essas instituições socorristas governamentais empregam muitos médicos, enfermeiros e técnicos especializados na execução dos serviços necessários ao alívio das enfermidades e sofrimentos, além do restabelecimento das capacidades daqueles que precisam ser integrados nos processos regenerativos, pela internação nos departamentos que chegam a cuidar até mesmo do planejamento e programação da reencarnação evolutiva ou expiatória.

Construção e manutenção dos institutos especializados na reeducação mental, moral e íntima

São numerosos os institutos governamentais nas regiões umbralinas circunvizinhas à crosta da Terra, que trabalham na renovação e madureza mental, moral e íntima dos espíritos que faliram desastrosamente ante as suas missões e provas evolutivas. Esses órgãos públicos são coordenados e administrados por espíritos sábios e amorosos que sabem restabelecer as potências do espírito e criar novos rumos para aqueles que estão experimentando o poder da lei de causa e efeito.

As extensas construções desses institutos de reeducação possuem linhas harmoniosas, estão localizadas em arruamentos no meio de parques e jardins e são muito bem protegidas contra os ataques dos vândalos revoltados, que não se conformam com as suas condições de vida no além-túmulo. Algumas das instalações são destinadas a receber casais ou membros de uma mesma família para a reeducação e preparação para os acertos de contas com a Justiça.

DEPARTAMENTOS ESPECIALIZADOS NA RECUPERAÇÃO INTEGRAL

Os edifícios das grandes instituições governamentais geralmente estão divididos em departamentos, que cumprem funções bem específicas: administração, hospitalização, enfermagem, convalescença, escolas de reabilitação, atividades culturais, aprendizados artísticos, ocupações recreativas, serviços assistenciais, religiosos e morais e excursões edificantes às plagas da esfera espiritual que oferecem atividades reeducativas para a mente, senso moral, sentimentos, emoções e sexualidade.

DEPARTAMENTOS ESPECÍFICOS PARA A REEDUCAÇÃO SEXUAL

Entre esses departamentos especializados estão os que socorrem especificamente os espíritos moralmente inferiores que necessitam de reeducação sexual. Eles negligenciaram e perverteram voluntariamente o uso das faculdades genésicas no cumprimento das missões da paternidade ou da maternidade, prejudicando a vida carnal dos seus filhos. Então, necessitam dos trabalhos específicos que os libertem dos condicionamentos, maus hábitos, paixões aviltantes e vícios sexuais cultivados imprudentemente. Alguns deles se apresentam muito próximos da demência. Tiveram a situação agravada nas regiões inferiores do umbral, pelas complexas tendências e impulsos sexuais, que se repercutiram no centro de força genésico do perispírito.

Esses espíritos doentes do sexo recebem orientações sobre as realidades espirituais e morais e se submetem por muito tempo às disciplinas duras na convivência e nos relacionamentos com os semelhantes e familiares, preparando-se para a reencarnação expiatória no campo sexual.

Nessas escolas específicas para a reeducação sexual, geralmente situadas muito próximas das estâncias purgatoriais, muitos casais que fracassaram moralmente no uso das faculdades genésicas, adquirem o reequilíbrio e o preparo para a adoção de regras sadias nos campos da sexualidade e do sexo e a vitória na próxima reencarnação, geralmente em corpos com órgãos sexuais deformados e deficiências congênitas nas áreas do sexo.

Construção e manutenção dos educandários para as almas das criancinhas recém--desencarnadas

São incontáveis os educandários que foram construídos nas regiões da segunda esfera espiritual, destinados a abrigar e tutelar as almas das criancinhas que voltaram da experiência física com algumas horas, alguns dias ou até mesmo alguns anos de vida corporal.

Após o processo de desencarnação, por motivos muitos variados, elas foram encaminhadas para os serviços assistenciais que amparam e cuidam das almas, cujo perispírito mantem a forma e aparência infantil, até que estejam adaptadas para trilhar a normalidade das condições de vida no plano espiritual.

Todas elas são muito bem recebidas e cuidadas por professoras especializadas, que desempenham as funções semelhantes às das mães terrenas amorosas e generosas.

Essas educadoras infantis dos educandários públicos assumem a responsabilidade de permanecer constantemente ao lado dos pequeninos, para que eles depositem a confiança nelas e recebam afeições, carinhos e amparos. Essas educadoras muito experientes e capacitadas dão amor espontâneo e tratam as almas infantis na condição de filhinhos que vieram de lares muito distantes. Assim, as ajudam a vencer inúmeras e naturais dificuldades de adaptação às novas condições de vida. Muitas dessas almas infantis precisam ainda ser embaladas em berços, ouvir lindas cantigas para acalmar o choro e exteriorizar alegria.

As almas das criancinhas recém-desencarnadas encontraram nesses educandários do além-túmulo todos os tipos de matérias, serviços e atividades que necessitam para o restabelecimento e desenvolvimento de seus potenciais intelectuais e morais. Então, recebem todas as noções preciosas sobre a vida imortal da alma, concedida aos filhos pelo amor e bondade do Pai Eterno.

Os diretores desses institutos ocupam-se prioritariamente com o planejamento dos serviços educativos e atividades úteis que devem ser oferecidos às criancinhas. Além disso, cada diretor tem o dever de estar em contato estreito e direto com as professoras e manter relações com os outros numerosos estabelecimentos semelhantes, que estão instalados em variados espaços da mesma esfera espiritual.

Às professoras cabe a realização de avaliações permanentes do andamento de cada caso. Quando necessário, recorrem aos diálogos, troca de experiências e esquemas educativos bem-sucedidos.

Quase todas as almas infantis insistem muito em voltar para os pais, no antigo lar terreno. Elas querem de volta a companhia dos seus pais e familiares carinhosos e amorosos que cuidavam delas em suas necessidades, com muita dedicação. Então, as professoras experientes lhes mostram com muita prudência as mudanças que ocorreram e impuseram novas realidades na vida imortal da alma. Elas contam muitas histórias e delas extraem as lições que estão em acordo com as faixas etárias, capacidades mentais e estado emocional e sentimental das almas. Geralmente, as professoras amenizam esses desejos de voltar para os pais terrenos fazendo brincadeiras agradáveis e passeios muito divertidos.

Nas horas de recreio, diversões e aprendizados, as almas infantis interagem com seus amiguinhos espertos, frequentam sessões de declamação de versos e poemas com temas infantis, contam suas próprias histórias interessantes, divertidas e comoventes. Nas aulas de música, elas aprendem cantigas muito lindas e alegres. Nas reuniões coletivas em ambientes muito descontraídos e agradáveis participam de conversas esclarecedoras e diálogos instrutivos e livres, com os quais se inteiram dos novos contextos em que estão inseridas.

Esses educandários e institutos de assistência infantil são muito bem estruturados, pois contam com salas de aula amplas, materiais didáticos abundantes, esquemas educativos que despertam o interesse pelos conhecimentos gerais e ensinamentos edificantes sobre a vida imortal da alma. Nos espaços bem distribuídos ocorrem os eventos muito agradáveis e divertidos que ampliam o entendimento do objetivo da vida e amenizam as saudades daqueles que ficaram bem distantes, pela perda do corpo físico.

Os arquitetos e engenheiros que projetaram e construíram esses edifícios e prédios destinados aos abrigos e escolas infantis escolheram muito bem os espaços amplos. Assim, comportam inclusive os extensos jardins com muitas árvores, arbustos e vegetações lindas. Neles, vivem muitos pássaros com plumagens coloridas e lindos cantos. Até mesmo os animais espertos encontram abrigos, servindo para a distração e brincadeiras para as criancinhas. As fontes luminosas estão em toda parte, sempre cercadas por plantas que produzem flores perfumadas. Os parquinhos são muito bem equipados e utilizados nos momentos de descontração, diversão, entretenimento e aproveitamento sadio do tempo disponível.

Todos esses educandários, edifícios e prédios de assistência e educação aos pequeninos arrebatados da experiência carnal estão integrados ao patrimônio comum. Por isso, são muito bem cuidados pela eficiente administração central da coletividade. Neles os diretores, administradores, educadores, técnicos e professoras atuam plenamente voltadas ao aprimoramento do caráter infantil, respeitando sempre o grau de elevação intelectual, moral e espiritual. Muitas criancinhas já conquistaram notáveis progressos nas reencarnações precedentes, então, merecem atendimento especializado. Outras ainda se encontram em fase primária de inteligência e educação moral, merecendo um atendimento integral e preparação para o encaminhamento para uma nova reencarnação que favoreça a incessante sublimação da mente e do mundo íntimo e promova a ascensão na hierarquia espiritual.

Capítulo 36

VISITAS DOS ESPÍRITOS ENCARNADOS ÀS REGIÕES DA SEGUNDA ESFERA ESPIRITUAL

———⟨ • ♥ • ⟩———

O ESPÍRITO ENCARNADO, DURANTE o período do sono, se desprende parcialmente de seu envoltório material, podendo obter autorização dos benfeitores espirituais para visitar diversas regiões do plano espiritual, conforme seus méritos e suas necessidades.

Enquanto o envoltório de matéria densa repousa, recuperando as suas energias, a deliciosa influência do sono processa naturalmente a libertação parcial da alma. Então, ela se ausenta temporariamente do seu veículo físico, podendo agir com liberdade restrita na vida espiritual, sob a vigilância dos espíritos protetores.

DESPRENDIMENTO DA ALMA DE CERTOS MÉDIUNS PELA INFLUÊNCIA DO SONO

Certos médiuns de psicofonia, psicografia, cura, materialização e demais manifestações inteligentes e físicas dos espíritos conseguem com muito mais facilidade essa libertação parcial da alma durante o sono, mas sempre sob o controle e atuação dos seus mentores espirituais e técnicos do plano espiritual que os amparam em seus trabalhos espirituais.

Durante as sessões espíritas, as almas desses médiuns também conseguem desdobrar-se com facilidade, contando com o auxílio dos bons espíritos que as afastam provisoriamente do seu veículo físico, que fica numa espécie de estado de prostração ou inércia. Então, nessa condição especial, o envoltório material emite certos fluidos sutis e libera algumas forças mediúnicas, que são recolhidas, transformadas e manipuladas pelos benfeitores espirituais, aliando-os a outros elementos da natureza. Depois disso, utilizam-nas em ações benéficas para o perispírito dos espíritos encarnados e desencarnados.

Dessa forma, os benfeitores espirituais prestam, nas reuniões espíritas, carinhosa assistência fraterna ao perispírito dos homens e espíritos doentes e sofredores, amenizando suas situações aflitivas.

As almas dos médiuns, quando parcialmente separadas da vestimenta física durante a prestação dos serviços e tarefas mediúnicas aos necessitados, apresentam-se despertas e atuantes no plano espiritual, de acordo com as suas possibilidades e recursos da mente, mundo íntimo e corpo perispiritual. Por continuarem ligadas ao corpo material por tênues fios fluídicos, suas atuações permanecem sob a estreita vigilância e intervenções dos benfeitores do mundo espiritual.

Tão logo os trabalhos espíritas de ajuda espiritual se aproximem do final, as almas dos médiuns são conduzidas de volta ao corpo físico. Então, geralmente, conservam quase nenhuma lembrança dos acontecimentos ocorridos enquanto estiveram ausentes do envoltório corporal.

Contato permanente do espírito encarnado com a vida espiritual

Com esse afastamento temporário da vestimenta carnal, as almas encarnadas jamais perdem o contato com a sua pátria e vida verdadeira, nem com os seus espíritos familiares e protetores, que realizam muitas intervenções durante os períodos de sono, as quais ficam registradas em sonhos imprecisos de difícil interpretação.

Mas, as almas que já dilataram a sua consciência para as realidades espirituais e morais e conhecem os objetivos evolutivos da vida carnal, sempre aproveitam melhor esses momentos de desprendimento parcial. Para elas, são oportunidades valiosas para a obtenção de novas experiências, conhecimentos, orientações, boas influências e realizações, preservadas apenas na memória espiritual, mas que se manifestam de modo espontâneo através das intuições, ideias inatas e propensões para a prática do bem.

Raros espíritos encarnados conseguem, fazendo esforços mentais, trazer para a consciência, no estado de vigília, as visões e conhecimentos obtidos durante o desprendimento propiciado pelo sono. Assim, são poucos que conseguem recordar na vida terrena as maravilhas científicas, artísticas, obras lindas e utilidades que viram durante as breves excursões que realizaram nas colônias e instituições das regiões da segunda esfera espiritual.

Resultados dos encontros com os bons espíritos propiciados pelo sono

As visitas que as almas fazem pelas portas do sono físico são ocorrências comuns nos círculos da crosta da Terra. Elas acontecem aos milhares todas as noites, permitindo que as almas mantenham contatos permanentes e intercâmbios espirituais valiosos, principalmente com os espíritos familiares e protetores.

Muitas almas tão logo experimentem o desligamento provisório da vestimenta corpórea, sob a influência do sono, reencontram com os seus entes queridos, companheiros e amigos desencarnados, fortalecendo os elos de amor, purificando as afinidades morais, aliviando as saudades, estreitando as afeições íntimas e conhecendo os detalhes das condições de vida no além-túmulo.

Esses momentos são, invariavelmente, muito agradáveis e instrutivos, porque ocorrem trocas de impressões e conhecimentos úteis para o cotidiano; oportunidades de fazer reclamações e exteriorizar insatisfações para obter socorro, orientação, instrução e cooperação para a solução dos problemas mais aflitivos; fortalecer a esperança numa vida futura melhor com a persistência nos trabalhos honestos, estudos sérios, prática do bem e aproveitamento das bênçãos e oportunidades evolutivas propiciadas pela reencarnação, com as missões e provas para o amadurecimento intelectual e moral.

REENTRADA NO CORPO MATERIAL

As curtas visitas das almas às regiões da segunda esfera espiritual, marcadas geralmente por fortes emoções e boas impressões, ficam apenas na memória imperecível. Raramente elas ficam registradas na mente, pelo modo impreciso dos sonhos.

Quando as almas visitantes se sentem inexplicavelmente atraídas para o corpo de carne, como se fossem grânulos de ferro atraídos irresistivelmente por um poderoso ímã, acordam com boas impressões e sensações agradáveis, apenas sentindo-se mentalmente e intimamente fortalecidas e estimuladas a enfrentar e vencer as lutas evolutivas na vida carnal.

Muitas almas acordam inexplicavelmente com soluções prontas na mente para seus problemas e a melhoria de suas condições difíceis de vida. A lucidez mental não é suficiente para que se

A VIDA NAS ESFERAS ESPIRITUAIS | 261

lembrem dos atendimentos e orientações recebidos dos espíritos de luz; que se recordem das atuações e recursos sutis e energizantes que receberam nos centros de força do perispírito; das causas verdadeiras para a obtenção da cura para certos males em órgãos do envoltório carnal.

Raras almas acordam na cápsula física com a noção exata das ligações que mantiveram com o corpo de carne, através dos tênues e elásticos fios prateados. Apenas despertam com a mente e o mundo íntimo renovados, sentindo melhoras inexplicáveis no estado de saúde, decorrentes da transferência de energias dos centros de força do perispírito para os órgãos do corpo de matéria densa.

Medicina dos bons espíritos a serviço dos espíritos encarnados durante o sono

Muitas almas das pessoas que enfrentam doenças incuráveis, seja nas fases idosa, adulta ou infantil, são beneficiadas durante a sua ausência temporária do corpo físico, propiciada pelo sono. Elas são levadas por benfeitores espirituais para os institutos médicos onde recebem intervenções, providências, energias regeneradoras e renovadoras e recursos salutares no perispírito. Assim, os médicos nobres e enfermeiros competentes lhes prestam serviços, em hospitais e postos de saúde, que vão permitir o cumprimento do tempo previsto ou programado para a encarnação evolutiva.

Depois disso, retornam dos tratamentos no perispírito com os males atenuados e mais preparados para enfrentar os transtornos que são dolorosas expiações. Os órgãos do envoltório corporal reagem naturalmente aos tratamentos realizados pelos médicos e enfermeiros espirituais, com as materializações progressivas das regenerações nas células dos órgãos do perispírito.

Visitas dos médicos terrenos às instalações hospitalares do plano espiritual

Durante o período do sono, as almas de muitos médicos terrenos, que se dedicam com paciência e amor ao bem-estar dos seus pacientes, quando libertas parcialmente do envoltório corporal que as retêm na crosta da Terra para evoluir, dirigem-se, amparadas por benfeitores espirituais, para os departamentos dos institutos de medicina localizados nas regiões da segunda esfera espiritual. Lá, recebem orientações e treinamentos para resolver casos complexos, em pacientes que esperam bons resultados em seus tratamentos complicados de doenças e sofrimentos.

Quando retornam ao estado de vigília no corpo de matéria densa, raramente se lembram dos detalhes das instruções e intervenções dos médicos espirituais, mas vão exteriorizar ideias intuitivas e lembranças vagas de sonhos fugidios. Assim, partem para tratamentos inovadores que favorecem a cura nos organismos gravemente enfermos.

Preparação durante o sono para os acidentes graves, doenças imprevistas e acontecimentos constrangedores

Muitos benfeitores espirituais conhecem antecipadamente, com seus recursos visuais e mentais das programações reencarnatórias, que vão ocorrer certos fatos marcantes que mudarão completamente as condições de vida dos seus protegidos encarnados. Então, servem-se dos momentos de deslocamento da alma do seu corpo material, facilitado pelo sono, para apresentar-lhes as imagens e os quadros preocupantes dos acontecimentos futuros chocantes.

Assim, através dos sonhos premonitórios, preparam as almas

para que adotem medidas preventivas, atitudes e condutas convenientes que possam amenizar ou superar a força dos choques.

Geralmente, essas almas, sob forte impacto mental e emocional, acordam assustadas. O retorno apressado ao envoltório carnal dificulta a conservação na memória da totalidade das imagens assustadoras que viram em sonhos. Mas, passam a fazer reflexões e preparativos para os maus presságios, reunindo poucos fragmentos vivos das impressões conservadas na memória.

Do lado espiritual da vida, os espíritos protetores atuam durante o estado de vigília das almas, oferecendo-lhes intuições, pensamentos assustadores a serem interpretados e inspirações para que adotem muita prudência em suas atitudes e ações que podem ter sérias consequências.

POUCA LUCIDEZ NA MENTE, DURANTE O DESPRENDIMENTO DA ALMA DO SEU CORPO DENSO PELO SONO

A grande maioria das almas que se afasta do corpo denso sob a influência do sono se apresenta diante dos benfeitores espirituais com pouca lucidez mental e sentindo insegurança no ambiente espiritual luminoso, pelo pouco reconhecimento do outro lado da vida. Então, não aceitam o convite para se distanciar do seu envoltório corporal, sentindo limitações e restrições no controle do corpo espiritual, que se apresenta ligado ao veículo de matéria mais densa através de laços fluídicos e cordão magnético bastante flexível.

Em função disso, tentam, geralmente, voltar apressadamente para despertar em situação mais confortável no corpo carnal. Então, lembram-se apenas de sonhos assustadores e confusos, impossíveis de serem interpretados. Poucos fragmentos e raras particularidades das imagens e quadros vistos e ouvidos ficam retidos na memória do corpo material. Como as rápidas impressões captadas são demais superficiais para serem analisadas de modo coerente pelos sentidos corpóreos restritos, logo após o reajustamento da alma ao seu envoltório mais denso, há um rápido esquecimento dos sonhos confusos.

Certas almas são tão apegadas às ilusões das coisas materiais que são incapazes de assinalar a presença dos benfeitores espirituais pela visão. Então, permanecem nos ambientes da crosta da Terra e das suas vizinhanças com o umbral, pelas intoxicações mentais e condições lamentáveis no mundo íntimo. Apenas entram em sintonia com as vibrações dos malfeitores desencarnados, que as assediam fortemente, muitas vezes na condição de hipnotizadores, perseguidores, obsessores perigosos e verdugos implacáveis, que exploram as suas preferências banais.

ESFORÇOS QUE OS BENFEITORES ESPIRITUAIS FAZEM DURANTE O SONO PARA ORIENTAR AS ALMAS DE SEUS PROTEGIDOS PARA OS TRABALHOS HONESTOS E A PRÁTICA DO BEM

Muitas almas semilibertas do corpo denso pela influência do sono, levando consigo sua organização celular perispiritual, entram em contato direto com os seus benfeitores espirituais e espíritos familiares. Então, recebem valiosas lições e orientações que garantem a persistência no trabalho honesto e na realização das boas obras, em busca da vitória na programação feita antes da reencarnação.

Desse modo, são muitas as almas corporificadas na crosta da Terra que recebem, durante o sono do corpo denso, estímulos valiosos e conselhos oportunos. Assim, persistem voluntariamente, no estado de vigília, no bom uso da vontade e do livre-arbítrio; enobrecimento das faculdades; promoção das ações virtuosas;

eliminação da obscuridade no mundo mental e íntimo, sutilizando o veículo perispirítico; e amparo às pessoas e comunidades que precisam elevar as suas condições de vida.

VIGILÂNCIA PERMANENTE DOS BENFEITORES ESPIRITUAIS

Os benfeitores espirituais são muito vigilantes quanto às ocorrências no cotidiano dos seus protegidos. Quando necessário, eles adensam o perispírito durante o desprendimento parcial da alma do seu envoltório corporal, pelo sono físico, para que, mesmo com pouca lucidez mental sobre as realidades espirituais, elas os vejam, recebam conselhos e tomem as providências sábias que as mantêm distantes dos perigosos bandos de espíritos maus que atuam na crosta e suas vizinhanças com o umbral. Eles, antecipadamente, evitam que elas se metam em apuros de difícil e longo prazo para a solução.

Depois de reconduzidas de volta ao corpo físico, experimentam no estado de vigília péssimos pressentimentos mentais e passam a receber influências, inspirações e intuições que as sustentam nas atitudes, condutas e atividades nobres e nos esforços evolutivos nos campos do trabalho e do bem.

ALMAS DAS PESSOAS DE BEM DURANTE O SONO

As almas dos homens de bem se sentem bem-aventuradas durante o desdobramento do corpo material sob a influência do sono. Rapidamente, elas percebem a presença e entram em contado direto com os benfeitores espirituais, que, no estado de vigília, as acompanham, protegem e inspiram. Assim, são conduzidas aos trabalhos e serviços úteis ao bem-estar dos semelhantes, engrandecendo o caráter e o senso moral.

Muitas dessas almas, nos momentos do repouso corporal e desprendimento parcial da alma, são convidadas a fazer visitas e excursões instrutivas e valiosas para as instituições avançadas localizadas nas regiões da segunda esfera espiritual. Então, conhecem antecipadamente muitas das conquistas elevadas nas áreas das ciências, artes, religiões, profissões e atividades nobres, que, oportunamente, serão implantadas por espíritos missionários nas instituições e sociedades da crosta terrena.

Essas almas bem-aventuradas são facilmente identificadas fora do corpo físico pela imposição do sono, pelo trânsito fácil que desfrutam nos variados ambientes do lado espiritual; bela forma e aparência que sustentam no perispírito sutil e flexível; e as irradiações muito belas e luminosas, que formam um halo radioso em redor da personalidade.

VISITAS DAS ALMAS DAS MÃES SAUDOSAS DURANTE O SONO

As almas das mães saudosas pela ausência compulsória de seus rebentos queridos, quando se desligam parcialmente do envoltório de carne com méritos, são levadas por benfeitores espirituais para visitá-los em educandários muito bem estruturados e ajardinados. Então, sossegam a mente e o coração ao verem que eles estão abrigados, sendo bem amparados e educados e que nada se perdeu para a alma dos seus filhinhos desencarnados em tenra idade.

Elas ficam admiradas com a grandeza dos institutos que lhes servem, ao mesmo tempo, de domicílios e escolas muito bem administradas por educadores amorosos, sábios e carinhosos. Também com os princípios pedagógicos avançados, indispensáveis à continuidade do desenvolvimento intelectual e moral, até que seus lindos pequeninos tenham condições de retornar à esfera carnal para cumprir programas evolutivos.

Algumas mães descobrem que suas almas infantis conservaram no corpo espiritual certas impressões das doenças que suportaram antes da desencarnação. Mas, descobrem também que elas estão sendo muito bem amparadas e tratadas com recursos eficientes, em leitos bastante equipados, sob a vigilância atenta de médicos e enfermeiras, que buscam um rápido refazimento para a adaptação às novas condições de vida.

Algumas dessas almas recém-desencarnadas conservaram resquícios dos traumas mentais e íntimos que tiveram repercussões graves nos centros de força do perispírito. Mas, estão inseridas em processos acelerados de recuperação, recebendo tratamentos especializados e contando com os recursos mais eficientes para eliminar completamente os danos sérios que sofreram. Para algumas dessas almas, esse trabalho de reabilitação, regeneração e recuperação já estava em andamento antes mesmo da desencarnação, para resgate das dívidas assumidas em vida anterior.

Ao verem as suas mães queridas, as almas das criancinhas recém-desencarnadas querem insistentemente voltar para a casa dos pais terrenos. Então, os educadores bondosos são muito experientes e habilidosos em envolverem a alma das mães carnais nos tratamentos, para facilitarem e acelerarem a plena recuperação para a adaptação às novas e boas condições de vida no plano espiritual.

Muitas dessas criancinhas libertas dos laços carnais pela morte do corpo denso se recuperam tão rapidamente da grande transição que recebem, além das visitas das almas dos seus pais saudosos, também as de seus familiares encarnados, trazidas pelos entes queridos desencarnados. Então, há uma explosão de brincadeiras, alegrias, risos, satisfação e felicidade. Geralmente, as almas ou espíritos das avós e avôs maternos e paternos também se aliam aos trabalhos de recuperação e adaptação das almas das criancinhas recém-libertas do instrumento de carne.

Depois dessas visitas muito comoventes, mas de caráter temporário às almas das criancinhas, muitas vezes, as almas das mães, dos pais e familiares encarnados servem-se dos veículos especiais preparados para reconduzi-las até a crosta da Terra. É geralmente emocionante o fim das excursões consoladoras, inesquecíveis e muito agradáveis. Mas, os pais e familiares saudosos voltam alegres e surpreendidos com o reencontro que matou as saudades e causou boas impressões pelo gracioso halo de luz que alguns viram em volta do perispírito do seu pequenino amado, pelas conquistas anteriores de grande elevação intelectual, moral e espiritual.

Quando os educadores promovem esses reencontros das almas saudosas em bosques, jardins, campos floridos, extensas e lindas áreas livres ou recantos aprazíveis, há uma surpreendente exteriorização livre das emoções, sentimentos puros, ternuras e carinhos. Então, depois de muitos entendimentos sobre as novas condições de vida do filhinho, ficam as promessas de contatos permanentes, pelas marcas vigorosas registradas na memória imperecível, e que, muitas vezes, originam as imagens dos sonhos deliciosos que também amenizam as saudades da ausência prolongada dos entezinhos amados.

SURPRESAS AGRADÁVEIS DURANTE O DESPRENDIMENTO DA ALMA PELO SONO

Muitas almas, durante o seu desprendimento parcial pelo sono, ficam surpreendidas quando são colocadas em contato com muitos progressos maravilhosos que constataram na vida espiritual, por serem ainda desconhecidos na crosta terrena.

Essas visões, audições e percepções surpreendentes tornam o estado mental dilatado, ficando parcialmente registradas em sonhos. Mas, após o retorno ao invólucro de carne, entram em estado de adormecimento, pois são incompreensíveis e inexplicáveis para a mente encarnada, que perdeu a agudeza, e os sentidos ficaram limitados aos do veículo carnal. Mesmo as impressões e imagens muito fortes recebidas pelo cérebro do corpo material, através do cordão vaporoso e fluídico, que continuou ligando o perispírito ao envoltório denso, se desvanecem rapidamente, apagando os registros.

Somente as almas muito elevadas, que já conquistaram enorme poder mental, conseguem entender as partículas e os elementos maleáveis da matéria sutil existentes nos espaços espirituais que permitiram a implantação dos progressos surpreendentes. Mas, mesmo assim, quando retornam ao corpo carnal, precisam ser sustentadas pelos benfeitores espirituais para que conservem na memória as coisas inusitadas e surpreendentes que viram durante as excursões de aprendizado.

Instituições e locais muito variados visitados pelas almas moralmente elevadas

As almas virtuosas, semilibertas do envoltório corporal pela influência do sono, são, com muita frequência, levadas a fazer visitas às instituições amplas e bem estruturadas das colônias espirituais, ficando espantadas e admiradas com os ambientes muito brilhantes; bosques e parques extensos, com vegetação exuberante; jardins harmoniosamente elaborados, com plantas lindas que produzem flores perfumadas; prédios e edifícios com arquiteturas fulgurantes e originais, construídos com muito esmero; ambientes internos agradáveis, decorados com muitos mobiliários e objetos ornamentais; aves e animais que vivem em toda parte; moradores e trabalhadores gentis, tranquilos, alegres e felizes, pela qualidade moral; reencontros marcantes e comoventes em locais apropriados com os espíritos familiares saudosos e amigos inesquecíveis; atividades incessantes que são desenvolvidas em todas as localidades para o bem-estar comum; progressos e avanços que tornam maravilhosas as condições da vida espiritual, principalmente pelos esforços voluntários que são feitos, visando a prestação de serviços úteis aos semelhantes e fazer a felicidade deles.

Infelizmente, quando voltam para a vida de almas encarnadas, muito pouco fica retido na memória do cérebro de matéria densa. Mas, mesmo para elas, seria muito difícil conseguir suportar o choque das diferenças que caracterizam as duas realidades da vida. As poucas lembranças dos sonhos imprecisos e confusos se desvanecem logo, deixando no esquecimento tudo o que foi visto, percebido, visitado e vivenciado.

Com a aderência automática do perispírito ao envoltório de carne, o poder da mente e da memória fica bastante reduzido, deixando apenas pouquíssimas minúcias dos fatos verdadeiros, acontecimentos agradáveis, atividades e encontros espirituais marcantes e emocionantes. O retorno ao envoltório de carne elimina as fortes influências dos fios tenuíssimos de energia magnética que ligam o perispírito à forma física em repouso, impondo um esquecimento quase completo.

RELACIONAMENTOS MANTIDOS PELAS ALMAS MORALMENTE ELEVADAS

As almas que verdadeiramente se esforçam para elevar suas atitudes e condutas morais na vida na crosta da Terra, quando provisoriamente libertas do veículo de carne nos momentos do sono, desfrutam da presença e companhia dos benfeitores espirituais, bem como de seus espíritos familiares, amigos e protetores.

Então, estabelecem momentos de convivências e relacionamentos muitos agradáveis, que permitem a transmissão de instruções, lições, ideias, sugestões e mesmo soluções para os seus problemas ante as provas e missões.

Isso é muito importante para o sucesso no cotidiano do estado de vigília na vida corporal, mesmo conseguindo muito pouco reter na memória. Com a dissipação do conteúdo dos sonhos, as lembranças vagas e recordações esparsas das minúcias das ocorrências mais importantes ficam gravadas para sempre na memória eterna do espírito, exteriorizando-se nas ideias e intuições.

Sempre que a alma atravessa o espesso véu de vibrações que separa o plano espiritual da esfera física, para despertar do sono no corpo material, experimenta a perda das reminiscências agradáveis e dos instantes felizes vivenciados momentos antes. Restam apenas algumas imagens imprecisas dos sonhos, após a sua aderência natural ao corpo denso. Basta que a mente da alma se justaponha ao cérebro do corpo físico, para que as percepções, acuidade mental e as reminiscências fiquem abafadas, mas com a possibilidade de serem recuperadas ou retomadas apenas quando houver a sua volta definitiva para o reino espiritual.

REENCONTROS DAS ALMAS COMPROMISSADAS

Muitos espíritos que se viram separados compulsoriamente, pela morte de suas esposas amorosas ou de maridos respeitosos, depois que se adaptaram às novas condições de vida, passaram a receber a visita e amparo das almas de seus cônjuges afins, que continuaram encarnadas. Isso ameniza muitas das preocupações e saudades decorrentes da separação imposta pela desencarnação.

Esses reencontros espirituais são muito agradáveis, reconfortantes, comoventes e felizes. Eles são preparados para os momentos do sono corporal, pelos benfeitores espirituais ou espíritos familiares muito experientes no desligamento parcial da alma do seu envoltório grosseiro. Então, há a exteriorização do amor imperecível e a troca das informações que amenizam inclusive as preocupações com o andamento da vida dos filhos.

Os reencontros tornam-se complicados, quando a alma visitante reluta em retornar ao veículo pesado de carne, nas primeiras horas da manhã. Então, os assistentes experientes precisam levar a alma, compulsoriamente, para reassumir o seu envoltório fisiológico, direcionando ao cérebro emanações fluídicas anestesiantes, que impeçam a plena recordação das ocorrências e as lembranças perfeitas dos momentos de júbilo experimentados para não desestimular a mente a permanecer na superfície terrena, prejudicando a sua programação evolutiva.

Mas, geralmente, a alma visitante aceita retornar voluntariamente ao aparelho fisiológico. Então, desperta com sensações muito agradáveis e permanece com o bem-estar, coragem e ânimo novo, tendo recordações do espírito do ente querido despertadas com os sonhos imprecisos, que amenizaram as provas da viuvez e despertaram a resignação perante as leis.

PREPAROS PARA A DESENCARNAÇÃO DURANTE O DESPRENDIMENTO PARCIAL DA ALMA PELO SONO

Muitas almas virtuosas, que estão padecendo os processos avançados de enfraquecimento dos órgãos do corpo material, por suas boas obras e seus méritos morais e espirituais merecem as providências antecipadas dos benfeitores espirituais que as preparam para a breve desencarnação.

Então, durante os períodos do sono do envoltório corporal, elas se desdobram e passam por estágios preparatórios para o desligamento definitivo.

Muitas vezes, essas almas amparadas, mesmo no estado de

vigília, sentem a presença ou veem nitidamente os espíritos especializados, ou mesmo os espíritos familiares, que estão cuidando do seu desenfaixe do corpo físico, pelo esgotamento das energias vitalizantes dos órgãos do corpo físico bastante enfraquecido.

FORTALECIMENTO DAS ALMAS MISSIONÁRIAS PARA O ÊXITO EM SUAS MISSÕES

Incontáveis almas que estão cumprindo missões que vão aprimorar variados campos das ocupações e atividades, visando a elevação das condições de vida dos homens na crosta terrena, permanecem em contato mental muito estreito com os seus benfeitores espirituais, que lhes estimulam as boas tendências, ideias, impulsos e habilidades inatas, para o cumprimento das suas programações missionárias.

Durante a libertação parcial da alma pela influência do sono, elas são levadas por eles em excursões que atravessam as pesadas fronteiras vibratórias e chegam às instituições avançadas, onde recebem treinamentos sobre os modos de implantar inventos e importantes avanços nos meios familiares, científicos, políticos, econômicos, artísticos, religiosos, esportivos e sociais.

Enquanto a organização fisiológica está repousando, essas almas missionárias semilibertas são colocadas também em contato direto com as outras almas que também reencarnaram para participar e colaborar na disseminação das inovações progressistas. Elas formam uma equipe imensa encarregada de obter sucesso nos empreendimentos, pois trazem conhecimentos inusitados e experiências inatas de como cumprir as responsabilidades, com as imagens mentais que surgem naturalmente na consciência.

ALMAS DOS MÉDIUNS QUE SÃO TREINADAS DURANTE O DESPRENDIMENTO PARCIAL PELO SONO

As almas dos médiuns confiáveis, bem-intencionados e autênticos, são estimuladas pelos benfeitores espirituais, tanto no estado de vigília, quanto durante a ausência temporária do aparelho fisiológico pela imposição do sono, ao bom uso de suas faculdades mediúnicas e à prestação de serviços úteis, fraternos e desinteressados aos seus semelhantes.

Elas já foram treinadas, antes da reencarnação, para realizarem com êxito os trabalhos mediúnicos que irão descortinar ainda mais ou detalhar certos aspectos das realidades espirituais e morais, bem como a amplitude e as complexidades da obra de Deus.

Mas, fora do corpo denso, continuam sendo capacitadas para receber e transmitir as orientações, experiências, visões e audições com muita lucidez mental; cumprir com satisfação e a contento as suas tarefas mediúnicas; e ser intérpretes autênticos, seguros e instrumentos produtivos e preciosos na materialização das boas obras mediúnicas.

Durante os desdobramentos naturais para a vida espiritual elas são colocadas em contato direto com os espíritos enobrecidos e superiores que lhes determinam os planos de trabalhos espirituais complexos e exercem suas boas influências prévias para que executem com perfeição os serviços mediúnicos durante as atividades edificantes.

Por isso, geralmente, as almas dos médiuns acordam em estado de ventura e júbilo, mesmo com as recordações imprecisas que conseguiram ou foram ajudados a conservar na memória do corpo carnal.

Capítulo 37

ALIMENTAÇÃO DO PERISPÍRITO

⬅———⟨•♥•⟩———➡

Existe, ainda, a nutrição, contudo, o espírito geralmente absorve os elementos, que regeneram sua vitalidade no próprio oxigênio que respira, em inimagináveis condições de pureza e nas mais delicadas composições químicas da atmosfera. Alguns seres, aí aportando, necessitam, por força dos arraigados hábitos, de alimentos análogos aos da Terra, o que obtêm por algum tempo, mas apenas na aparência de realidade, ilusão esta que é consentânea com as superficialidades do corpo somático, até que se acostumem com as novas modalidades de sua existência.
Espírito Maria João de Deus, no livro *Cartas de uma morta*.

UMA VEZ ABANDONADO O envoltório carnal, pela conclusão do processo da desencarnação, o espírito depara-se com a necessidade de alimentar o seu perispírito, em função das suas condições mentais, do mundo íntimo e do grau de sutileza da matéria sutil que compõe o seu envoltório permanente.

Se ele, durante a jornada terrena, se escravizou aos vícios na alimentação do corpo material, às más paixões, sensações e gozos dos produtos alimentícios da vida corporal, sente a necessidade inquietante deles, a ponto de prosseguir atrelado ao mundo biológico dos familiares encarnados, alimentando-se no mesmo ambiente doméstico num processo de simbiose psíquica.

Essa continuidade na convivência no lar, no plano invisível ao homem, por um tempo mais ou menos prolongado, decorre da dependência do antigo ambiente dos familiares encarnados, pelas afinidades, e principalmente pelas inquietações, para dispor dos meios para suprir as supostas carências alimentícias do seu perispírito.

Desse modo, são muitos os espíritos, com o perispírito bastante denso para o plano espiritual, que buscam se alimentar junto de seus familiares encarnados, de modo quase semelhante ao que era habitual para o seu corpo material. Então, se adaptam a um dos numerosos processos que podem ser catalogados como osmose fluídica.

DETALHES DA ALIMENTAÇÃO DOS ESPÍRITOS PRESOS AOS FAMILIARES NA CROSTA DA TERRA

Muitos espíritos que se apegaram, excessivamente, aos seus familiares e maus hábitos alimentícios, ficam retidos no antigo lar na crosta da Terra. Então, continuam acompanhando, sem entender a imortalidade e realidades da vida da alma, as passadas situações domésticas, influenciando mentalmente, geralmente de um modo imperceptível, nas atividades, ocupações e preocupações dos seus entes queridos encarnados.

Assim, esses espíritos participam ainda, de modo oculto, em todos os assuntos ligados à antiga residência, inclusive alimentando-se, geralmente, pela absorção dos fluidos vitais alimentícios que são gerados no ambiente familiar nos momentos do preparo e consumo das refeições.

Muitos deles, além de se alimentarem juntos com os próprios familiares encarnados, muitas vezes, continuam dormindo nos mesmos aposentos ocupados pelos seus entes queridos. Assim, descansam de um modo semelhante ao que repousavam antes do desligamento definitivo da alma do corpo físico.

Muitos desses espíritos recusam-se em dispensar a alimentação do perispírito com os fluidos alimentícios que se desprendem dos pratos fumegantes. Então, absorvem com muita facilidade suas refeições, por terem continuado vinculados e atuando nos mesmos ambientes dos seus entes familiares encarnados.

Geralmente, essa absorção dos alimentos ocorre pelas narinas, quando respiram para sugar e captar os elementos e as substâncias cozidas e desintegradas pela ação forte do fogo.

Desse modo, sentem-se alimentados e satisfeitos, apreciando o mesmo sabor dos alimentos que apreciavam, quando estagiavam para evoluir na matéria densa organizada, revestidos pelo envoltório de carne.

Centros de reeducação alimentar

Geralmente, essas almas desencarnadas que continuaram ligadas aos entes queridos encarnados, pelos mesmos hábitos e gostos alimentares essencialmente terrenos, são insistentemente convidadas pelos benfeitores espirituais a se dirigirem a algum dos centros de reeducação alimentar, localizadas nas vizinhanças da crosta terrena com o umbral.

Se fizerem voluntariamente isso, serão treinadas a alimentarem o perispírito com porções adequadas de alimentação fluídica que, de algum modo, ainda se assemelham às suas preferidas de quando estavam encarnadas na crosta da Terra. Essa reeducação alimentar prosseguirá até que consigam melhorar as suas condições mentais e íntimas e se adaptarem às mudanças necessárias nos hábitos arraigados, sem prejuízo para as condições de saúde dos centros de força do perispírito.

Alimentação do perispírito das almas moralmente elevadas

As almas moralmente elevadas, que após o processo de desencarnação foram conduzidas pelos benfeitores espirituais para as instituições de refazimento instaladas nas colônias das regiões da segunda esfera espiritual, recebem cuidados, tratamentos e orientações, inclusive, sobre os novos modos de alimentação do perispírito.

Assim, vão paulatinamente se adaptando às dietas alimentícias típicas do plano espiritual, que são muito leves e em quantidade reduzida. Essas substâncias alimentícias são suficientes para suprir todas suas necessidades de alimentos, pois levam sempre em consideração o grau de enobrecimento do caráter e de sutileza do perispírito.

Alimentação pela assimilação fluídica

A porosidade acentuada do corpo espiritual dos espíritos moralmente mais elevados permite que eles se nutram preferencialmente pela assimilação cutânea dos elementos sutilizados que podem ser extraídos da natureza do plano espiritual.

Dessa forma, o corpo espiritual absorve e conserva em si mesmo as provisões de substâncias alimentícias que mantêm a sua vitalidade e potências energéticas. Essas operações nutritivas ocorrem geralmente através de variados processos de absorção e assimilação cutânea dos recursos alimentícios, satisfazendo plenamente as necessidades de alimentos do envoltório sutil.

Variedade na alimentação dos espíritos moralmente elevados

Os espíritos muito elevados encontram grande facilidade na alimentação do seu corpo espiritual, principalmente pela respiração, inalação e absorção dos princípios vitais existentes na atmosfera fluídica do plano espiritual.

Mas isso não impede que muitos deles incluam em sua alimentação certos caldos reconfortantes, sucos e concentrados alimentícios, frutas perfumadas e deliciosas, água fresca e elementos solares, elétricos e magnéticos.

NUTRICIONISTAS DO PLANO ESPIRITUAL

Nos centros de reeducação alimentar localizados nas instituições das colônias da segunda esfera espiritual, os espíritos recém-desencarnados em fase complicada de adaptação às novas condições de vida que mereceram por suas obras na pátria verdadeira, aprendem com nutricionistas espirituais as técnicas necessárias e condutas adequadas para a eficiente nutrição do seu corpo espiritual.

Então, passam a se alimentar inicialmente com as substâncias alimentícias que, de algum modo, se assemelham ainda as que eram consumidas na vida na crosta do planeta. Estes tipos de alimentos são encontrados em abundância nos centros de tratamentos dos departamentos dos Ministérios da regeneração e do auxílio, que amparam os espíritos que verdadeiramente se arrependeram de seus erros e mereceram ser resgatados das comunidades das regiões do umbral ou das inúmeras localidades da crosta da Terra.

Esses tipos de alimentos são destinados a amparar grande número de espíritos enfermos, perturbados e sofredores, que inclusive foram beneficiados com as intercessões dos seus familiares desencarnados. Então, são internados para passar por tratamentos prolongados, necessitando de uma alimentação que esteja compatível com o estado do seu mundo mental e íntimo e o grau de densidade do perispírito.

REFEIÇÕES DE ACORDO COM OS DIVERSOS GRAUS DE ELEVAÇÃO MORAL E ESPIRITUAL

Os espíritos moralmente imperfeitos, que ficaram retidos na crosta da Terra ou que vagam pelas regiões do umbral buscando acesso à vida dos homens na crosta terrena, geralmente recorrem aos locais que julgam mais apropriados a obter a necessária alimentação para o perispírito. Muitos deles procuram identificar os homens que preparam e consomem os seus alimentos preferidos, para também se alimentarem deles pela absorção fluídica.

Por outro lado, os espíritos mais elevados, que já habitam as cidades das regiões da segunda esfera espiritual, recorrem a processos de alimentação muito mais agradáveis. Eles foram ajudados a se adaptar perfeitamente às boas condições de vida e aprenderam com nutricionistas a dispensar, quase que por completo, uma alimentação densa e a recorrer a uma que está condizente com a sua elevação moral e espiritual e consequente sutileza no perispírito.

Mas, mesmo assim, em algumas residências localizadas em zonas de prestação de serviços muito pesados e realização de trabalhos e tarefas mais rudes, as alimentações são preparadas de modo a oferecer abundantes energias mais densas, necessárias a empreender os grandes esforços. Então, os servidores recorrem aos alimentos concentrados que contêm grandes quantidades de energias mais densas que suprem as necessidades de trabalho do perispírito.

Já os espíritos bastante elevados conseguem atravessar vários dias em serviço ativo sem precisar recorrer à alimentação densa. Eles apenas absorvem com eficiência os elementos mais puros encontrados na água e na atmosfera espiritual. Então, a alimentação desses espíritos nobres obedece a uma dieta muito sóbria, chegando mesmo a atingir um nível inimaginável, quando comparada com a que é exigida para o homem na crosta da Terra.

A VIDA NAS ESFERAS ESPIRITUAIS | 281

De um modo geral, quanto mais evoluído moralmente e espiritualmente, o espírito adota um processo de alimentação cada vez mais leve para o seu perispírito, absorvendo facilmente substâncias alimentícias cada vez mais sutis, fluídicas e delicadas.

PRODUÇÃO, DISTRIBUIÇÃO E CONSUMO DE ALIMENTOS NAS REGIÕES DA SEGUNDA ESFERA ESPIRITUAL

Os bons espíritos que habitam as colônias das regiões da segunda esfera espiritual foram conscientizados pelas nutricionistas da importância do atendimento correto das necessidades alimentícias do perispírito.

Para isso, ao longo dos milênios de colonização, os bons espíritos formaram complexos sistemas de produção, distribuição e consumo de alimentos.

Desse modo, sempre encontram à disposição, em abundância, variados tipos de alimentos produzidos e encaminhados aos serviços centrais de distribuição. Depois disso, são levados aos centros de consumo para o atendimento das necessidades alimentícias dos habitantes em geral.

Nos cursos nos centros de educação alimentar, os bons espíritos recém-chegados da crosta da Terra aprendem a gerenciar corretamente suas provisões de alimentos, para que sejam usados dentro do estritamente necessário para as suas refeições indispensáveis ao bem-estar, sem qualquer tipo de desperdício.

FÁBRICAS DE PRODUTOS ALIMENTÍCIOS

As colônias das regiões da segunda esfera espiritual contam ainda com inúmeras fábricas produtoras de alimentos, dos mais variados tipos, tais como sucos das frutas, concentrados alimentícios e produtos derivados dos cereais que foram colhidos nas extensas áreas agrícolas de cultivo e produção.

Essas fábricas de transformação e elaboração de alimentos são muito bem estruturadas, atendendo perfeitamente todas as necessidades de alimentação e manutenção da saúde no corpo espiritual.

ÁREAS DE CULTIVO PARA A PRODUÇÃO DE MEDICAMENTOS

É muito grande e organizada a produção de cereais, vegetais, frutas e alimentos diversificados nas áreas férteis das regiões da segunda esfera espiritual. Mas, algumas dessas áreas foram reservadas especificamente para a produção especializada de produtos destinados à elaboração de substâncias medicamentosas.

É que muitos dos espíritos doentes e sofredores, que foram resgatados das regiões do umbral ou da crosta da Terra, pelas melhorias mentais e íntimas, precisam de remédios eficientes para a recuperação da saúde do perispírito.

Muitos deles, depois de internados em hospitais e instituições para tratamentos e restabelecimento da saúde, necessitam de muitos remédios que ajudam na obtenção da cura de certos órgãos do perispírito que estão enfermos.

ENERGIAS INDISPENSÁVEIS AOS TRABALHOS, OCUPAÇÕES E ATIVIDADES INCESSANTES

Os bons espíritos logo se conscientizam sobre a importância do cumprimento da lei do trabalho para evoluir na vida em comunidade. Então, precisam estar com o perispírito corretamente alimentado para a preservação da sua vitalidade e das energias dos seus centros de força. Assim, consomem com parcimônia os produtos alimentícios que garantem o pleno vigor, estando sempre bem-dispostos para a realização dos trabalhos, ocupações e atividades, que promovem os progressos e o bem-estar individual e coletivo.

Esses bons espíritos participam e concorrem voluntariamente, com suas atitudes e condutas nobres, para a manutenção e aprimoramentos na organização eficiente da produção, distribuição e consumo dos alimentos. Com a base sólida já estabelecida, empreendem os esforços prolongados e exaustivos que garantem a conquista dos progressos maravilhosos e incessantes para si mesmos e a comunidade.

Capítulo 38

Roupas para o perispírito

────────⟨ • ♥ • ⟩────────

Os espíritos moralmente elevados se preocupam em estar sempre bem apresentáveis, inclusive, mantendo o corpo espiritual sadio e bem-vestido com roupas lindas e bem elaboradas, por eles mesmos ou por outros espíritos especializados na produção das vestimentas.

Assim, apresentam-se em público com lindas aparências e roupas, respeitando o hábito humano milenar de manter as conveniências nos relacionamentos em ambientes domésticos, locais de trabalho e variadas reuniões sociais, frequentados por familiares e habitantes das colônias espirituais.

Mas, cada espírito se apresenta com a vestimenta que melhor atende às exigências dos ambientes e que expresse os seus gostos e estado de alegria e felicidade no mundo mental e íntimo.

Vestimentas dos espíritos moralmente inferiores

Os espíritos moralmente imperfeitos, que vagam pelas comunidades da crosta da Terra ou do umbral, ainda iludidos com a ociosidade, entretenimentos vulgares e a satisfação dos vícios e necessidades do perispírito bastante denso, se apresentam nos variados ambientes do lado da vida espiritual usando trajes bastante simples. Alguns deles, muitas vezes, usam trajes rotos, condizentes com as suas despreocupações rotineiras em melhorar o mundo mental e íntimo, progredir e construir para si mesmos um futuro melhor com os trabalhos dignos.

Muitos desses espíritos retidos na crosta da Terra ou nas regiões da primeira esfera da vida espiritual (umbral), quando merecem ser resgatados pelos benfeitores espirituais, por terem despertado na mente os desejos sinceros de melhoria nas suas condições de vida, apresentam-se trajando trapos, porque suas roupas, que já eram muito simples, se estragaram nos ambientes conturbados e com os males e sofrimentos que experimentaram nas localidades hostis e rudes do umbral.

LINDAS VESTIMENTAS USADAS PELOS ESPÍRITOS NOBRES

Já os espíritos enobrecidos, pelos esforços na elevação intelectual e moral, vestem-se, geralmente, com trajes muito lindos e bastante formais, o que permite que sejam facilmente identificados. Suas roupas possuem detalhes resplandecentes, feitas com tecidos muito leves e luminosos. O linho e a seda existentes na crosta do planeta se aproximam ou se assemelham destes panos que se prestam para as confecções. Dessa forma, as roupagens dos espíritos superiores são muito lindas, ressaltando a beleza angelical na forma, aparência e traços fisionômicos do perispírito.

Quando esses espíritos superiores materializam o seu perispírito nas regiões das esferas espirituais mais baixas do plano espiritual ou mesmo nas sessões espíritas de materialização de espíritos na crosta da Terra, se apresentam vestindo trajes muito lindos, brilhantes e mesmo resplandecentes, revelando a condição nobilíssima que já desfrutam na hierarquia espiritual.

Capítulo 39

LUMINOSIDADE DO PERISPÍRITO

O PERISPÍRITO RETRATA PERFEITAMENTE as reais condições mentais e do mundo íntimo de cada espírito. Então, os espíritos ainda moralmente imperfeitos, que vagam na crosta da Terra ou habitam nas comunidades das regiões conturbadas da primeira esfera espiritual, são facilmente identificados pelo seu corpo espiritual formado com fluidos bastante densos, o que lhe dá uma aparência opaca, não muito diferente da do envoltório temporário de carne que o revestiu durante a sua existência na esfera material.

Porém, à medida que forem melhorando suas condições mentais e íntimas, como forma de se libertarem das decorrências da lei de causa e efeito para as suas obras nefastas, e realmente começarem a se esforçar para o exercício do bem, começarão a emitir luminosidades muito fracas no perispírito, as quais irão se intensificando com a persistência nas práticas virtuosas. Com as melhoras interiores, surgirão as claridades mais intensas no corpo sutil, distinguindo-os facilmente dos outros espíritos que permaneceram rebeldes e vinculados ao mal.

Os espíritos moralmente elevados, por sua vez, são reconhecidos de imediato pela beleza na aparência, boa apresentação da vestimenta, além do perispírito muito brilhante, o que embeleza ainda mais suas roupas, pelo esplendor das luzes emitidas.

Já os espíritos superiores são admirados pelas lindas e coloridas luminosidades que emanam do seu perispírito, particularmente da região do tórax, pela nobreza nos sentimentos. Distinguem-se ainda dos demais espíritos pela fronte marcada pela emissão de luzes muito intensas e com cores muito variadas, lindas e sublimes, em função das suas qualidades intelectuais. A esplêndida luminosidade do perispírito deles repercute-se inclusive em seus lindos trajes, tornando-os muito belos, coloridos, brilhantes e mesmo radiosos.

Esses espíritos detentores da sabedoria e do amor, com luminosidades esplendorosas no perispírito, e consequentemente nas vestimentas, servem de estímulos às conquistas intelectuais e morais e de esperança no futuro grandioso que Deus determinou para os espíritos empenhados na ascensão na hierarquia espiritual.

Portanto, o perispírito, com suas propriedades, características e peculiaridades, às quais se repercutem, inclusive, nas vestimentas dos espíritos, é instrumento da Justiça de Deus. Ele presta-se, naturalmente, à identificação da posição de cada espírito na hierarquia verdadeira.

Capítulo 40

COMUNICAÇÃO E LINGUAGEM DOS ESPÍRITOS ELEVADOS

—————⟨•♥•⟩—————

OS ESPÍRITOS MORALMENTE ELEVADOS que habitam as colônias das regiões da segunda esfera espiritual continuam se servindo dos mesmos idiomas que aprenderam e utilizavam para as suas comunicações faladas e escritas, quando estavam encarnados numa das regiões da crosta da Terra.

Assim, os povos formados pelas similitudes dos seus mais variados costumes continuam falando as mesmas palavras e usando suas formas habituais de expressão, para se entenderem nas suas relações, convivências e necessidades nas colônias.

Muitos deles, quando precisam se comunicar com os homens, através de certos médiuns autênticos, promovendo suas manifestações inteligentes, empregam as mesmas linguagens que lhes são habituais na comunicação com os seus semelhantes. Assim, surgem, por exemplo, incontáveis livros psicografados, dos mais simples aos mais complexos, direcionados às personalidades encarnadas, transmitindo-lhes mensagens, conceitos, propósitos, revelações, histórias, romances, lições, ensinamentos e orientações valiosas.

Desse modo, no cotidiano das comunidades, colônias, instituições e lares do plano espiritual mais elevado, os bons espíritos trocam entre si informações, acontecimentos, fatos, conhecimentos, experiências, ideias, percepções, desejos, anseios, sentimentos, emoções e pensamentos, empregando sempre um linguajar nobre, fraterno, respeitoso e instrutivo.

Já os espíritos bastante elevados moralmente utilizam nas regiões da sua esfera espiritual a comunicação através da transmissão direta dos seus pensamentos, de mente para mente. Eles já adestraram suas faculdades mentais para isso, não encontrando limitações de distâncias, nem barreiras linguísticas para se comunicar uns com os outros.

Assim, desenvolvem diálogos muito proveitosos, mesmo estando a longas distâncias uns dos outros, empregando formas de expressões muito precisas e respeitosas nas suas tratativas e comunicações.

Esses espíritos superiores se distinguem e são reconhecidos facilmente pelo estilo nobre e uso muito elevado, gentil, sábio e amoroso das formas de expressão nas relações e comunicações com os espíritos de todas as ordens.

Capítulo 41

VOLITAÇÃO

Sentia-me na posse das faculdades volitivas, que obtivera com o meu desprendimento da vida carnal, e, numa fração infinitésima de tempo, estava ao vosso lado.

Podem os espíritos locomoverem-se como o faziam na Terra, lenta e pesadamente, mas não há necessidade de que assim se proceda. Graças às nossas faculdades volitivas, vencemos as maiores distâncias com rapidez inimaginável, podendo estacionar em qualquer ponto até a zona que nos é possível atingir em nossas condições de relativo desenvolvimento espiritual.

Espírito Maria João de Deus, no livro *Cartas de uma morta*.

Após o processo de desencarnação, a individualidade espiritual ressurge na vida espiritual com algumas alterações naturais em seu corpo espiritual, mas sem que haja grandes inovações na sua constituição, porque a Natureza não dá saltos.

Invariavelmente, ela necessita se adaptar paulatinamente às novas condições de vida que encontrou no mundo de matéria em estado sutil. Para isso, os espíritos bondosos são assistidos e amparados pelos benfeitores espirituais e espíritos familiares e amigos, que os ajudam nas aquisições diferentes e nas habilidades novas que precisam adquirir em seus novos campos de atuação e evolução.

VOLITAÇÃO DOS ESPÍRITOS RETIDOS NO UMBRAL OU NA CROSTA DA TERRA

Os espíritos vulgares, que ficaram retidos nas regiões do umbral ou nas circunvizinhanças da crosta da Terra, pela pobreza moral e espiritual e decorrente da baixa capacidade vibratória no perispírito, não contam com o poder de realizar grandes feitos na volitação. Isto só é possível para os bons espíritos que habitam as colônias das regiões das esferas espirituais mais elevadas, cujo perispírito possui grande sutileza, pelas suas notáveis condições mentais e do íntimo.

Os espíritos inferiores conseguem apenas desenvolver alguns princípios do impulso volitante, mas que não são suficientes para fazer uma locomoção muito rápida. Mesmo despendendo grandes esforços não conseguem expandir suas capacidades volitivas, nem realizar excursões longas nas alturas. Falta-lhes principalmente a sublimação mental, sentimental, emocional e nos pensamentos, para que o perispírito adquira a sutileza necessária para as grandes ascensões e os longos percursos. Por isso, quase todos eles continuam com muitas restrições nos deslocamentos ou na locomoção. Então, precisam utilizar as próprias pernas para percorrer as distâncias.

VOLITAÇÃO DOS ESPÍRITOS ELEVADOS

Já os espíritos elevados adestraram suas faculdades para fazer volitações fáceis e muito rápidas para as regiões dos mais variados círculos da vida espiritual. Com seus já admiráveis cabedais de sabedoria e amor, atravessam imensas distâncias em curtíssimos espaços de tempo, vencendo facilmente as resistências naturais com o domínio dos princípios, técnicas e plenitude na volitação.

Assim, desfrutam das deliciosas sensações das viagens longas e muito rápidas, pelas lindas paragens, com naturezas admiráveis, em função dos comandos dados pela vontade firme e a mente sublimada, obedecidos pelo perispírito muito sutil.

VOLITAÇÃO PARA AS VISITAS AOS FAMILIARES NO ANTIGO LAR TERRENO

São costumeiras as visitas que os bons espíritos fazem aos entes queridos que ficaram encarnados no antigo lar terreno. Assim, estreitam as afinidades e os laços afetivos e espirituais. Para isso, geralmente, empregam os princípios da volitação, para obter uma locomoção fácil e rápida.

Com grande preparo no mundo mental e íntimo suportam os impactos das grandes alterações que ocorrem no meio familiar, em função das missões, provas e lutas; e acompanham as atividades, protegem, influenciam, inspiram e orientam pelo fio mental seus entes queridos, para que obtenham sucesso nas suas jornadas evolutivas.

Quando não podem fazer visitas, devido às suas ocupações e atividades, acompanham seus familiares pela visão à distância.

LOCOMOÇÃO A PÉ

Até mesmo os espíritos mais elevados, muitas vezes, sentem a necessidade de caminhar, do mesmo modo que o faziam quando envergavam um corpo carnal na vida terrena. Assim, locomovem-se do modo tradicional, utilizando as próprias pernas, pelas ruas, avenidas, jardins e parques das colônias espirituais ou mesmo das mais variadas comunidades do umbral ou da crosta da Terra.

Mesmo depois do adequado adestramento das faculdades volitivas, os espíritos enobrecidos podem se utilizar dos veículos e meios de transporte que os levam às mais variadas localidades das colônias espirituais, mesmo às localizadas a longuíssimas distâncias.

Os meios de transportes para esses deslocamentos internos nas colônias espirituais são construídos com materiais muito leves e flexíveis, nas grandes oficinas de serviços de trânsito e transportes. Mas, evidentemente, precisam observar os critérios rígidos de horários e utilização. Também preferem se servir desses veículos eficientes de transporte, quando precisam se deslocar em equipes e com equipamentos para locais distantes, em cumprimento a certas tarefas específicas.

LIMITAÇÕES À VOLITAÇÃO IMPOSTAS PELO PERISPÍRITO

Mesmo os espíritos moralmente elevados, algumas vezes, sentem certas limitações à volitação, que são impostas ao perispírito, principalmente quando pretendem percorrer rapidamente certas regiões do umbral que possuem vibrações muito densas. Então, preferem recorrer aos meios de transporte público. Assim, atingem com mais segurança os mais variados e diferentes domínios vibratórios da esfera espiritual relativamente muito densa e conturbada.

Algumas vezes, nem mesmo isso é possível, pelos obstáculos vibratórios fortes e empecilhos naturais intensos. Então, preferem ir andando. Assim, chegam, percorrendo caminhos e vias, evidentemente gastando muito mais tempo para vencer as longas distâncias, aos locais onde precisam atuar em benefício dos espíritos doentes e sofredores.

VASTAS DISTÂNCIAS QUE OS ESPÍRITOS PRECISAM PERCORRER PARA CHEGAR ÀS REGIÕES DAS ESFERAS ESPIRITUAIS MAIS ALTAS

Partindo das colônias das regiões da segunda esfera espiritual, os espíritos evoluídos, utilizando suas excelentes capacidades e faculdades volitivas bem adestradas, elevam-se para vencerem as enormes distâncias, de modo fácil e rápido, e chegarem às lindas e luminosas colônias das regiões sublimes do mundo espiritual, onde foram autorizados a fazer visitas, cumprir estágios evolutivos e realizar tarefas importantes aos seus progressos.

PODERES DA MENTE E CAPACIDADE DE VOLITAÇÃO

A volitação com bastante desenvoltura depende da concentração da vontade, do desejo ardoroso e da força do pensamento na mente. Com isso, o perispírito se desloca de modo muito rápido para a localidade desejada.

Evidentemente, isso só é conseguido após os treinamentos dos poderes extraordinários das potências da mente; experiências no direcionamento da vontade e sustentação dos impulsos, desejos e pensamentos no objetivo a ser atingido. Assim, ocorre o deslocamento instantâneo do corpo espiritual muito sutil, controlado pelo pleno domínio mental. Para os espíritos elevados, esses deslocamentos podem ser até mesmo para as regiões das esferas espirituais dos outros planetas do nosso sistema solar.

> É para a vossa ciência uma afirmativa audaciosa, dizer-vos que pude ver o planeta Marte, identificando-me com os seus elementos a fim de conhecer de mais perto as suas belezas ignoradas. (...) Como das outras vezes, meus amigos, não pude fazer sozinha uma excursão dessa natureza. O guia de sempre conduzia os meus passos. E foi assim que bastou um pensamento forte de nossa vontade, concentrada nesse objetivo, para que efetuássemos essa viagem vertiginosa, cuja duração foi de poucos segundos, de acordo com a vossa contagem do tempo aí na Terra.
>
> **Espírito Maria João de Deus, no livro *Cartas de uma morta*.**

VOLITAÇÃO E COMUNICAÇÃO MENTAL DOS ESPÍRITOS SUPERIORES

Os espíritos superiores dominam com muita habilidade o poder de volitação. Então, se deslocam facilmente para onde desejam estar para a execução dos desígnios de Deus. Mas, geralmente, fazem isso sem se isolarem, porque podem manter contatos mentais à distância com seus companheiros afins.

Para eles, as conversações e entendimentos mentais são ocorrências habituais, porque apreciam estar unidos uns aos outros pelas características, sintonias e afinidades. Suas transmissões imediatas dos pensamentos de uns para os outros tornam os membros de suas enormes equipes muito unidos entre si, o que permite que cumpram em consenso e com segurança suas missões, mesmo suas tarefas socorristas. Com voos rápidos, altíssimos e prazerosos, graças à inimaginável sutileza do perispírito, não conhecem as barreiras vibratórias das regiões estratosféricas ou da ionosfera da Terra. Assim, se dirigem com facilidade e rapidez a toda parte das regiões da crosta da Terra, das suas esferas espirituais e mesmo dos outros planetas e suas luas do nosso sistema solar.

Capítulo 42

MÁQUINAS, APARELHOS E VEÍCULOS CONSTRUÍDOS PELOS BONS ESPÍRITOS

———◆———⟨ · ♥ · ⟩———◆———

Os BONS ESPÍRITOS QUE habitam as colônias das regiões da segunda esfera espiritual se especializaram em empregar adequadamente as suas faculdades intelectuais e mentais na transformação e organização dos recursos naturais que possibilitam a construção de muitas máquinas, aparelhos, equipamentos e veículos úteis ao transporte e à satisfação de suas necessidades no cotidiano. Além disso, muitos espíritos ocupam-se diariamente com as reparações dos que ficaram danificados, devido o uso intenso no dia a dia.

APARELHOS DE SONDAGEM DO MUNDO MENTAL E ÍNTIMO

Certos espíritos engenheiros se especializaram, depois de muitas pesquisas, dedicações e esforços, na construção dos aparelhos que são usados pelos benfeitores espirituais na sondagem do mundo mental e íntimo dos espíritos encarnados ou mesmo dos desencarnados, que ficaram retidos nas regiões do umbral ou da crosta terrena.

Assim, obtêm rapidamente informações seguras e exatas sobre o grau de moralidade, padrão dos sentimentos, nível de controle das emoções, elevação dos pensamentos, qualidade do caráter e registros na memória do bom ou mau uso que fizeram das faculdades.

Esses pequenos aparelhos de auscultação são muito eficientes e utilizados nos atendimentos e socorros prestados tanto aos homens, quanto aos espíritos moralmente imperfeitos, porque identificam com notável exatidão e facilidade as deficiências morais e espirituais individuais que desencadearam suas condições de vida, devido à lei de causa e efeito.

Construção dos veículos de transporte

Muitos engenheiros e técnicos especializaram-se nos projetos e construção dos mais variados tipos de veículos destinados a servir de meios de transporte para os espíritos que sentem limitações ou mesmo impossibilidade em recorrer à volitação. Então, servem-se deles para suprir suas necessidades de deslocamentos para os locais onde não podem ir andando ou volitando.

Muitos desses veículos se destinam especificamente para o transporte confortável dos espíritos que precisam chegar aos seus locais diários de trabalho e de produção dos bens e serviços indispensáveis à sustentabilidade das suas colônias.

Outros veículos ainda servem para o transporte dos espíritos que estão em fase de adaptação às novas condições de vida e às diferentes realidades espirituais que encontraram após a desencarnação. Então, precisam se dirigir a locais onde são mantidos os cursos de aprendizados, orientações e treinamentos para que dominem as possibilidades do perispírito e desenvolvam novas habilidades indispensáveis para o bem-estar cotidiano.

Muitos veículos especiais são utilizados pelos benfeitores espirituais, quando precisam realizar certos trabalhos complexos e difíceis de salvamento e transporte dos espíritos sofredores e doentes. Muitos destes precisam ser retirados, enfrentando dificuldades naturais das regiões inferiores do umbral ou de certas localidades da face da Terra e serem transportados para a internação em institutos de tratamento, refazimento e renovação mental e do mundo íntimo, com bons reflexos nos centros de força do perispírito.

Existem ainda os veículos que foram construídos especificamente para percorrer os caminhos e estradas que levam os espíritos em suas visitas aos familiares que ficaram encarnados na superfície terrena. Eles são indispensáveis aos espíritos ainda inexperientes em se locomover por conta própria e evitar o contato direto com os bandos de espíritos maus e perigosos que vigiam certas áreas do umbral que dão acesso à superfície do planeta.

Os veículos muito espaçosos geralmente são utilizados pelos grupos de passageiros que foram autorizados para fazer viagens, excursões prolongadas, estudos demorados ou estágios valiosos em setores de atividades existentes apenas em outras colônias espirituais em regiões bem distantes.

Muitos destes veículos amplos foram adaptados para os trabalhos exclusivos dos benfeitores espirituais. Eles atendem as exigências dos serviços complexos de socorro. As necessidades de prestação desses trabalhos foram identificadas nas preces que foram lidas, analisadas e mereceram ser atendidas. Então, os socorristas se servem desses meios de transporte que levam suas grandes equipes com muitos equipamentos e recursos necessários.

Existem ainda os veículos voadores. Eles foram construídos para cobrir longas distâncias. Então, partem diariamente das colônias das regiões da segunda esfera espiritual para chegar com segurança, rapidez e sem escalas nas regiões da crosta da Terra. Geralmente, eles transportam muitos espíritos recém-desencarnados que receberam a autorização para visitar os seus familiares e entes queridos no antigo domicílio terrestre, visando a amenizar as saudades e facilitar a aceitação e adaptação às novas condições da vida no plano espiritual.

Também servem de conduções regulares para as equipes de espíritos esclarecidos que precisam atingir as regiões do mundo físico com muita rapidez, para desenvolverem suas atividades espirituais de proteção e melhoria do bem-estar dos espíritos encarnados. Depois da prestação de seus serviços urgentes e complexos, as equipes tomam as conduções que retornam para as suas localidades de origem, levando trabalhadores exaustos, mas felizes, pelo reto cumprimento dos seus deveres fraternos.

Sistemas de transporte eficientes

Os sistemas de transporte numerosos e eficientes servem os habitantes em geral das colônias espirituais, inclusive, quando eles desejam ou precisam ir para as muitas localidades das regiões do umbral ou da crosta da Terra. São muitos os espíritos generosos que se dispõem a executar serviços fraternos valiosos ou desenvolver atividades importantes aos habitantes, familiares ou amigos em condições aflitivas.

Então, geralmente, eles se servem dos veículos voadores. Assim, conseguem chegar rapidamente com suas equipes e equipamentos até as proximidades da crosta terrena, onde montam seus postos de assistência e trabalho. Durante a execução das suas tarefas específicas, esses servidores adestrados beneficiam muitos espíritos ou homens enfermos e desencantados, superando as barreiras que impõem locomoções difíceis, resistências vibratórias naturais que dificultam a circulação dos veículos de solo e precariedades dos caminhos existentes nas regiões do umbral e nas vizinhanças da crosta da Terra.

VEÍCULOS ESPECIAIS PARA A CHEGADA ÀS REGIÕES MUITO CONTURBADAS E ESCURAS DO UMBRAL

Certos veículos de transporte foram projetados e construídos pelos engenheiros com características muito específicas para suportarem os trajetos muito difíceis pelos caminhos tortuosos das regiões muito áridas e conturbadas da primeira esfera da vida espiritual. Sem as suas resistências especiais não conseguiriam adentrar nas paisagens nevoentas, escuras, densas, frias, revoltas e tempestuosas.

Depois de vencerem as enormes dificuldades de deslocamento por caminhos muito precários, deixam os espíritos socorristas nos locais onde estão muitos espíritos sofredores, doentes e deformados, pois na vida carnal se tornaram imprudentemente viciosos, suicidas, maldosos, perversos ou criminosos. Estes já demonstraram sinais de arrependimento verdadeiro pelos atos nefastos praticados. Então, merecem uma oportunidade regenerativa que os levem a uma reencarnação expiatória, graças à misericórdia na Justiça de Deus.

Para a viagem de volta, esses veículos especiais se deparam novamente com as difíceis condições climáticas e os mesmos obstáculos, principalmente os decorrentes das emissões vibratórias pesadas, do grau de condensação dos fluidos e da matéria e dos resíduos escuros da matéria mental emitida pelos espíritos em baixa condição moral e enorme pobreza espiritual. As formações fluídicas pesadíssimas, decorrentes das emissões dos sentimentos maus e pensamentos nefastos comprometem a navegação, mas são bem suportadas por esses veículos construídos com características e materiais muito especiais.

Outros veículos especiais que são utilizados pelos espíritos socorristas

Os veículos especiais utilizados pelos espíritos socorristas para chegarem às regiões agitadas, trevosas e tristes ou mesmo subcrostais do umbral, para o cumprimento de suas missões, trabalhos e tarefas nobres junto aos espíritos doentes, deformados e sofredores foram projetados e construídos com materiais muito resistentes. Então, suportam as dificuldades mais inesperadas que podem surgir nos territórios vastos, perigosos, desolados, mas habitados por milhares de criaturas muito rebeldes, maldosas e decadentes, que se aglomeram em espécies de estados anárquicos.

Mas, mesmo esses espíritos, quando desejam ardentemente melhorar suas condições de vida, são socorridos pelos benfeitores espirituais e merecem ser encaminhados para uma reencarnação evolutiva. Mesmo aqueles espíritos que se mostraram resistentes aos trabalhos de regeneração, porque se rebelaram às disciplinas rígidas e esquemas duros e sérios de melhorias nas condições mentais, íntimas e perispirituais, pelo controle dos maus hábitos, atitudes e condutas, tendo fugido aborrecidos e contrariados da internação nos institutos de recuperação, merecem uma segunda oportunidade. Mas, desta vez, já sabem que a visão dos bons espíritos penetra facilmente no seu verdadeiro eu, descortinando toda a verdade e autenticidade da sua natureza mental e íntima; que o conteúdo de qualquer pensamento emitido, por mais íntimo que seja, é facilmente lido pelos espíritos de luz, como se eles estivessem lendo um livro completamente aberto.

Então, com o agravamento que experimentaram nas condições de vida, aceitam com obediência a nova oportunidade de trilhar um programa árduo de melhoria no mundo mental e íntimo e de preparação para a reencarnação expiatória.

Veículos muito especiais para as caravanas socorristas

Certos veículos muito especiais são destinados às caravanas de fraternidade e socorro que precisam adentrar nas regiões do umbral muito complicadas, pelos obstáculos de difícil previsão que podem aparecer. Além disso, eles vão percorrer as ruas das pequenas cidades, vilarejos, povoações, comunidades e aldeamentos, onde as inteligências pervertidas, más, violentas e vingativas escravizam e maltratam por ódio e desejos de vingança muitos espíritos que cometeram atos gravíssimos que desequilibraram a mente e o mundo íntimo, com reflexos sérios no perispírito.

Geralmente, esses veículos especiais são muito grandes, pois transportam numeroso grupo de espíritos que foram pais, avós, esposos, filhos, e irmãos dos espíritos familiares, que foram egoístas, arrogantes, imprevidentes, viciosos, maus e criminosos. Eles já se arrependeram de verdade do que fizeram, merecendo a bênção de ser resgatados das regiões perigosas e trevosas do umbral pelos membros dessas caravanas.

As equipes enormes que trilham em busca dos espíritos selecionados incluem os trabalhadores especializados em assistência, resgate e benefícios aos desencarnados em péssimas condições de vida, dedicando-lhes amor, bondade, renúncia, devotamento, humildade e paciência.

Depois de resgatados, recebem a oportunidade de tratamento, regeneração e reencarnação, mesmo aqueles que desenvolveram deficiências mentais e inibições graves no perispírito, graças às intercessões dos espíritos familiares que participaram das caravanas em nome da misericórdia de Deus. Sem isso, as almas dos seus entes queridos estariam entregues a si mesmos para aproveitar as oportunidades de recapitulação, expiação, combate às más tendências, freio às novas quedas, reeducação, corrigenda, retificação, reequilíbrio, burilamento moral e elevação espiritual.

VEÍCULOS CONFORTÁVEIS QUE CIRCULAM PELAS BOAS ESTRADAS CONSTRUÍDAS PELOS BONS ESPÍRITOS

Existem, por fim, os veículos muito lindos e confortáveis, que foram fabricados pelos bons espíritos especificamente para circular nas longas estradas, bem estruturadas e equipadas das regiões belas e floridas da segunda esfera espiritual. São meios de transporte e locomoção leves, rápidos, seguros e bastante sofisticados que atendem, inclusive, as necessidades de circulação dos bons espíritos pelos ambientes das esferas espirituais.

Alguns desses veículos chegam confortavelmente, em curto espaço de tempo, até mesmo nas colônias que estão localizadas nas regiões da terceira esfera espiritual, levando as excursões dos espíritos que já conquistaram valiosos méritos. Outros bem aperfeiçoados e equipados chegam diretamente até a crosta da Terra, levando as equipes de bons espíritos que estão em permanente contato com os homens. Os mais espaçosos permitem que sejam levados máquinas, equipamentos, aparelhos e recursos necessários ao bom desenvolvimento dos trabalhos. Assim, chegam diretamente à face da Terra pelas estradas luminosas, sem ter que trilhar ou atravessar as vastas áreas conturbadas das regiões do umbral, onde imperam as névoas compactas e os muitos obstáculos criados pelos espíritos maus e perigosos. A principal característica desses veículos especiais é atravessar as extensas regiões que separam as esferas espirituais que se interpenetram. Assim, atendem às exigências e necessidades de transporte dos espíritos elevados que, inclusive, cumprem missões importantes que vão melhorar as condições de vida dos homens.

Capítulo 43

Invisibilidade do espírito mais elevado

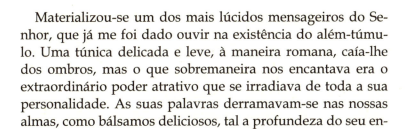

Materializou-se um dos mais lúcidos mensageiros do Senhor, que já me foi dado ouvir na existência do além-túmulo. Uma túnica delicada e leve, à maneira romana, caía-lhe dos ombros, mas o que sobremaneira nos encantava era o extraordinário poder atrativo que se irradiava de toda a sua personalidade. As suas palavras derramavam-se nas nossas almas, como bálsamos deliciosos, tal a profundeza do seu ensinamento aliada à mais encantadora magia.
Espírito Maria João de Deus, no livro *Cartas de uma morta*.

Os espíritos que habitam as comunidades das esferas mais altas do mundo espiritual são invisíveis para os habitantes das colônias das esferas espirituais que estão localizadas mais abaixo e que chegam até a crosta da Terra.

A matéria em estado muito sutil e sublime, que forma o perispírito desses espíritos intelectualizados e moralizados, não é percebida pelos sentidos do espírito ainda moralmente inferior, que possui um perispírito formado com matéria em estado bem mais denso.

Então, quando os espíritos elevados precisam se manifestar

para os espíritos que merecem isso, eles modificam ou reduzem, com o poder da força da vontade e do pensamento, o padrão vibratório do seu corpo espiritual, condensando-o, inclusive pela absorção de matéria em estado mais denso. Assim, se tornam perceptíveis para eles.

Desse modo, com o amortecimento do elevado tom vibratório do seu veículo sutil, eles se tornam visíveis, podendo então conversar, influenciar, aconselhar e beneficiar os espíritos necessitados de ajuda ou orientações, principalmente com vistas à aceleração do seu aprimoramento intelectual e moral, atendendo os desígnios de Deus.

MANIFESTAÇÕES DOS ESPÍRITOS ELEVADOS

Os espíritos bastante elevados precisam promover o adensamento do próprio perispírito, para conseguirem se manifestar e se comunicar com os espíritos doentes e em sofrimento que se encontram retidos nas regiões do umbral ou mesmo da crosta da Terra, para ajudá-los a sair da condição de vida aflitiva em que se encontram. Então, os que demonstram merecimentos são encaminhados para as instituições especializadas no tratamento, recuperação e preparo para evoluir pela reencarnação.

Para esses espíritos já bastante avançados na hierarquia espiritual, o poder da energia mental desencadeia o necessário ajuste vibratório no perispírito, promovendo a autocondensação. Isso determina a perda temporária da sua invisibilidade natural. Assim, se materializam, de modo surpreendente, à frente dos espíritos perturbados, desequilibrados e enfermos, oferecendo-lhes, diretamente, a ajuda, conselhos, socorros, estímulos e esperança de renovação mental, reequilíbrio no mundo íntimo e saúde nos centros de força do perispírito. Com isto, paulatinamente, conseguem voltar aos trabalhos úteis e à prática das virtudes, conquistando a própria reabilitação, progresso, saúde, alegria e felicidade.

Mesmo os espíritos que estavam em péssimas e dolorosas condições de vida nas regiões do umbral ou mesmo da superfície terrena, em decorrência dos efeitos dos seus sérios deslizes morais, são encaminhados para as providências que eliminam as debilidades nas forças mentais e íntimas e os abalos nos centros de força do perispírito. Contando com as técnicas de auxílio renovador, pela internação em instituições apropriadas, conseguem a reparação dos sérios danos que causaram em si mesmos, com o desrespeito às leis.

Mais adiante, começam a ser preparados para o planejamento e a programação da reencarnação, com vistas principalmente às expiações e provas que eliminam as consequências dos erros do passado e abrem caminho para a aquisição dos méritos morais e acumulação dos tesouros imperecíveis para a vida verdadeira.

BENFEITORES DOS ESPÍRITOS QUE PRECISAM REENCARNAR EM MISSÃO

Muitos espíritos superiores precisam adensar o próprio perispírito para entrar em contato direto com certos espíritos missionários que planejaram reencarnar em missão na crosta terrena. Eles programaram executar tarefas importantes e dignificadoras na condição de mensageiros que vão implantar progressos e aperfeiçoamentos nas condições de vida dos espíritos encarnados.

Então, esses espíritos superiores se tornam seus benfeitores espirituais, que orientam, protegem e ajudam no cumprimento dos programas e compromissos assumidos pelos espíritos missionários. Com isso, atuam com segurança e coragem, porque sabem que não lhes faltarão as inspirações, intuições, influencia-ções, estímulos mentais e ações ocultas valiosas para o sucesso na empreitada difícil que abrirá nova era para a humanidade.

RESTRIÇÕES IMPOSTAS À VISÃO ESPIRITUAL PELO ESTADO BASTANTE DENSO DA MATÉRIA DO PERISPÍRITO

Os espíritos inferiores, pelas suas condições mentais, morais e íntimas, reduzem naturalmente o teor vibratório da matéria do perispírito, aproximando-o bastante do nível da matéria bem densa que forma o corpo material.

Então, o perispírito se torna tão condensado, pela absorção natural dos elementos fluídicos mais densos e pesados, que a consequente redução do poder vibratório restringe as percep-ções visuais e auditivas do espírito imperfeito, impedindo-o de perceber a presença dos espíritos mais elevados, que possuem um padrão mental e íntimo sublimado e o perispírito bastan-te sutilizado.

Por isso, esses espíritos sublimados precisam proceder gran-des transformações e preparações no seu envoltório sutil, sem-pre por motivos sábios e justos, para que sejam vistos e ouvidos pelos espíritos ainda imperfeitos, que possuem um instrumento fluídico de manifestação bastante denso.

Essa limitação na capacidade de percepção visual e auditiva que os espíritos imperfeitos experimentam decorre do natural rebaixamento promovido pelo seu próprio padrão mental e ínti-mo, que determina o potencial vibratório do perispírito. Então, apresentam-se absolutamente cegos ante a presença de um espí-rito bastante elevado.

PERISPÍRITO COMO INSTRUMENTO DA JUSTIÇA DE DEUS

O padrão mental e do mundo íntimo de cada espírito determina naturalmente a densidade, o estado vibracional e as possibilidades do seu perispírito, situando-o na esfera espiritual que merece habitar e agir.

Desse modo, o perispírito é o instrumento da justiça de Deus, que dá a cada espírito segundo as suas próprias conquistas e obras.

Então, no plano espiritual ocorre a separação justa e natural dos espíritos de todas as ordens de elevação moral. Aqueles que se esforçaram para conquistar maior progresso moral e intelectual veem-se em condições de vida maravilhosas nas regiões da segunda esfera espiritual, diferenciando-se dos espíritos imperfeitos que suportam condições de vida difíceis, por terem cultivado valores morais medíocres e se condicionado às coisas materiais transitórias excessivamente.

Somente com os trabalhos e esforços na renovação e elevação mental e moral e na melhoria no mundo interior, eles conseguirão elevar o padrão vibratório do perispírito, a ponto de perceberem a presença e conseguirem ouvir os benfeitores espirituais das regiões das esferas luminosas, que, muitas vezes, precisam preparar o perispírito para a visibilidade, quando querem manter um contato e relacionamento direto com os espíritos inferiores.

COMUNIDADES DOS ESPÍRITOS QUE AINDA PRECISAM SUPERAR O EMBRUTECIMENTO MENTAL, MORAL E ÍNTIMO PARA MELHORAR O GRAU DE DENSIDADE DO PERISPÍRITO

São incontáveis os espíritos inferiores que ainda não conseguem enxergar e ouvir os espíritos sábios, amorosos, generosos e elevados. Eles se encontram em um estado mental primitivo, carentes de educação moral e aperfeiçoamentos no mundo íntimo e no uso das faculdades.

Assim, vivem alheios às realidades espirituais e condicionados às ilusões e paixões pelas coisas materiais. Em decorrência disso, experimentam grande adensamento e restringimento nas capacidades e possibilidades do perispírito, convivendo e se relacionando, por similaridades, sintonias e afinidades, apenas com outros espíritos imperfeitos e embrutecidos que formam as comunidades primitivas e mal estruturadas das regiões do umbral e que têm acesso à crosta do planeta.

PRESENÇA INCESSANTE DOS BENFEITORES ESPIRITUAIS

Os espíritos elevados descem das regiões das suas esferas espirituais mais altas para atuarem em toda parte, atendendo aos desígnios de Deus.

Embora sejam naturalmente invisíveis para os espíritos ainda inferiores, eles agem com seus recursos e poderes mentais, íntimos e perispirituais elevados, conseguindo beneficiar os habitantes das comunidades das regiões do umbral.

Para isso, muitas vezes, precisam adensar o próprio perispírito, passando a agir diretamente sobre os espíritos doentes e sofredores que demonstraram, de modo verdadeiro, que querem superar as suas condições aflitivas de vida.

ATUAÇÕES DOS BENFEITORES ESPIRITUAIS NA CROSTA DA TERRA

São incontáveis os espíritos muito elevados que atuam em toda parte da crosta do planeta, para ajudar, de modo imperceptível, os homens nas suas missões, provas ou expiações. Mas,

A VIDA NAS ESFERAS ESPIRITUAIS | 311

muitas vezes, eles precisam intensificar a sua ação mental sobre os centros de força do perispírito para condensá-lo, tornando-se visíveis aos homens que desenvolveram algum poder visual e auditivo para as realidades espirituais.

Com a visão ampliada e audição dilatada, ficam surpresos e admirados com a beleza das companhias espirituais que atraíram pelas afinidades, sintonias e idênticas tendências para o cultivo das virtudes e a prática do bem.

Certos benfeitores espirituais prepararam de tal modo a própria aparição para certos homens, que inclusive aplicam recursos fluídicos energéticos na região dos olhos e ouvidos dos seus protegidos e amparados, para a ampliação da capacidade visual e auditiva. Com isso, a presença deles é detectada com indescritível assombro, pelo brilho e luzes que emanam do perispírito.

Essas atuações surpreendentes dos espíritos superiores ocorrem, muitas vezes, inclusive sobre os homens desavisados sobre as realidades morais e espirituais. Então, esses homens conseguem ver e ouvir os espíritos elevados, mesmo com o embrutecimento no mundo mental e íntimo e o perispírito muito denso. Algumas vezes, os benfeitores espirituais mostram-lhes a presença das entidades espirituais moralmente baixas que estão prejudicando-os, deixando-os muito surpreendidos e mesmo apavorados. Mas, geralmente, buscam as providências que cortam as influências nefastas que estão recebendo por parte dos espíritos perigosos e maus propósitos.

PODERES DOS ESPÍRITOS ELEVADOS SOBRE OS FLUIDOS ESPIRITUAIS

Os espíritos muito elevados conquistaram grande poder mental em atuar sobre os mais variados fluidos do plano espiritual. Então, conseguem surpreendentes transformações, condensações, assimilações, alterações e mudanças transitórias no padrão vibratório dos fluidos sutis e flexíveis que formam o seu próprio perispírito. Assim, adensam a própria forma e aparência exterior, tornando-se visíveis até mesmo para os espíritos bastante inferiores. Desse modo, conseguem falar, agir, ser úteis e auxiliar diretamente os espíritos que precisam evoluir, prestando-lhes contribuições oportunas e valiosas, principalmente com o encaminhamento deles para o progresso intelectual e moral.

Mas, esses processos são muito complexos, porque exigem notável poder mental, além do direcionamento do poder do pensamento e a concentração da força de vontade no objetivo a ser atingido. Assim, voluntariamente, integram no corpo espiritual os elementos fluídicos mais condensados dos círculos espirituais, tornando seu perispírito mais denso, pesado e rígido. Muitas vezes, eles têm a impressão de que se religaram a um envoltório muito denso, pesado e opaco, com as mesmas características do perispírito dos espíritos ainda vulgares. Mas, com essa organização perispirítica temporária, conseguem atuar diretamente sobre os espíritos imperfeitos que mereceram ser alvo de auxílio fraterno para evoluir.

Depois do cumprimento da tarefa nobre, os espíritos elevados precisam emitir novos impulsos mentais para conseguirem reverter as transformações transitórias que tornaram irreconhecíveis a aparência e forma do seu perispírito. Assim, reassumem a sua condição espiritual verdadeira e a sutileza, dons luminescentes e beleza do perispírito.

O PORQUÊ DA MATERIALIZAÇÃO DE ALGUNS ESPÍRITOS MUITO ELEVADOS

Em certos casos muito específicos, o processo de transformação e condensação do perispírito do espírito muito elevado fica bastante complicado. Então, são muitos os bons espíritos que

A VIDA NAS ESFERAS ESPIRITUAIS | 313

precisam doar suas energias que estão próximas da matéria densa, para que haja a indispensável materialização do perispírito do espírito superior.

Esses bons espíritos doadores das energias mais densas comparam-se, de algum modo, a certos médiuns do plano material, que se especializaram em doar ectoplasma para que os espíritos consigam se materializar em certas sessões espíritas realizadas na crosta da Terra.

As energias muito abundantes fornecidas em doação pelos bons espíritos criam inicialmente uma neblina esbranquiçada, contendo substâncias sutis, translúcidas, leitosas, brilhantes e com tons dourados. No meio dessa neblina o perispírito do espírito muito elevado vai se adensando pouco a pouco, até assumir a perfeita forma humana. Isso causa muita emoção em todos que assistem essa emersão da figura viva e respeitável, revestida de luzes muito brilhantes e vestes admiráveis.

Esse tipo de materialização de um espírito muito elevado pode ocorrer, algumas vezes, em certas localidades do umbral, quando o espírito nobre se serve dos recursos fluídicos abundantes que recebeu em doação para se tornar tangível. Geralmente, fazem isso com o objetivo de encorajarem certos espíritos familiares muito queridos, que há muito tempo estão iludidos com a prática do mal e desleixados no cumprimento de seus deveres morais. Então, com o impacto da aparição e os conselhos amorosos, conseguem despertar os esforços para a regeneração e a saída dos círculos inferiores da vida espiritual.

A participação e colaboração de muitos espíritos especializados em doar e manipular variados tipos de energias, fluidos e irradiações luminescentes é indispensável para a materialização de um espírito muito elevado em ambientes do umbral. Pela nobreza da missão, o representante da esfera mais alta fala e age com sabedoria, amor e nobreza de caráter. Então, invariavelmente, consegue sensibilizar e beneficiar o espírito inferior ou familiar que precisa adotar providências renovadoras na mente e no mundo íntimo e se esforçar para evoluir. Se perder essa oportunidade, será colocado em processo de reencarnação compulsória.

Esse fenômeno nobre e sublime da materialização de um espírito superior causa invariavelmente impacto forte e emoções muito surpreendentes não só na entidade ainda inferior. A aparição de um espírito imponente, belo, com luz muito brilhante a irradiar do seu peito, semblante e mãos, trajando uma túnica muito alva, luminescente e bela e se expressando com palavras sábias, amorosas, gentis e convincentes torna-se inesquecível por longo tempo após o cumprimento da sua missão e a desmaterialização da entidade que voltou para o seu reino da luz.

DETALHES DAS MATERIALIZAÇÕES DOS BONS ESPÍRITOS NAS SESSÕES ESPÍRITAS

Os raríssimos casos de materialização de espírito muito elevado que ocorrem nas sessões espíritas, torna-se possível pelo revestimento do perispírito da entidade com uma matéria bastante transformada e condensada, que é fornecida pelo médium de efeitos físicos, especializado na realização desse fenômeno muito surpreendente.

O espírito materializado experimenta, quase sempre, a sensação de que passou a envergar uma nova vestimenta física, muito semelhante à carnal, a ponto de conseguir andar, falar, se expressar livremente, relacionar e produzir fenômenos tangíveis notáveis para os presentes na reunião. Além disso, geralmente o espírito materializado presta auxílio eficiente, transmite mensagens esclarecedoras e oferece vibrações de amor fraternal aos homens presentes.

Uma vez cumpridas as programações, incumbências e fina-

A VIDA NAS ESFERAS ESPIRITUAIS | 315

lidades, o espírito, utilizando seu grande poder e força mental, desmaterializa o seu perispírito, promovendo a dissolução e dissipação das forças fluídicas e fluidos densos recebidos no local da sessão espírita. Ao restituí-los ao meio ambiente e locais de onde foram extraídos para seu uso em caráter temporário, a entidade reintegra-se à equipe dos espíritos que tinham, inclusive, como objetivo comprovar aos homens a imortalidade da alma e a realidade das suas manifestações físicas e comunicações inteligentes.

Capítulo 44

REENCONTROS COM OS ESPÍRITOS FAMILIARES E AMIGOS ESPIRITUAIS

———◄ • ♥ • ►———

TODAS AS REGIÕES DA segunda esfera espiritual prestam-se adequadamente para o reencontro das almas dos homens com os espíritos de seus familiares, entes queridos e amigos verdadeiros.

Esses reencontros ocorrem com habitualidade entre as entidades encarnadas e desencarnadas que, há muito tempo, estão evoluindo juntas, ligadas entre si pelas afinidades morais e espirituais e pelos trabalhos desenvolvidos em campos preferidos de atuação.

Então, mesmo antes da desencarnação, já se reúnem em lares nas comunidades espirituais muito belas, externando amor e sentimentos de admiração, amizade sincera, alegria e felicidade.

Esses reencontros entre as almas dos homens e os espíritos ligados por laços afetivos, possibilitados pela ausência temporária do corpo material, permitida pelo sono, são muito comoventes. Eles facilitam a superação das saudades e atenuam os períodos difíceis de provas, incertezas, perturbações e constrangimentos, pelo amparo e proteção que são oferecidos pelos espíritos familiares.

Reencontros com as almas dos pais terrenos

Quando as almas dos seres humanos retornam à pátria verdadeira, depois do processo de desencarnação, a maior ventura é o reencontro com os espíritos que foram os pais terrenos. Então, as emoções explodem e as lágrimas jorram abundantemente nesses reencontros felizes, despertando venturas íntimas pela ternura, carinhos, satisfação e alegrias incontidas com a união que ficou durável. Mas, na realidade, os reencontros temporários já ocorriam nos momentos do sono, oferecendo oportunidades de conversações prolongadas sobre as realidades espirituais e trocas de informações detalhadas sobre as condições de vida dos entes familiares e amigos que já deixaram a experiência terrena e estavam habitando e trabalhando nas cidades das diversas regiões das múltiplas esferas espirituais.

Com o reencontro duradouro, os sentimentos de gratidão intensificam-se e as alegrias aumentam quando as almas recém-chegadas recebem o convite para residir no mesmo núcleo familiar, continuando juntas e empreendendo realizações que conduzem para melhores condições de vida nas regiões da esfera de maior luz.

Com o passar do tempo, as almas recém-desencarnadas vão se recordando com clareza que, durante o período do sono, se desligavam parcialmente do corpo material, participando de reencontros muito felizes, que as preparavam e fortaleciam para desfrutar dessas bem-aventuranças, após a grande transição.

Reencontros de casais no além

São muito emocionantes, agradáveis e felizes os reencontros na vida espiritual das almas que foram casais que muito se amaram, se respeitaram e se esforçaram para progredir intelectualmente e moralmente na experiência carnal.

Então, pelos valiosos méritos que conquistaram, podem continuar juntas mantendo a mesma união feliz, num mesmo reduto doméstico da colônia espiritual, onde já habitam outros espíritos familiares e amigos espirituais.

Essas uniões por laços de afinidades morais e espirituais e de amor verdadeiro são inquebrantáveis ou imperecíveis. Então, pelas idênticas propensões mentais e íntimas, afinidades espirituais e qualidades morais, as almas dos cônjuges sentem-se plenamente recompensadas no plano da matéria sutil pelo casamento feliz e pelos esforços que fizeram para elevar suas atitudes e condutas e realizar trabalhos e obras pautadas no amor, humildade, caridade, amizade, perdão, companheirismo, honestidade e responsabilidade.

Com a consciência em paz pelo reto cumprimento das missões nobres e superação das provas evolutivas, esses casais amorosos e felizes prolongam a união sublime, convivência feliz e atividades evolutivas numa mesma residência da cidade espiritual muito bela.

Portanto, as almas que se uniram na experiência corporal pelos sentimentos amorosos, pensamentos elevados e méritos pela realização das boas obras continuam casados na dimensão espiritual, mantendo o apoio mútuo e se esforçando para as novas conquistas que lhes vão permitir alçar voo para as regiões de uma esfera espiritual mais alta, com as asas da sabedoria e do amor.

CASAMENTOS QUE SÃO REALIZADOS NA VIDA ESPIRITUAL

Geralmente, as almas que foram bem-sucedidas num casamento na experiência terrena, depois do reencontro feliz na vida imortal, tomam a decisão e as providências necessárias para a renovação do matrimônio no plano espiritual. Então, continuam unidas de forma bem-sucedida numa mesma residência da colônia espiritual linda.

Essas uniões matrimoniais são muito belas e exemplares, pois resultam das venturas do amor, afetividade, sintonias morais, afinidades espirituais, satisfação e sensações de bem-estar. Então, esses casais felizes vivem ligados por laços imperecíveis no mundo quintessenciado, onde tudo é muito lindo e puro, principalmente pelos sentimentos elevados e propósitos edificantes.

Esses espíritos consorciados na esfera espiritual apenas continuam a perpetuação das suas afeições e sentimentos nobres. Então, tudo fazem para o sucesso, alegria e felicidade do parceiro e continuam se dedicando um ao outro, aumentando juntos e em harmonia, o nível de progresso intelectual e moral, alegria e felicidade.

Quando essas almas estão no plano enobrecido da vida verdadeira, invariavelmente, não esquecem, nem deixam para trás seus filhos que ficaram na vida carnal. Continuam dedicando-lhes amor, assistência, proteção e influenciações mentais, para que cumpram com êxito suas programações e voltem com méritos para a vida verdadeira, para habitarem juntos na mesma colônia do mundo espiritual.

Assim, os casais felizes que vivem unidos pelo matrimônio no plano espiritual mantêm suas lindas famílias, se esforçando juntos para conquistar maior burilamento no uso das faculdades e sublimação da personalidade. Com isso, atraem a presença e companhia das inteligências angélicas das esferas superiores da vida espiritual, que vivem com suas características atenuadas de masculinidade ou feminilidade, cumprindo os desígnios do Pai e Criador sábio, amoroso, justo e misericordioso.

Capítulo 45

RECORDAÇÃO E REVISÃO DAS VIDAS PASSADAS

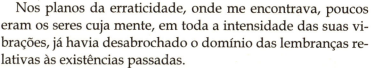

Nos planos da erraticidade, onde me encontrava, poucos eram os seres cuja mente, em toda a intensidade das suas vibrações, já havia desabrochado o domínio das lembranças relativas às existências passadas.

Nesses tempos imediatos ao *post-mortem*, repontados de impressões físicas, as quais persistem em algumas entidades anos a fio, a vida é quase cópia da existência da personalidade terrena e foi assim que conheci inúmeros companheiros, que duvidavam dos ensinamentos dos mestres quando se referiam aos pretéritos longínquos; e alguns deles me asseveravam não poderem admitir a multiplicidade das existências da alma. Semelhantes crenças eram o atestado da ignorância de quantos as abrigavam, pois, como nos planos terrestres, ou nas regiões que vos são ainda imponderáveis, a natureza não dá saltos.

Espírito Maria João de Deus, no livro *Cartas de uma morta*.

São poucos os espíritos recém-desencarnados que conseguem se lembrar de imediato e em detalhes das suas existências corporais anteriores à última.

A grande maioria deles conserva, de modo prolongado, as impressões da existência física recentemente terminada. Isso dificulta que a consciência tenha acesso de imediato aos arquivos bem antigos que estão de modo permanente na memória espiritual.

Portanto, raramente, as memórias dos tempos longínquos afloram na consciência logo após a desencarnação. Mas, mesmo assim, os registros dos fatos ocorridos no passado distante permanecem bem nítidos, arquivados na memória do espírito e podem ser resgatados e analisados numa visão retrospectiva, principalmente quando houver a necessidade do planejamento e programação de nova reencarnação, para o estabelecimento das missões, provas e expiações.

CONDICIONAMENTOS

Depois que o espírito recém-desencarnado está esclarecido sobre as realidades da vida verdadeira e se adaptou às novas condições de vida no plano espiritual constata que a sua existência prossegue sem grande alteração no seu estado mental, sentimental e emocional, bem como no padrão dos pensamentos, desejos, vontades, hábitos e ações.

Mesmo assim, as recordações das suas existências passadas continuam adormecidas, de tal modo que muitos espíritos precisam ser convencidos aos poucos de que realmente existe a multiplicidade das existências corporais para o espírito evoluir até alcançar a angelitude, pelos desígnios de Deus.

Os espíritos que se prenderam excessivamente aos parâmetros religiosos e conceitos de fé e crenças que pregam a unicidade da vida material, bem como os que adotaram as teorias materialistas, geralmente se deparam com maiores dificuldades para entender as realidades complexas decorrentes da imortalidade da alma e o contexto amplo em que a reencarnação está inserida na obra de Deus.

Então, prosseguem a vida no plano espiritual descobrindo paulatinamente a grandeza da vida do espírito no Universo até que, bem mais à frente, comecem a se recordar, naturalmente, de algumas ocorrências em suas existências anteriores na vida corporal, recebendo orientações verdadeiras e valiosas dos benfeitores espirituais habilidosos, que tratam desse assunto complexo com muita perspicácia.

Operações magnéticas para as recordações das vidas passadas

Muitos espíritos precisam ser submetidos a complexas operações magnéticas para aumentar a lucidez e percepções mentais. Assim, conseguem o afloramento na consciência das imagens, cenas, fatos e acontecimentos que marcaram as suas existências num passado bem distante.

São operações magnéticas realizadas em instituições localizadas nas regiões da segunda esfera espiritual por espíritos especializados em sondar o passado longínquo, visando a elucidação das ocorrências mais importantes no cumprimento das missões e provas programadas para as últimas reencarnações.

As atuações magnéticas desses espíritos dedicados às regressões da memória às vidas passadas levantam, inclusive, as ocorrências traumáticas nas vidas pregressas, enriquecendo os departamentos da mente com as lembranças dos fatos mais marcantes que estão arquivados fora da memória do consciente.

Os espíritos que se submetem a essas operações retrospectivas, muitas vezes, sentem estupefação, quando constatam a riqueza dos detalhes contidos nos quadros, imagens e sons que ficaram gravados na memória permanente. Então, nas existências carnais distantes estão os variados ambientes familiares, trabalhos e progressos realizados, relacionamentos e convivências sociais, costumes, conceitos e mesmo faltas e preconceitos que foram mantidos antigamente em função da vida em nações, raças e sexos.

O choque emocional é muito grande quando há a recordação dos erros, crimes e quedas morais graves, que tiveram pesadas consequências nas programações e condições de vida na última reencarnação.

De um modo geral, o espírito que se submete à recordação detalhada da sua ficha histórica individual aceita sem contestação as orientações dos benfeitores espirituais, que o ajudam a traçar os novos planos para o renascimento, envolvendo os espíritos familiares, campos de atuação, quitação das dívidas contraídas e meios para a obtenção dos aprimoramentos intelectuais e morais, indispensáveis à ascensão para os círculos superiores da vida imortal.

ESQUECIMENTO DO PASSADO COM A REENCARNAÇÃO

O processo de reencarnação impõe o bloqueio da mente aos arquivos da memória que contêm os fatos e acontecimentos ocorridos nas existências passadas.

Isso facilita que o espírito reencarnado esteja concentrado no engrandecimento de seu potencial intelectual e moral, no cumprimento das missões e provas familiares, sociais e profissionais, traçados na programação das suas novas condições de vida.

Em decorrência das informações preciosas levantadas durante as operações magnéticas de relembranças panorâmicas, revisão das cenas mais marcantes, recordação dos fatos mais comoventes e mesmo acontecimentos constrangedores em vidas passadas, o espírito reencarnado conserva delas apenas as tendências instintivas, ideias inatas e impulsos que facilitam a aceitação e adaptação às novas condições de vida, marcadas pela pobreza ou riqueza, hábitos de família e escolhas nos campos de atuação.

Assim, mesmo com o adormecimento nos departamentos da mente das ocorrências em vidas passadas, o espírito reencarnado busca naturalmente o cumprimento das suas novas programações reencarnatórias evolutivas, muitas vezes convivendo com antigos desafetos, comparsas das quedas morais e parceiros das dívidas graves, para que triunfe na busca de ascensão na hierarquia da vida espiritual.

Restabelecimento de fatos históricos com as revisões das vidas passadas

Algumas recordações ou revisões das vidas passadas se prestam para que certos espíritos lúcidos realizem estudos históricos muito elucidativos e instrutivos.

Eles se dedicam a fazer pesquisas detalhadas sobre as condições de vida que existiram em certas épocas da humanidade, levantamento das causas reais para as conquistas mais importantes feitas por certos povos, estudos do surgimento e da notável evolução e expansão da raça humana na crosta da Terra e investigações dos principais costumes, descobertas, inventos e fatos marcantes que contribuíram para o progresso surpreendente da humanidade.

Quase todos esses espíritos investigadores dos acontecimentos históricos mais marcantes na humanidade não conseguem evitar o registro das barbaridades, crimes dolorosos e dívidas graves assumidas pelos chefes, guias, conquistadores e governantes poderosos, que com as falsidades, violências e guerras para as conquistas materiais prejudicaram muitas pessoas.

Com isso, surgem muitos livros de história, que inclusive

registram em detalhes os pesados acertos de contas que muitas personalidades famosas na história terrena tiveram de fazer perante a Justiça Perfeita. Todos os espíritos dominadores, líderes violentos, ditadores sem escrúpulos, tiranos impiedosos, governantes criminosos e verdugos carentes de senso moral tiveram que reencarnar em dolorosa pobreza, enfermidades congênitas ou incuráveis e condições de vida lamentáveis, para enfrentar as expiações regenerativas, geralmente nas mesmas sociedades que destruíram e no meio das mesmas pessoas que fizeram sofrer. Quase todos, viveram aprisionados em corpos materiais bastante desestruturados, para conseguir conter as tendências e impulsos aos atos e crimes bárbaros e regenerar os danos que causaram às potências da mente e do mundo íntimo, bem como aos centros de força do perispírito.

PLANEJAMENTO E PROGRAMAÇÃO DAS EXPIAÇÕES ANTE A REENCARNAÇÃO

Antes da reencarnação, no balanço das responsabilidades que lhe competem, a mente, acordada perante a Lei, não se vê apenas defrontada pelos resultados das próprias culpas. Reconhece, também, o imperativo de libertar-se dos compromissos assumidos com os sindicatos das trevas.

Para isso partilha estudos e planos referentes à estrutura do novo corpo físico que lhe servirá por degrau decisivo no reajuste, e coopera, quanto possível, para que seja ele talhado à feição de câmara corretiva, na qual se regenere e, ao mesmo tempo, se isole das sugestões infelizes, capazes de lhe arruinarem os bons propósitos.

Patronos da guerra e da desordem, que esbulhavam a confiança do povo, escolhem o próprio encarceramento na idiotia, em que se façam despercebidos pelos antigos comparsas das orgias de sangue e loucura, por eles mesmos transformados em lobos inteligentes; tribunos ardilosos da opressão e caluniadores empeçonhados pela malícia pedem o martírio silencioso dos surdos-mudos, em que se desliguem, pouco a pouco, dos especuladores do crime, a cujo magnetismo degradante se rendiam, inconscientes; cantores e bailarinos de prol, imanizados a organizações corrompidas, suplicam empeços na garganta ou pernas cambaias, a fim de não mais caírem sob o fascínio dos empreiteiros da delinquência; espiões que teceram intrigas de morte e artistas que envileceram as energias do amor imploram olhos cegos e estreiteza de raciocínio, receosos de voltar ao convívio dos malfeitores que, um dia, elegeram por associados e irmãos de luta mais íntima; criaturas insensatas, que não vacilavam em fazer a infelicidade dos outros, solicitam nervos paralíticos ou troncos mutilados, que os afastem dos quadrilheiros da sombra, com os quais cultivavam rebeldia e ingratidão; e homens e mulheres, que se brutalizaram no vício, rogam a frustração genésica e, ainda, o suplício da epiderme deformada ou purulenta, que provoquem repugnância e consequente desinteresse dos vampiros, em cujos fluidos aviltados e vômitos repelentes se compraziam nos prazeres inferiores.

Se alguma enfermidade irreversível te assinala a veste física, não percas a paciência e aguarda o futuro. E se trazes alguém contigo, portando essa ou aquela inibição, ajuda esse alguém a aceitar semelhante dificuldade como sendo a luz de uma bênção.

Para todos nós, que temos errado infinitamente, no caminho longo dos séculos, chega sempre um minuto em que suspiramos, ansiosos, pela mudança de vida, fatigados de nossas próprias obsessões.

Espírito Emmanuel, no capítulo Desligamento do mal, do livro *Justiça Divina*.

Depois de muitas sessões de esclarecimentos, leituras dos arquivos da própria memória e recordações dos fatos principais ocorridos no pretérito distante, os espíritos usam as imagens extraídas das vidas passadas para, com a ajuda dos benfeitores espirituais especializados, planejar e programar uma nova reencarnação evolutiva.

Com a consciência despertada para os muitos erros morais infelizes e crimes bárbaros que foram cometidos no passado remoto, muitos deles imploram a Deus a bênção do amortecimento temporário das suas lembranças mais amargas, graves, dolorosas e destruidoras, durante o cumprimento das expiações que os deixem quites com a Justiça Infalível.

Muitos deles foram pessoas muito privilegiadas em todos os aspectos nas sociedades terrenas, mas praticaram atitudes e condutas morais desastrosas contra os seus contemporâneos, movidos pelos seus interesses egoísticos e ilusões com o enriquecimento ilícito, a ponto de saquear fortunas e riquezas alheias.

> Acreditávamos que a moeda farta nos situasse a cavaleiro dos desmandos de consciência...
> Entretanto, voltamos à arena terrestre, em doloroso pauperismo, experimentando a miséria que infligimos aos outros.

> **Espírito Emmanuel, no capítulo Culpa e reencarnação, do livro *Justiça Divina*.**

Representantes da Justiça de Deus

Os benfeitores espirituais que realizam as operações psíquicas que despertam na consciência os registros da memória, que estão adormecidos há longos anos, atuam como representantes da Justiça de Deus.

Muitos espíritos que, após as revisões das vidas passadas, se conscientizaram dos quadros criminosos e grandes débitos assumidos perante a Justiça, por terem cometido obras lamentáveis contra pessoas, famílias e instituições beneméritas das nações da crosta do planeta, experimentaram o poder do senso moral da consciência, na função de promotor de justiça muito severo.

Então, orientados pelos benfeitores espirituais que recuperaram as provas inquestionáveis dos seus atos desastrosos, aceitaram submeter-se humildemente à prestação de serviços e trabalhos fraternos e úteis aos espíritos doentes e sofredores retidos nas regiões do umbral, para que atenuassem seus impulsos perversos e melhorassem suas condições mentais, íntimas e perispirituais, antes da reencarnação expiatória.

Assim, com a realização dessas boas obras, acumulariam importantes méritos morais, que seriam levados em consideração como fatores amenizadores ou atenuantes nos resgates das dívidas que precisavam ser quitadas.

A simples volta à vida na carne na face do planeta, sem a prévia atuação nos campos do bem, não garantiria o sucesso no propósito firme de retificar e apagar os erros gravíssimos cometidos. Somente a acumulação de méritos morais propicia a assistência, proteção e orientações mentais dos bons espíritos que acompanham os espíritos que reencarnam para acertos de contas com a Justiça e busca de maior progresso intelectual e moral.

Benfeitores espirituais no planejamento da programação e operacionalização dos processos de reencarnação expiatória

Os benfeitores espirituais que cuidam do planejamento, programação e operacionalização da reencarnação expiatória, tendo em mãos os registros das memórias antigas, precisam conciliar a escolha da cidade ou localidade na nação, características físicas, cor da pele, sexo do corpo material para as manifestações da sexualidade, condições sociais e qualidades dos pais que vão aceitar o espírito reencarnante em seu núcleo familiar. Os trabalhos técnicos não menosprezam os fatores biológicos, nem as forças da hereditariedade que irão influir na constituição do novo organismo carnal, a ser herdado dos futuros genitores.

Essas escolhas tornam muito mais complexas e difíceis, pois envolvem duras provas e expiações, quitação de dívidas pesadas perante a lei e o sucesso na volta do espírito para os caminhos do bem e do progresso.

Por isso, todas as decisões são tomadas com base nas análises minuciosas dos resultados das operações magnéticas, que levantaram imagens, registros, arquivos mentais e lembranças das vidas passadas. Além disso, os novos méritos morais que já foram conquistados entram como fatores atenuantes.

Certas entidades se sentiram tão abaladas com o teor das recordações levantadas que imploraram, voluntariamente e sem protelação, o esquecimento imediato do passado distante. Então, submeteram-se à reencarnação expiatória para apagar da consciência as graves agressões, violências e crimes que cometeram contra os seus semelhantes.

Muitas vezes, os benfeitores espirituais sábios, justos e bondosos, em função das análises dos resultados dos reavivamentos e arquivos nos centros da memória, decidem rapidamente pela volta do espírito endividado a um novo organismo carnal bastante debilitado, deficiente ou deformado. Assim, evitam a queda na loucura e, principalmente, as possíveis recidivas, escolhendo como pais e familiares os antigos comparsas.

Capítulo 46

Detalhes das complexidades envolvidas nos processos de reencarnação

⟨•♥•⟩

Nas regiões da segunda esfera espiritual, incontáveis benfeitores espirituais trabalham nos departamentos das muitas instituições voltadas ao planejamento, programação e operacionalização das reencarnações dos espíritos de diferentes ordens de elevação intelectual e moral.

São servidores moralmente elevados, treinados e especializados em executar os serviços que muitos espíritos necessitam para reingressar na experiência corporal, em cumprimento de missões, provas ou expiações, visando sempre a obtenção de maior evolução e ascensão na hierarquia verdadeira, para acesso aos planos superiores da vida verdadeira.

Histórico evolutivo

Os benfeitores espirituais são especialistas em analisar o histórico evolutivo de cada espírito, para estabelecer as novas condições de vida em família e os campos de ocupações, trabalhos e atividades na vida em sociedade, buscando atingir os aprimoramentos necessários no uso das faculdades, conquistar méritos espirituais e morais e fazer acertos com a justiça.

PROGRAMAÇÃO RÁPIDA DA REENCARNAÇÃO

Muitos espíritos ainda imperfeitos, retidos em condições de miséria espiritual e moral nas regiões do umbral, depois de terem apresentado algum grau de arrependimento verdadeiro pelos seus erros graves cometidos, são resgatados e abrigados em instituições apropriadas, onde recebem tratamentos, reeducação e orientação para o preparo de nova reencarnação.

Muitos deles necessitam de uma volta urgente à vida corporal no planeta, pelas condições mentais, íntimas e perispirituais. Então, entram nos esquemas rápidos e nas programações indispensáveis à inserção na esfera carnal, geralmente em lares que lhes permitam obter bons exemplos de atuação nos campos do bem e elevação das condições de vida pelo trabalho honesto.

Para isso, os benfeitores espirituais trabalham arduamente na escolha dos futuros pais terrenos e cuidam das variáveis mais importantes que vão permitir um regresso urgente, mas bem-sucedido, aos complexos círculos carnais.

Assim, as particularidades da reencarnação são estudadas e solucionadas com rapidez, permitindo que esses espíritos ainda inferiores se insiram logo nas tarefas e provas enobrecedoras do uso das faculdades e nas atividades reparadoras das deficiências intelectuais e morais nos campos do envoltório carnal, sempre sob a vigilância dos espíritos protetores que participaram das suas programações.

REENCARNAÇÃO DOS ESPÍRITOS DOENTES E SOFREDORES

Muitos espíritos imprevidentes, que foram resgatados em estado de enfermidade grave e sofrimentos dolorosos nas regiões espirituais conturbadas e sombrias do umbral, precisam das providências rápidas que vão melhorar as suas condições mentais, íntimas e perispirituais.

Então, os benfeitores espirituais trabalham na reparação, recuperação e programação para a recolocação nas trilhas do bem, invariavelmente promovendo a volta à vida corporal na crosta da Terra, sob o manto do esquecimento do passado, os cuidados abnegados dos pais terrenos e a intercessão e assistência dos espíritos familiares que atuam de modo imperceptível dentro do ambiente doméstico.

Nesses casos, o novo corpo físico na face planetária, obtido pelas leis da reprodução e da hereditariedade, embora apresente doenças congênitas, é uma grande dádiva do Pai sábio, bondoso, justo e misericordioso. Graças a Ele, o filho transviado vai obter lentamente a cura real para os males que criou voluntariamente para si mesmo.

A DIFÍCIL ESCOLHA DOS PAIS TERRENOS

O detalhamento da programação da reencarnação envolve sempre a escolha do pai e da mãe no círculo carnal. Então, os benfeitores espirituais geralmente recorrem às pessoas que, de algum modo, se ligaram ao espírito reencarnante no passado distante, para que concordem em assumir as missões da paternidade e da maternidade, dedicando ao filho amor, cuidados incessantes, proteção afetiva e exemplos educativos para a transformação moral e reparação dos dolorosos danos decorrentes do menosprezo da lei de causa e efeito. Assim, reduzem a possibilidade de reincidência nos mesmos erros graves das épocas distantes.

PAIS DE FILHOS COM SÉRIAS DEFICIÊNCIAS MENTAIS E FÍSICAS

Muitas vezes, os benfeitores espirituais escolhem como pais as pessoas que foram comparsas do filho, prejudicando-o bastante na vida passada bem distante com a indução aos vícios e crimes. Então, terão compulsoriamente que fazer enormes sacrifícios dentro do próprio lar, para a recuperação e reeducação da alma do filho que vai se materializar num envoltório corporal com inibições, doenças ou deformidades congênitas.

Essas missões da paternidade e da maternidade são muito difíceis e complexas; mas, invariavelmente, abafam hábitos viciosos deprimentes e eliminam as tendências criminosas que desestruturam as potências da mente e do mundo íntimo e desequilibram os centros de força do perispírito.

Os laços consanguíneos e familiares se prestam a reverter as consequências das quedas morais do filho e facilitam o resgate das antigas contas assumidas pelo grupo familiar perante a lei.

CONVENCIMENTO DOS PAIS A ACEITAR A REENCARNAÇÃO COMPULSÓRIA DO FILHO

Muitos benfeitores espirituais são especializados em convencer as almas dos pais terrenos, durante a semiliberdade propiciada pelo sono, em receber como filho um espírito que foi socorrido em péssimas condições de vida no umbral e está necessitado de uma reencarnação compulsória para quitar suas contas perante a Justiça Perfeita.

Então, estabelecem longas conversações e influenciações sobre as almas dos futuros pais terrenos, comprovando-lhes que, com a aceitação e o cumprimento das missões, serão credores de enormes méritos morais e espirituais na vida futura. Ao terem ajudado a alma do futuro filho na reparação dos resultados danosos das suas quedas morais, quitarão também muitos débitos que ainda exigem quitação perante a Justiça.

Esses encontros durante o afastamento temporário do corpo material, propiciado pelo sono, permitem que as almas dos futuros pais conheçam as características, qualidades e imperfeições do espírito reencarnante, que ainda está acolhido numa instituição especializada, necessitado de grande alívio nos seus padecimentos. Com a reencarnação obrigatória terá a oportunidade de fazer as reparações nos transtornos mentais, desequilíbrios íntimos e deformidades no perispírito.

Os futuros pais, ao aceitarem o cumprimento das exaustivas tarefas, duras disciplinas e pesados tributos domésticos diuturnos, reunirão, graças aos laços consanguíneos que se tornarão inquebrantáveis decorrentes do renascimento na arena física, os méritos das boas obras, libertando-se dos ajustes de contas com a Justiça, dos graves delitos morais que também já cometeram em vidas passadas.

ASSISTÊNCIA PERMANENTE AOS PAIS TERRENOS

Os benfeitores espirituais comprometem-se em permanecer vigilantes no plano espiritual, jamais descuidando de prestar assistência e proteção às almas que irão cumprir as sagradas missões da paternidade e da maternidade, notadamente quando o filho é espírito endividado que vai reencarnar para a reparação das consequências dos graves delitos cometidos em vida anterior, para a libertação dos ditames da Justiça num ambiente doméstico muito favorável a isso.

MISSÕES DA MATERNIDADE E DA PATERNIDADE NAS REENCARNAÇÕES DOS ESPÍRITOS QUE ESTÃO SEGUINDO NORMALMENTE O SEU PROCESSO EVOLUTIVO

São incontáveis os benfeitores espirituais que atuam nas instituições especializadas na reencarnação dos espíritos que estão seguindo normalmente os seus processos de evolução intelectual e moral. Eles selecionam os pais terrenos pelas afinidades, compatibilidades e laços afetivos com os espíritos que precisam reingressar nas lides da vida na crosta planetária, para prosseguimento dos seus progressos na hierarquia espiritual.

Essas reencarnações são padronizadas, não exigindo grandes organizações ou programações. Os benfeitores espirituais apenas tomam as providências que favorecem a escolha dos pais terrenos afins, favorecendo a convivência agradável no ambiente doméstico e a sustentação de uma vida profissional e social voltada para o enobrecimento dos espíritos que se aliaram pela reencarnação. Assim, programam as condições de vida, ocupações e atividades, mesmo as mais modestas e rudes, pois beneficiam os espíritos voltados ao trabalho honesto, prática das virtudes e companheirismo para a ascensão espiritual.

ESCOLHA DO SEXO DO CORPO MATERIAL

Os benfeitores espirituais observam rigorosamente o histórico dos espíritos em evolução, no que diz respeito às características da masculinidade ou da feminilidade que já adquiriram. Assim, reencarnam visando à sublimação progressiva da sexualidade predominante na individualidade, pela disciplina e vigilância das suas preferências, condutas e práticas sexuais.

Desse modo, facilitam a continuidade da educação das faculdades sexuais, com senso moral, sentimentos nobres e atos sexuais pautados no discernimento e responsabilidade.

Já os espíritos que faliram desastrosamente em seus relacionamentos afetivos e convivências conjugais, pela livre prática de desregramentos, desvirtuamentos, perversões, desmandos sexuais, crimes passionais e violências contra as pessoas do outro sexo, precisam programar a reparação dos efeitos dos seus desastres sexuais. Então, submetem-se compulsoriamente às corrigendas necessárias no campo da sexualidade, suportando duros esforços regenerativos, que visam a sanar os prejuízos e embaraços dolorosos que causaram para si mesmos e para os seus parceiros no sagrado campo da afetividade e prática sexual, que se destinava ao cumprimento das missões da paternidade e da maternidade.

REENCARNAÇÕES EXPIATÓRIAS EM CONDIÇÕES INVERSIVAS

Os benfeitores espirituais se deparam com a árdua tarefa de convencer os futuros pais, durante a libertação parcial da alma propiciada pelo sono, a receber como filho um espírito que precisa reencarnar em condições inversivas.

Então, oferecem-lhes os detalhes minuciosos da programação da reencarnação expiatória. Desse modo, ficam conscientes dos laços afetivos anteriores, mas principalmente dos delitos graves que foram cometidos pelo espírito reencarnante, em vida passada, na área sexual, além dos males e prejuízos que foram causados às pessoas do mesmo e do outro sexo.

Os futuros pais geralmente relutam em aceitar as missões da paternidade e maternidade, porque ficam chocados ao saberem que o espírito reencarnante vai manifestar inevitavelmente na nova existência corporal as suas antigas características mentais e qualidades masculinas ou femininas, adquiridas ao longo de sua milenar existência, nas linhas evolutivas do homem ou da mulher.

As características masculinas ou femininas anteriormente cultivadas e praticadas pela alma ao longo de muito tempo impedem uma libertação rápida das preferências e experiências sexuais do homem ou da mulher. Mas, tendo acesso às imagens das revisões das vidas passadas, os futuros pais logo se convencem que realmente precisam cumprir suas missões propostas para que conquistem méritos morais e espirituais valiosos para a vida futura.

CONDIÇÕES INVERSIVAS SUPORTADAS POR ALGUNS ESPÍRITOS MISSIONÁRIOS

Os benfeitores espirituais cuidam inclusive da reencarnação dos espíritos elevados que precisam descer à vida corporal na crosta da Terra, para cumprirem missões importantes à transformação e aprimoramento nas condições de vida no planeta. Geralmente, os espíritos missionários buscam a implantação de benefícios já existentes nas colônias das regiões da esfera espiritual mais elevada.

Então, submetem-se à reencarnação, algumas vezes, em corpos materiais que não lhes correspondam às características da sua sexualidade masculina ou feminina, adquirida ao longo de muito tempo, nas múltiplas existências corporais.

Assim, renascem conscientes de que irão fazer enormes sacrifícios em seus ambientes familiares, de trabalho e sociais para concretizarem com segurança e êxito os projetos específicos que permitem aprimorar a sociedade humana. Evidentemente, enfrentarão transtornos íntimos, mas mesmo assim trabalharão arduamente na evolução das condições de vida dos habitantes do planeta, sendo recompensados na vida futura com a conquista de maior crescimento intelectual e moral e de méritos espirituais que lhes darão acesso a planos mais elevados da vida espiritual.

Esses espíritos missionários que demonstram aperfeiçoamentos extraordinários nos mais variados campos das ciências, religião, artes, profissões e círculos sociais dos espíritos encarnados são muito bem assistidos, amparados e protegidos pelos benfeitores espirituais durante a execução de suas tarefas e responsabilidades, mas, por si mesmos, já trazem conhecimentos inusitados e inatos, qualidades nobres, valores morais, experiências inovadoras, disciplina rígida e vigilância nos sentimentos, pensamentos e atos. As inspirações e influenciações mentais positivas que recebem por parte dos membros da enorme equipe de companheiros que ficou vigilante na vida espiritual, até o fim da missão, os mantêm nos rumos certos para a vitória.

Reencarnações dos espíritos elevados em famílias que valorizam a educação da sexualidade

Muitos espíritos elevados rogam espontaneamente para si mesmos a reencarnação em corpos materiais sem qualquer atrativo de beleza ou atributos físicos invejáveis. Eles querem preservar a alma das tentações e ilusões que levam ao descontrole do santuário da sexualidade e do sexo.

Então, ressurgem no palco da vida em família e em sociedade da crosta terrena, sendo admirados apenas pelas suas capacidades intelectuais, tendências morais e realizações sociais pautadas na fraternidade, renúncia, disciplina e responsabilidade.

Muitos deles escolhem a reencarnação em famílias voltadas à educação das faculdades genésicas e sexuais, para que fortaleçam em si mesmos o regramento, sentimentos de amor e profundo respeito ao parceiro.

Então, os benfeitores espirituais os encaminham para o renascimento sob a guarda dos pais que lhes darão amparo, proteção e belos exemplos de condutas elevadas, inclusive nos campos da sexualidade. Com isso, terão os genitores como guias de nobreza no cumprimento de seus deveres morais na família, no trabalho e na vida em sociedade, aproveitando a nova armadura de carne para entesourar na alma valores imperecíveis, que abrem as portas das regiões das esferas espirituais elevadas.

DIFICULDADES NA OPERACIONALIZAÇÃO DAS REENCARNAÇÕES DOS ESPÍRITOS QUE CONTRAÍRAM DÍVIDAS PESADAS, PELAS ATITUDES E PRÁTICAS SEXUAIS INCONVENIENTES QUE MANTIVERAM EM VIDA PASSADA

Os benfeitores espirituais despendem grandes esforços na operacionalização da reencarnação dos espíritos que precisam renascer com urgência num novo veículo físico com inibições nas possibilidades sexuais. Eles promoveram livremente desvirtuamentos e depravações nas manifestações da sua sexualidade e práticas sexuais e precisam promover reparações.

Esses espíritos doentes do sexo estão cheios de desencantos e arrependimentos, por não terem gerenciado corretamente o emprego das suas forças sexuais. As memórias na consciência acusam-nos do menosprezo dos bons propósitos da vida, desestruturação do instituto da família e destruição dos sentimentos de amor e respeito que receberam dos companheiros de comunhão afetiva e sexual.

Então, imploram os inevitáveis e duros serviços de reparação, reajuste e regeneração das faculdades sexuais, mesmo sabendo que suportarão duras disciplinas obrigatórias, para aprimoramentos no senso moral, reduzindo assim o risco de cometimento de novos desatinos sexuais.

Depois do planejamento e programações, a operacionalização da reencarnação expiatória é muito complexa para os benfeitores espirituais. Por isso, antes de tudo, os espíritos necessitados de reeducação sexual foram inscritos em cursos mantidos por instituições especializadas, para a conscientização do valor das manifestações da energia do sexo com impulsos mentais nobres e sentimentos verdadeiros de amor sublimado. Além disso, dilataram a consciência para o uso da faculdade genésica no mundo carnal no correto cumprimento da lei da reprodução, pautada na lei da hereditariedade, para gerar os filhos do coração na vida, na esfera da matéria densa da crosta, com noções intuitivas de que as almas deles são confiadas por Deus aos missionários da paternidade e da maternidade, para a glória da Sua obra da criação.

A maior complexidade na operacionalização da reencarnação expiatória está no atendimento do programa reeducativo. As características femininas ou masculinas dos espíritos que contraíram dívidas graves pelas suas condutas promíscuas e inconsequentes muitas vezes precisam ser preservadas, aumentando os riscos de reincidências nas mesmas quedas vergonhosas em vida passada. Além disso, envolvem a materialização das doenças, deformidades, inibições e deficiências congênitas nos órgãos sexuais. Estas serão eliminadas com as melhorias nas condições mentais, íntimas e perispirituais, decorrentes dos programas reeducativos.

COMPROMETIMENTO COM O ACERTO DE CONTAS DOS ERROS SEXUAIS GRAVES COMETIDOS EM VIDA PASSADA

Os benfeitores espirituais sábios e bondosos, que se dedicam à operacionalização das reencarnações expiatórias, envolvem os futuros pais, durante a libertação parcial das almas pelo sono, para que estejam bastante comprometidos com a quitação das dívidas que as almas dos filhos precisam fazer, pelas condutas irresponsáveis mantidas no campo genésico em vida passada. Muitos dos espíritos reencarnantes cometeram abusos, perversões, desrespeitos, incentivos à prostituição, delinquências e crimes passionais. Com esse mau uso das faculdades sexuais destruíram muitas vidas alheias, pelas ilusões, prazeres e falsas promessas de alegria e felicidade que propagaram.

Então, a volta à carne em expiação precisa ocorrer sob o amparo de pais dedicados, que estejam comprometidos em fazer grandes esforços, sacrifícios, trabalhos e renúncias, para que ajudem os filhos na reparação dos vícios e danos nos campos sexuais. Muitas vezes, essas missões paternas e maternas são cumpridas apenas por espíritos que se ligaram por laços familiares fortes em vidas passadas. Assim, participam ativamente na cura dos traumas, desajustes, desarmonias, mutilações e lesões gerados nas potências da mente e do mundo interior, bem como nos centros de força e tecidos sutis do perispírito.

Então, os supervisores sábios e piedosos que coordenam os renascimentos em vestimentas carnais defeituosas na vida material recorrem aos criteriosos processos de seleção dos pais, escolhendo os que vão estar seriamente comprometidos com o restabelecimento da saúde na alma e no perispírito dos transgressores das leis. Esses pais, geralmente escolhidos pelos laços afetivos sinceros que mantiveram no passado distante com os espíritos reencarnantes, se comprometem com a tutela, amparo e recuperação fraterna dos espíritos doentes do sexo, recebendo-os em um equipamento físico marcado com lesões, paralisias, inibições, impedimentos e deficiências nos dotes físicos e no campo genésico. Assim, conseguem voltar ao atingimento da verdadeira finalidade da vida imortal da alma.

ASSISTÊNCIA DOS BENFEITORES ESPIRITUAIS NAS REENCARNAÇÕES DOS ESPÍRITOS AINDA PRIMITIVOS

Muitos benfeitores espirituais benevolentes dedicam-se a amparar, ajudar e orientar no processo evolutivo de grupos de entidades com características humanas ainda bastante primitivas. Eles participam ativamente nas escolhas das tarefas educativas e gerais que precisam ser executadas durante a nova reencarnação, para as valiosas aquisições intelectuais, acumulação de conhecimentos, experiências e habilidades e conquistas morais importantes.

Então, cada reingresso às vivências educativas e construtivas na crosta planetária, por parte dos membros dos grupos, passa pela supervisão dos espíritos elevados, que lhes oferecem a integração nas condições de vida mais adequadas nas famílias, sociedades e nações, visando prioritariamente os aprimoramentos, maturidade e progressos nas características pessoais imperecíveis.

Muitas dessas criaturas primitivas vivem ainda condicionadas aos círculos ou reinos selvagens, dependentes da extração dos recursos que a natureza lhes oferece. Então, a reencarnação precisa ocorrer de modo bastante semelhante ao que ocorre com o princípio inteligente irracional, necessitado de aperfeiçoamentos nos instintos e avanços no santuário do intelecto e da razão.

Então, muitos membros inteligentes desses grupos são encaminhados nas melhores rotas dos progressos encontrados em sociedades ainda simples, porque os desígnios de Deus não contemplam saltos evolutivos. Esses espíritos precisam de muito tempo e de inúmeras reencarnações padronizadas para chegarem aos reinos de ordem superior. Não resta qualquer dúvida que já são almas humanas, mas ainda pouco evoluídas em termos intelectuais e morais. Por isso, são encaminhadas pouco a pouco para o entendimento das realidades da vida, aprendizado devagar dos modos corretos de conviver e se relacionar com os homens, e expansão da consciência sobre as complexidades envolvidas na vida nas sociedades progressistas.

Os benfeitores espirituais sábios e amorosos são prepostos de Deus que prestam ampla e complexa cooperação para os espíritos ainda primitivos, submetidos à lei do progresso e os renascimentos sucessivos para ascender na hierarquia espiritual, realizando tarefas, trabalhos e serviços simples e rudes, mas que se prestam ao entesouramento dos progressos intelectuais e avanços morais.

ASSISTÊNCIA DOS BENFEITORES ESPIRITUAIS NAS REENCARNAÇÕES QUE ENVOLVEM MEDIDAS REEDUCATIVAS NAS FACULDADES INTELECTUAIS

Muitos benfeitores espirituais são especialistas na programação das reencarnações que envolvem a reeducação no uso das faculdades intelectuais. Esses renascimentos são destinados aos muitos espíritos que perverteram o uso da inteligência, dando golpes baixos por egoísmo, arquitetando trapaças, executando artimanhas, pondo em prática planos criminosos e destruindo com os roubos as condições de vida dos semelhantes, para o rápido enriquecimento ilícito.

Então, são compulsoriamente designados a renascer em famílias, cujos pais podem lhes propiciar educação moral e bons exemplos de condutas elevadas, desde a infância na vida corporal. Assim, são ajudados por pais experientes no combate às más tendências que criaram para si mesmos, e assimilar os bons conselhos que criam novos condicionamentos pela prática do bem.

Mas, antes do renascimento, os benfeitores espirituais geralmente exigem que eles frequentem os cursos de preparação para a reencarnação expiatória, nos quais os educadores habilidosos os instruirão como retificar as condições do intelecto pervertido e do mundo interior insensível. Além disso, participam da programação dos longos e amargos trabalhos honestos, mas rudes, que os distanciam dos inimigos vingativos que criaram na vida passada. Estes tentarão destruir as bênçãos da nova vida corporal, com os seus assédios perversos e os males dos processos perigosos de obsessão.

REENCARNAÇÃO EM LAR SEMELHANTE A HOSPITAL--ESCOLA

Os benfeitores espirituais programam o regresso de muitos espíritos endividados ao campo bendito do corpo de carne, à semelhança do que ocorre com certas entidades que precisam ingressar num abençoado lar, hospital e escola.

Esses espíritos, por suas más obras, carregam desequilíbrios sérios na mente, no mundo íntimo e no perispírito, necessitando de tratamentos prolongados para as enfermidades e os sofrimentos que geraram para si mesmos, além de lições de vida, bons exemplos e experiências para construir o bem-estar no cotidiano, fazer acertos de contas com a Justiça, ter esperança no porvir e firmar as corrigendas intelectuais e morais.

Essas reencarnações expiatórias são destinadas aos espíritos desastrosos que necessitam de uma vida corporal inteira em condições de deficiência mental e física, pobreza, tribulações embaraçosas, carências penosas de recursos materiais; mas, felizmente, ao lado dos pais e familiares que lhes amparam nas necessidades morais e fortalecem o aprendizado da valorização dos bens imperecíveis pela persistência nas atitudes e ações nos campos do bem.

Esses trabalhos reencarnacionistas de ordem expiatória contam, evidentemente, com o apoio integral dos benfeitores espirituais, que programaram a reincorporação na crosta e que estão envolvidos fraternalmente na recuperação do espírito que está em tratamento e reeducação, para crescer em qualidades pessoais.

OPERACIONALIZAÇÃO DA REENCARNAÇÃO

Para a efetivação do processo de renascimento, os benfeitores espirituais especialistas promovem ajustes no corpo sutil do espírito reencarnante. Assim, desencadeiam um processo de adelgaçamento gradativo, que permita a ligação dele aos tecidos delicados do perispírito materno.

Esses benfeitores sábios e benevolentes permanecem atentos a todas as etapas complexas do processo, notadamente na indispensável defesa do templo materno. Sem as medidas de segurança haveria o assédio das forças nefastas e menos dignas que atuam na crosta da Terra e, muitas vezes, querem prejudicar os espíritos reencarnantes que foram abrigados no regaço da mãe.

PROTEÇÃO AOS PAIS E FILHO

A bênção do renascimento evolutivo exige dos espíritos protetores tarefas incessantes que garantam o sucesso do trabalho de planificação, programação e execução do processo reencarnatório. A proteção incessante dos pais, e principalmente da criança, persiste até os sete anos de vida após o trabalho de parto, quando há a consolidação com êxito do processo reencarnacionista.

Quando o espírito prejudicou muitas pessoas em vida passada, com o seu mau caráter, na ocasião do retorno à carne, os membros da família, notadamente os pais e o filho, precisam de vigilância redobrada e atenta. Os espíritos adversários, inimigos, perseguidores, vingativos e maus usam todos os tipos de perturbações e maldades para tentar destruir o processo reencarnatório.

Por isso, os casos mais complexos de renascimento nos variados setores das provas e lutas humanas, envolvendo os espíritos comprometidos com a lei, que estão se submetendo às limitações do corpo de carne para expiarem seus delitos graves, os benfeitores espirituais os mantêm protegidos e afastados dos seus inimigos violentos, parceiros decepcionados, adversários ferrenhos e cúmplices contrariados, para que não destruam a oportunidade de progresso na nova jornada evolutiva.

Então, os espíritos protetores atuam em grandes equipes, promovendo por muito tempo um cerco eficiente de defesa em torno do agrupamento familiar. Assim, eliminam até mesmo as influências e emissões mentais negativas à distância. O objetivo disso é o cumprimento da programação da reencarnação, que visa a aquisição de valores educativos, trabalhos árduos, cultivo das virtudes, santificação dos sentimentos, conquista de conhecimentos e experiências nobres, elevação dos potenciais da mente e do mundo interior, iluminação da consciência para a ascensão intelectual, moral e espiritual.

REENCARNAÇÕES DOS ESPÍRITOS QUE BUSCAM AO MESMO TEMPO A ELEVAÇÃO DA INTELIGÊNCIA E DA MORALIDADE

Os benfeitores espirituais dedicam grande parte do tempo de trabalho na consumação das reencarnações comuns dos espíritos que já se esforçam para manter um bom equilíbrio entre o progresso intelectual e o avanço moral.

Então, participam na programação das bênçãos de um novo corpo de matéria densa, principalmente ajudando na escolha de uma família em que o espírito reencarnante esteja ao lado dos pais, companheiros e amigos, aos quais se ligou há muito tempo atrás pelas simpatias, afeições sinceras e fortes afinidades espirituais e morais.

Assim, programam o renascimento na carne, contemplando os meios e recursos para a realização dos anseios em obter maiores aprimoramentos intelectuais e, ao mesmo tempo, o enobrecimento moral e espiritual.

OPERACIONALIZAÇÃO DA REENCARNAÇÃO COMUM

Os benfeitores espirituais começam o processo de reencarnação comum ajudando a retrair ou atrofiar os órgãos do corpo espiritual, que está sob o governo do campo mental do espírito reencarnante. Dessa forma, as células do corpo espiritual vão se ajustando adequadamente no abrigo fisiológico materno. Em seguida, há o início da reintegração pacífica ao mundo físico, com o processo de ligação imprescindível ao vaso genésico da mãe, para a compatibilização das harmonias e afinidades necessárias entre o perispírito do reencarnante e o da sua genitora.

Com essas ligações indispensáveis dentro do útero feminino, as células passam a se aglutinar mecanicamente, obedecendo às leis da reencarnação e da hereditariedade. O desencadeamento das transformações nos recursos orgânicos permite a formação paulatina do novo veículo físico.

Desde o início do processo, as células físicas vão sendo modeladas, sob a orientação da mente desencarnada; mas em observância dos registros das vidas passadas gravados nos órgãos do perispírito. Assim, há a formação natural do novo veículo físico em que o espírito vai se manifestar na vida carnal.

Mesmo após o nascimento, o corpo material prossegue no seu desenvolvimento natural, sob as condições e recursos do plano físico. Mas, mesmo assim, as células sutis do perispírito continuam ordenando, influenciando e participando da preservação dos órgãos e formas do envoltório mais denso.

DETALHES NA EFETIVAÇÃO DAS REENCARNAÇÕES COMUNS

As reencarnações comuns ocorrem diariamente, sendo a grande maioria delas, em atendimento dos anseios dos espíritos reencarnantes comuns, que precisam voltar às lides terrenas para desfrutar de novas oportunidades evolutivas.

Assim, os benfeitores espirituais ajudam-nos na escolha do núcleo familiar e na programação das condições de vida na família e sociedade, dos trabalhos, ocupações, atividades, missões, provas, tarefas, lutas e sofrimentos, que são meios e recursos para o crescimento em conhecimentos nobres, sentimentos amorosos, experiências valiosas, envolvimentos nos campos das profissões, ciências e artes que permitem as aquisições dos valores culturais, intelectuais e morais.

Embora esses processos de reencarnação ocorram de modo padronizado e automático, não dispensam o auxílio, influências, participação e acompanhamento dos técnicos especializados na materialização temporária do espírito na crosta da Terra, que interferem de modo eficiente no campo da embriologia e biologia do corpo material. Alguns embriões precisam dessa interferência dos especialistas em reencarnação para ter boa formação, funcionamento perfeito e sadio dos órgãos do envoltório denso da alma e longa duração na crosta do planeta.

Desse modo, cada renascimento de espírito na superfície densa do planeta, embora o processo ocorra de modo padrão e natural, é gerenciado por especialistas no assunto, porque existe muita complexidade na perfeita conciliação entre o magnetismo dos pais terrenos e os fortes desejos de conquistas, méritos e evolução do espírito que regressa ao campo das formas físicas.

ATUAÇÕES DOS BENFEITORES ESPIRITUAIS JUNTO AOS ESPÍRITOS QUE JÁ EFETIVARAM SUAS REENCARNAÇÕES COMUNS

Os trabalhos dos benfeitores espirituais não terminam com a efetivação das reencarnações comuns. Os pais precisam de ajuda e proteção para o cumprimento das difíceis missões da paternidade e da maternidade. Por outro lado, a alma do filho necessita de influenciações mentais salutares e proteções, após ter se submetido corajosamente à sua materialização duradoura na face da Terra.

Por isso, os benfeitores espirituais acompanham de perto todas as ocorrências na vida familiar, profissional e social dos seus assistidos, prestando-lhes, de modo oculto, amparos, proteções, influenciações e providências que facilitam o cumprimento com sucesso das suas programações para os círculos da matéria densa.

Essa tutela precisa ser mais intensa durante o período infantil do espírito reencarnado, evitando grandes abalos na saúde e transtornos psíquicos, principalmente até os primeiros sete anos da existência carnal. Depois deste período de tempo, há um sábio, justo e cauteloso afastamento por parte dos espíritos protetores, que passam a fazer interferências especiais e discretas apenas nos acontecimentos mais relevantes. É que os aprendizes precisam treinar a comandar de modo livre e conveniente as suas vontades, livre-arbítrio e uso das faculdades, submetidos aos mecanismos da lei de causa e efeito. Mas, jamais faltam as influenciações para as atividades educativas, dignas e responsáveis e o despertar da consciência para os bons resultados do trabalho honesto e da realização das boas obras, que geram prosperidade, melhoria das condições de vida, alegria e felicidade.

DETALHES DA REDUÇÃO DO PERISPÍRITO DURANTE A OPERACIONALIZAÇÃO DAS REENCARNAÇÕES COMUNS

Os benfeitores espirituais especializados trabalham, inicialmente, na harmonização fluídica do espírito reencarnante com as almas dos futuros pais terrenos; mas, de modo especial, com a alma da futura mãe. Assim, administram e controlam a sutileza e plasticidade do organismo perispiritual, visando inclusive a necessária redução do corpo sutil do espírito em processo de encarnação, através da magnetização.

Logo em seguida, começam a ligação inicial e o ajustamento do organismo perispirítico do filho ao ventre da mãe, para o necessário êxito na volta do espírito à corrente da vida no círculo carnal. Isso dá início à modelagem fetal e ao desenvolvimento do embrião, dentro das leis da reprodução e da hereditariedade.

Graças à redução na forma e às ligações necessárias, o perispírito do espírito reencarnante torna-se um vigoroso modelo ou molde, ao atuar de modo semelhante a um ímã que atrai as limalhas de ferro. Dessa forma, o envoltório carnal começa a ganhar forma consistente. Em decorrência, os órgãos do corpo carnal em formação vão se tornando, com o passar do tempo, em instrumentos adequados à manifestação das faculdades e características do espírito na crosta planetária.

Esse processo de reencarnação é muito complexo e vagaroso, mantendo o espírito reencarnante em um estado de sonolência profunda. Assim, não fica consciente da paulatina absorção dos recursos materiais, nem dos efeitos da sua harmonização com a constituição orgânica da sua mãe.

Com o andamento maravilhoso do processo iniciado após a espantosa transformação no corpo sutil do espírito reencarnante, que se adelgaçou de maneira surpreendente, as ligações e o contato com o organismo materno permitem a obtenção das energias necessárias à formação do seu envoltório carnal.

Os benfeitores espirituais jamais relaxam na intensa vigilância, desde o início do processo que chegou na redução e expressiva contração automática do perispírito. Precisam gerenciar o choque biológico que é apreciável para o espírito reencarnante que teve o seu perispírito reduzido e ligado ao centro genésico feminino. Então, esses especialistas e técnicos em reencarnação acompanham os pormenores da redução volumétrica do veículo sutil, com a diminuição dos espaços intermoleculares; absorção dos recursos maternos que estão permitindo a formação do novo vestuário de carne; aglutinação paulatina e perfeita dos elementos materiais sobre o perispírito, que está servindo de molde ou modelo; e formação perfeita do envoltório que vai possibilitar a adequada manifestação das faculdades e características do espírito durante a sua jornada evolutiva terrena.

Apenas quando necessário, eles interferem na reprodução das características físicas dos pais; no perispírito do espírito reencarnante durante a obtenção dos recursos que permitem a formação dos órgãos para a adequada manifestação das potências da alma; na perfeita incorporação do espírito no veículo denso do plano material; nas energias disponibilizadas pelo útero materno e assimiladas e direcionadas eficientemente para a formação do envoltório corporal, que exteriorizará as qualidades intelectuais e morais do espírito reencarnante.

Enorme complexidade na operacionalização das reencarnações dos espíritos doentes e sofredores

Quando se trata da reencarnação de espíritos que, com suas péssimas obras, desestruturaram as potências da mente, do mundo interior e dos centros de força do perispírito, os benfeitores espirituais têm que gerenciar as transferências dos desequilíbrios, traumas, enfermidades e deformidades dolorosas do perispírito para os órgãos em formação do corpo material, visando a reabilitação, regeneração, cura e volta aos esforços evolutivos.

As complexidades já aparecem desde o planejamento e programação dos processos de renascimento, com a difícil escolha dos pais, e se ampliam quando as condições doentias do espírito reencarnante começam a influenciar automaticamente o campo celular e a formação dos órgãos do embrião, determinando o regresso do espírito a um organismo carnal com deficiências ou doenças congênitas.

A partir do momento da ligação inicial do perispírito ao óvulo de matéria física, os benfeitores espirituais concentram suas atenções nas providências intensivas que vão permitir que o processo de formação fetal não tenha grandes interferências e impactos no templo maternal, porque as emanações fluídicas nefastas do espírito reencarnante podem originar sensações e abalos indesejáveis no útero materno, desencadeando o aborto natural.

Com isso, o santuário íntimo da mãe fica preservado de agressões e padecimentos, durante o andamento do complexo processo de modelagem e formação do veículo carnal defeituoso. Além disso, os benfeitores espirituais precisam eliminar as investidas perniciosas dos maus espíritos que foram prejudicados, ou foram parceiros e cúmplices nas quedas morais.

Depois do nascimento, os benfeitores espirituais não podem se ausentar; pois precisam proceder interferências nas exteriorizações das causas reais para as doenças na veste carnal; exercer influências mentais constantes sobre os pais, no estado de vigília, para a aceitação, com resignação, das disciplinas, trabalhos e lutas difíceis; manter contatos diretos com as almas dos pais, durante o desdobramento natural, propiciado pelo sono, para que cumpram todas as programações reencarnatórias assumidas, aceitando e se conformando com o insulamento ou enjaulamento temporário da alma do filho na armadura das células de carne, porque visa a indispensável renovação, regeneração, levantamento moral e quitação das dívidas graves perante a Justiça; e manter a vigilância para deter os constantes ataques tenebrosos, assédios perigosos e ações obsessivas dos inimigos, parceiros e comparsas nos delitos lamentáveis que se sentiram prejudicados e flagelados na vida no plano espiritual.

COMPLEXIDADES NAS REENCARNAÇÕES DOS ESPÍRITOS SUICIDAS

Os espíritos que cometeram o suicídio renascem no mundo físico comprometidos com a reparação das consequências dos seus atos desastrosos. Estes desencadearam sérias repercussões nas potências da mente, do mundo interior e no perispírito. Além disso, promoveram desequilíbrios íntimos graves em seus pais, familiares e amigos, por não terem conseguido valorizar as bênçãos da vida em família e sociedade, destruindo a paz na consciência.

A reencarnação para os espíritos suicidas é sempre muito complicada, pelas aflições e incertezas quanto ao futuro; necessidade de serviços difíceis para a recuperação da saúde mental, íntima e dos órgãos atingidos no perispírito; e reequilíbrio na consciência abalada pelos transtornos, arrependimentos e sentimentos de culpa e fracasso na vida carnal.

Então, os benfeitores espirituais se dispõem a ajudá-los no planejamento e programação de uma reencarnação regenerativa. O primeiro passo, muito difícil, é encontrar novos pais terrenos, que os aceitem voluntariamente como filhos endividados perante a lei. Invariavelmente, as almas dos possíveis pais, quando

A VIDA NAS ESFERAS ESPIRITUAIS | 355

consultadas durante o afastamento temporário do corpo denso, pela influência do sono, anteveem que o reduto doméstico será muito tumultuado e conturbado, se abrigar uma mente transtornada e desequilibrada, um mundo íntimo abalado e um corpo material deformado, pela exteriorização dos reflexos das agressões que o perispírito guardou, pelo modo violento no término da vida passada.

Com isso, geralmente, os espíritos suicidas sentem-se mais sentenciados e punidos pelo próprio senso moral. Então, terão que aceitar como futuros pais terrenos certos espíritos estranhos muito endividados que, numa mesma família, buscarão ficar quites com a lei e justiça. Esses futuros pais são convencidos de que a prática do bem para o filho devedor da justiça apagará a multidão de seus pecados.

Além disso, durante a operacionalização do processo de reencarnação, os espíritos suicidas enfrentam grandes dificuldades a partir do momento da miniaturização ou restringimento do corpo espiritual, pelas marcas que carregam das agressões anteriormente cometidas e dos medos em reincidir no mesmo erro grave do suicídio. Então, para a reencarnação regenerativa e evolutiva, eles contam com os amparos eficientes dos benfeitores espirituais que trabalham nos departamentos dos institutos especializados, tratando e melhorando as condições mentais e íntimas e amenizado as deformidades no perispírito.

Depois que são feitas as ligações ao óvulo materno, dando início ao desenrolar da gravidez da genitora, os especialistas em reencarnação cuidam de concretizar os serviços complexos e laboriosos que chegam ao renascimento dos espíritos suicidas no plano carnal. Então, acompanham atentamente e vigiam cuidadosamente a assimilação dos recursos materiais disponíveis. Além disso, cuidam para que os espíritos reencarnantes, em sono terapêutico, entrem pacificamente no esquecimento do passado, evitando que seus grandes abalos no estado de saúde sejam transferidos para as mães que os hospedam, eliminando assim os riscos de um aborto natural durante o lento desenvolvimento fetal.

Muitos médicos espirituais sábios, generosos e experientes operacionalizam a reencarnação e seguem o esquema rígido de providências em benefício das mães e dos espíritos reencarnantes, garantindo que os nascituros soltem os primeiros choros no berço, para as alegrias dos pais, avós e familiares.

Depois que eles abrem os olhos na nova existência terrena, os espíritos benfeitores, protetores e familiares seguem as programações reencarnatórias e os esquemas de colaboração e vigilância permanente. Inevitavelmente, influenciam mentalmente os encarnados para o sucesso nas expiações planejadas, provas, reajustes, reparações e recuperações. Assim, paulatinamente, os espíritos suicidas vão reunindo méritos espirituais e morais valiosos e os pais valorosos vão conseguindo cumprir suas missões muito difíceis, mas indispensáveis para a ascensão na hierarquia.

REENCARNAÇÕES DOS ESPÍRITOS QUE ASSUMEM COMPROMISSOS SÉRIOS COM A PRÁTICA DA MEDIUNIDADE

Muitos benfeitores espirituais sábios e bondosos aliam-se aos espíritos que anseiam verdadeiramente reencarnar para cumprir tarefas penosas e missões difíceis ligadas ao campo da intermediação das manifestações e comunicações mediúnicas dos espíritos de todas as ordens de elevação intelectual e moral. Muitos deles querem quitar dívidas, contrabalançando as ideias, teorias e práticas do ateísmo, materialismo e doutrinas religiosas, filosóficas e científicas falaciosas, que disseminaram com muita convicção em vida passada.

A VIDA NAS ESFERAS ESPIRITUAIS | 357

Invariavelmente, esses espíritos reencarnantes já se prepararam suficientemente para serem médiuns ostensivos e autênticos e se julgam aptos a realizar os variados trabalhos programados, que darão aos homens provas da imortalidade da alma, autenticidade dos fenômenos mediúnicos e realidades existentes no plano espiritual.

Além disso, esses futuros médiuns já estabeleceram as compatibilidades, afinidades e sintonias mentais, morais e perispirituais com os guias espirituais que lhes prestarão assistência, amparo e proteção, principalmente contra os assédios dos espíritos mistificadores e obsessores perigosos.

Esses medianeiros se comprometeram seriamente em fazer bom uso das suas faculdades mediúnicas; empreender esforços sinceros na concretização das boas obras; exemplificar desinteresse financeiro verdadeiro na realização das tarefas espíritas nobres e prestação de serviços úteis ao próximo; cultivar a verdade com bom-senso, responsabilidade, humildade e honestidade; e aprimorar o espírito de caridade, resignação, disciplina e paciência, desempenhando com dedicação variadas atividades mediúnicas.

Felizmente, eles renascerão com grande chance de obtenção do sucesso nos seus mandatos mediúnicos muito complicados. Para isso, eles merecerão a bênção do renascimento em famílias terrenas que são verdadeiros santuários das práticas religiosas e virtuosas, onde receberão providências educativas e os bons exemplos dos pais, além da companhia dos espíritos elevados, atraídos pelas características admiráveis e qualidades nobres dos membros da família. Assim, serão influenciados e orientados para o trabalho honesto e a prática do bem, inclusive durante a liberdade parcial das almas, propiciada pelo sono, reforçando as chances de êxito nas programações para o porvir.

Mas, mesmo assim, esses espíritos missionários reencarnarão sem privilégios quanto ao choque biológico do renascimento; periculosidade das influências das pessoas más nos ambientes sociais em que atuarão; esquecimento temporário das suas programações reencarnatórias; possíveis tropeços e quedas nos momentos difíceis de superar provas, reveses, lutas, dores, tribulações, obstáculos e amarguras, que inevitavelmente surgirão; descrenças e provocações dos companheiros das lides da mediunidade; incertezas quanto ao amparo e proteção durante as manifestações e comunicações dos espíritos contrários aos missionários do bem; incompreensões dos entes queridos e amigos quanto ao desinteresse pelo enriquecimento material; ameaças do poder do orgulho, egoísmo e vaidade, quando houver o aumento da notoriedade e fama; perigos da idolatria por parte de certas pessoas que serão beneficiadas pelos bons espíritos; embates contra as forças do ateísmo, materialismo e falsos religiosos, filósofos e cientistas; investidas obsessivas por parte dos espíritos perigosos e maus; ações dos falsos amigos e companheiros decepcionados com os rumos dos seus desempenhos mediúnicos; confrontos desgastantes e complicações desanimadoras para a continuidade da prestação dos serviços mediúnicos úteis ao próximo; crises e tentações que murcham o empenho nas atividades mediúnicas gratuitas; e atenuação nos esforços para disseminar o entendimento das realidades existentes na obra de Deus.

Mas, felizmente, esses futuros médiuns ostensivos e autênticos renascerão sob a guarda eficiente e tendo como aliada confiável uma enorme equipe de benfeitores espirituais. Estes os sustentarão no cumprimento das suas missões e tarefas árduas até que haja a vitória, a qual permitirá o retorno para a vida verdadeira com valorosos méritos espirituais e morais, paz na consciência, alegria e felicidade pela integração nos trabalhos e atividades dos amigos espirituais que os conduzirão à colônia linda das regiões das bem-aventuranças de esfera espiritual bem elevada.

REENCARNAÇÕES DOS ESPÍRITOS QUE IMPLORAM OS BENEFÍCIOS DO ESQUECIMENTO DO PASSADO

Muitos espíritos doentes e sofredores, depois de terem sido resgatados pelos benfeitores espirituais das regiões do umbral ou das vizinhanças da superfície da Terra, são assistidos e tratados em instituições especializadas, ficando conscientes dos graves erros morais que cometeram na vida carnal. Então, imploram a volta à esfera do recomeço nos círculos vinculados à experiência humana para desfrutarem principalmente da bênção do olvido das suas realizações lamentáveis, que prejudicaram muitos semelhantes na existência passada.

Assim, entram em planejamento rápido e programações reencarnatórias apressadas, visando o retorno, o mais breve possível, a um núcleo familiar em que possam receber principalmente a educação moral e encaminhamento para as tarefas árduas, atividades nobres, trabalhos honestos e fortalecimento das condutas morais elevadas ante as provas difíceis. Então, com a bênção do esquecimento dos acontecimentos e fatos lamentáveis ocorridos na vida passada, enfrentam as lutas e dificuldades da reencarnação expiatória, conseguindo fazer o acerto de contas com a justiça de Deus.

Para eles, o apagão temporário na consciência das desagradáveis imagens registradas e arquivadas na memória acaba com as reflexões bastante tristes e os julgamentos muito dolorosos feitos pelo senso moral, dando início a uma jornada expiatória e evolutiva no vaso de carne, em cumprimento a um programa valioso de aperfeiçoamento no uso das faculdades e libertação das faltas morais, que os mantiveram longe das regiões da luz da esfera espiritual resplandecente.

Evidentemente, contarão com as influenciações e proteção dos benfeitores espirituais dos institutos que promovem o retorno às provas e lutas em família e sociedade dos círculos da matéria densa. Mas, muitos desses espíritos arrependidos pediram também, voluntariamente, uma vestimenta da esfera física da crosta com limitações mentais e deficiências em órgãos do envoltório corporal, para evitarem a repetição das quedas morais e concentrarem suas ocupações e atividades na melhoria das condições de vida muito pobres. Assim, pretendem acumular tesouros morais e cumprir as programações expiatórias e regeneradoras que promovem a santificação moral e a volta da paz na consciência.

Reencarnações dos espíritos que praticaram o aborto

Os benfeitores espirituais bondosos e piedosos planejam, programam e operacionalizam as reencarnações dos espíritos que suportam grandes transtornos íntimos e constrangimentos mentais, por terem desistido do cumprimento das missões da paternidade e da maternidade, praticando o aborto por motivos egoístas e fúteis.

Com isso, deixaram, voluntariamente, de abrigar com carinho, amparar com devoção, sustentar com esforços e educar com sacrifícios um filho de Deus, necessitado de evolução intelectual e moral, tais quais eles eram, quando foram bem recebidos na condição de filhos por seus generosos pais terrenos.

Esses espíritos transgrediram leis irrevogáveis, que desencadearam alterações deprimentes ou degenerescência no centro de força genésico do perispírito. Além disso, no estado de tristeza e infelicidade, fazem reflexões profundas, ouvindo as acusações incessantes feitas pelo senso moral da consciência, com base nas imagens e provas do ato criminoso arquivadas permanentemente na memória.

Então, vivem com sentimentos de culpa, remorso e arrependimento, implorando a oportunidade do esquecimento e reparação dos danos que causaram para o espírito que precisava reencarnar para evoluir e, ao mesmo tempo, dos males que desencadearam para si mesmos.

Desse modo, doentes, sofredores, arrependidos e envergonhados, imploram para os benfeitores espirituais a internação em instituição especializada em preparar a reencarnação reparadora. Então, são inscritos por livre vontade em cursos preparatórios para o cumprimento das missões da paternidade e da maternidade e amenização dos transtornos que carregam na mente, no mundo íntimo e no perispírito.

Quando estudam os mecanismos da reencarnação, assustam-se com o processo de restringimento do perispírito; a inevitável transferência das enfermidades do corpo sutil para o novo corpo material; os efeitos das permutas dos fluidos sutis entre o espírito reencarnante desequilibrado e doente para a futura mãe; e as condições dos acertos das dívidas assumidas, que podem facilitar a ocorrência do aborto natural, frustrando a tentativa do renascimento para as almas endividadas pela prática do aborto.

Além disso, dificilmente conseguem o aconchego de um lar e uma família com pais amorosos, que sabem acolher com dedicação e paciência um filho desejado. Apenas os futuros pais que influenciaram, apoiaram e praticaram, em vida anterior, o aborto delituoso e que também precisam ainda fazer acertos de contas com a justiça, se dispõem a receber esses espíritos que praticaram o mesmo delito em vida passada. Então, juntos, na mesma família, sob o manto do esquecimento imposto pelo corpo de carne, obtêm o perdão para si mesmos e ficam quites do grave delito perante a lei.

Mas, mesmo esses espíritos em processo de resgate pela prática do aborto em vida passada continuam sendo amparados e protegidos pelos benfeitores espirituais, inclusive durante a libertação parcial da alma pela influência do sono, para que consigam cumprir, com responsabilidade e maturidade espiritual e moral, os sérios compromissos da paternidade e da maternidade que assumiram, para anular os débitos graves perante a lei.

REENCARNAÇÕES DOS ESPÍRITOS QUE DESENCARNARAM COMO VÍTIMAS DE ABORTO

As almas que perderam o corpo material já no início da sua formação, em decorrência das agressões da prática do aborto pelos pais, são amparadas, de imediato, pelos benfeitores espirituais que estavam operacionalizando o seu processo de reencarnação. Assim, recebem a assistência eficiente e são conduzidas à instituição de recuperação dos dois choques biológicos consecutivos: encarnação e desencarnação.

Essas almas brutalmente feridas, que tiveram suas programações de renascimento frustradas, tão logo apresentem melhoras, são internadas em educandários especializados, onde recebem cuidados, tratamentos, proteção e educação, até que reassumam paulatinamente a sua antiga personalidade intelectual e moral.

Algumas delas, depois de reassumido o comando mental de si mesmas, não conseguem pôr em prática os conselhos dados pelas professoras de perdoar os pais e as pessoas que deliberadamente praticaram o crime. Então, revoltadas, com ódio e desejo de vingança, geralmente se aliam aos espíritos perversos e experientes em estabelecer dolorosos processos obsessivos contra os seus inimigos encarnados, que as expulsaram do valioso envoltório corporal em constituição, determinando-lhes um destino doentio e infeliz.

Assim, estacionam na natural recuperação do choque biológico da desencarnação violenta e levam muito tempo para o reinício do planejamento e programação de uma nova reencarnação, por se manterem distantes dos conselhos dos benfeitores espirituais.

Por desejarem fazer justiça com as próprias mãos para os infratores das leis, executam planos danosos para a mente, o mundo íntimo e o perispírito dos seus algozes. Assim, revidam sem piedade a morte do seu envoltório material nas primeiras semanas de vida e sua expulsão do útero materno, sem respeito e consideração.

Por outro lado, as almas que demonstraram maturidade moral para perdoar seus agressores, recebem logo nova oportunidade de reencarnação por parte dos benfeitores espirituais. Então, estes voltam às suas fichas de conquistas, progressos, méritos e deméritos; trabalham na escolha dos novos pais amorosos e responsáveis, que desejam ter um filho no plano carnal, para ampará-lo, educá-lo e favorecê-lo na construção de um destino próspero e feliz.

REENCARNAÇÕES DOS ESPÍRITOS MAIS ELEVADOS OU SUPERIORES

Os benfeitores espirituais, que cuidam das reencarnações nas instituições das colônias situadas nas regiões da segunda esfera espiritual, participam também das reencarnações especiais de alguns espíritos nobres e habilidosos. Estes pretendem cumprir missões importantes e realizar trabalhos árduos em famílias ou campos de atividades necessitados de melhorias e progressos consideráveis, mesmo sabendo que vão enfrentar polêmicas, preconceitos, oposições e contestações de todas as ordens, por parte dos homens conservadores.

Eles trazem no mundo mental e íntimo, conhecimentos e experiências inusitadas, métodos revolucionários de trabalho, técnicas inovadoras que vão melhorar, com criatividade, as condições de vida na sociedade, continuando a lenta ascensão do planeta na escala dos mundos habitados.

Os benfeitores espirituais que operacionalizam essas reencarnações especiais dos espíritos missionários gerenciam as alterações embriológicas. Eles possuem técnicas apuradas para modificar as condições da matéria carnal, favorecendo a formação de uma estrutura cerebral que permita a plena manifestação das potências intelectuais, mentais e íntimas. Assim, com suas interferências nos cromossomas, favorecem o desenvolvimento adequado do veículo físico que vai servir de instrumento de manifestação plena dos espíritos missionários.

Os benfeitores espirituais, com seus serviços intercessórios, selecionam todos os elementos celulares do veículo de exteriorização do espírito missionário e influem na perfeita aglutinação da matéria orgânica densa. Desse modo, conseguirão exteriorizar suas habilidades e capacidades na plenitude, cumprindo com êxito seu programa de trabalho.

Além disso, os benfeitores espirituais dedicados às reencarnações diferenciadas prestam especial atenção na escolha dos pais e familiares dos espíritos missionários. A seleção de uma equipe familiar com espíritos afins é muito importante para a atuação harmônica do líder e dos coadjuvantes na consecução dos planos preestabelecidos.

Ao lado dessa equipe de espíritos encarnados, ficam muitos companheiros desencarnados cuidando de assisti-los, protegê-los, influenciá-los, inspirá-los e orientá-los nos seus campos de atuação, para a materialização das suas ideias inatas, inventos, descobertas e planos de trabalho. No lado espiritual da vida, geralmente é imensa a equipe de espíritos interessados no sucesso na empreitada difícil que vai implantar mudanças, avanços e progressos valiosos em variados segmentos das sociedades das nações terrenas. Para isso, montam gigantescos esquemas de trabalhos eficientes, para que haja atuações simultâneas nos dois lados da vida, garantindo o sucesso nos empreendimentos.

A equipe de espíritos que assiste os espíritos missionários que atuam nos círculos da matéria densa permanece em contato direto e estreito com os seus assistidos e protegidos, notadamente durante a ausência temporária da alma do seu corpo material, pela influência do sono. Então, trocam informações, avaliam orientações e instruções valiosas, reforçando as intuições, inspirações e influenciações mentais, que são passadas durante o período de vigília, para que os trabalhos, tarefas, ocupações e atividades inovadoras e transformadoras atinjam os objetivos pretendidos.

REENCARNAÇÕES DOS ESPÍRITOS ANGÉLICOS SEMEADORES DOS PROGRESSOS

Algumas missões são tão importantes e sublimes, que são planejadas, programadas e amparadas por equipes de espíritos angélicos. Estes descem das regiões das esferas espirituais elevadíssimas da luz para ajudar na implantação de grandes mudanças e progressos, em variados segmentos do plano material, melhorando os rumos da história da humanidade.

As reencarnações desses espíritos angélicos, muitas vezes, apenas vão lançar pequenas sementes inusitadas. As sociedades dos espíritos encarnados não estão ainda estruturadas para aceitar de imediato seus ensinamentos e seus exemplos de condutas que aceleram os progressos intelectuais e morais. Precisam de milênios, ou de longos períodos de tempo, para que as suas semeaduras germinem, floresçam e frutifiquem.

Para isso, as equipes de espíritos angélicos selecionam com frequência novos companheiros qualificados de suas equipes, para que renasçam na crosta do planeta, com o propósito firme de intensificar a implantação dos progressos deixados incipientes nas sociedades humanas. Desse modo, as propostas revolucionárias vão sendo paulatinamente aceitas e adotadas nos campos das ciências, artes, religiões, política, economia e atividades sociais, melhorando as condições de vida nas comunidades.

PARTICIPAÇÃO DAS DUAS ESFERAS DA VIDA NOS PROCESSOS DE REENCARNAÇÃO DOS ESPÍRITOS

Os processos de reencarnação fazem parte do cotidiano de todas as colônias das regiões das esferas espirituais que circundam a crosta terrena.

Desse modo, participam deles incontáveis espíritos pertencentes às duas esferas de vida: a espiritual e a material.

Do lado espiritual, participam ativamente os benfeitores espirituais sábios e amorosos, oferecendo assistência, amparo e proteção aos espíritos que precisam reencarnar para cumprir missões, provas ou expiações, para ascender na hierarquia espiritual.

Do lado carnal da vida, participam os pais dedicados, familiares e amigos queridos, que abrigam, sustentam, educam e protegem os filhos amados, colaborando para o sucesso na nova experiência evolutiva.

Dessa forma, dos dois lados da vida estão atuando, simultaneamente e incessantemente, os espíritos de todas as ordens de elevação intelectual e moral, atendendo os desígnios de Deus para a obra da criação.

A conquista da angelitude, por esforços próprios, é a meta estabelecida pelo Pai e Criador de todas as coisas, para todos os Seus filhos. Isso exige, principalmente, a observância das leis e participação na família universal com dedicação de amor e respeito uns aos outros.

QUINTA PARTE:

ESFERAS SUPERIORES DA VIDA ESPIRITUAL

Capítulo 47

CONDIÇÕES DE VIDA, OCUPAÇÕES E ATIVIDADES DOS ESPÍRITOS SUPERIORES NAS REGIÕES DAS ESFERAS ESPIRITUAIS LOCALIZADAS BEM ACIMA DA CROSTA DA TERRA

❖

A Terra é o centro, isto é, a sede de grande número de esferas espirituais que a rodeiam de maneira concêntrica. Não posso precisar o número dessas esferas, porque elas se alongam até um limite que a minha compreensão, por enquanto, não pode alcançar.

Quanto mais evoluído o ser, mais elevada será a sua habitação, até alcançar o ponto em que essas esferas se interpenetram com as de outros mundos mais perfeitos, seguindo os espíritos nessa escala ascendente do progresso, sob todos os seus aspectos.

Espírito Maria João de Deus, no livro *Cartas de uma morta*.

A OBRA DE DEUS é muito mais complexa e grandiosa, quando observada do lado espiritual da vida, conforme a revelação acima do espírito da mãe de Chico Xavier.

As crostas dos planetas têm continuidade no lado invisível da vida, com uma série de esferas espirituais ascendentes, cujas regiões abrigam os espíritos de todas as ordens de evolução intelectual e moral.

Os espíritos superiores, puros, sábios e amorosos, que já alcançaram ou estão muito perto da perfeição, por esforços e méritos próprios, habitam, pelos desígnios de Deus, as regiões das esferas das bem-aventuranças muito elevadas, existentes no lado espiritual da vida. Mas, eles não vivem na ociosidade, nem na contemplação permanente das surpreendentes coisas inorgânicas e orgânicas criadas com as matérias existentes na obra da criação.

Eles são os mensageiros e executores das vontades do Criador e atuam em toda parte do Universo, cuidando, como agentes, da consecução e observância das leis Divinas, manutenção da harmonia universal e do cumprimento das ordens do Pai.

Assim, na notável condição de cocriadores, nas mais variadas regiões das superfícies densas dos planetas, bem como nas das suas inúmeras esferas espirituais ascendentes, formadas com matérias em estados cada vez mais sutis, atuam como representantes e executores dos desígnios de Deus.

Com suas características nobres e poderes superiores, presidem, dominam, transformam, estruturam, organizam, orientam e guiam as energias e forças existentes nos celeiros de Deus, as quais permitem a formação e o desenvolvimento dos sistemas planetários interligados e que se interpenetram no Universo, onde a vida floresce e triunfa de forma muito diversificada e maravilhosa.

Dessa forma, eles atuam incessantemente sobre as múltiplas formas existentes nos mais variados ambientes naturais, cooperando intensamente com a evolução das criaturas de Deus, que estão em diferentes graus de progressos intelectuais e morais, manifestando as suas faculdades de formas diferenciadas, mas sempre caminhando para a perfeição espiritual. (Fontes: livros *A Caminho da luz* e *Evolução em dois mundos*.)

CARACTERÍSTICAS, OCUPAÇÕES E ATIVIDADES DOS ESPÍRITOS PUROS

Primeira ordem: espíritos puros. Caracteres Gerais. Nenhuma influência da matéria. Superioridade intelectual e moral absoluta, em relação aos espíritos das outras ordens.

Primeira Classe. Classe Única. Percorreram todos os graus da escala e se despojaram de todas as impurezas da matéria. Havendo atingido a soma de perfeições de que é suscetível a criatura, não têm mais provas nem expiações a sofrer. Não estando mais sujeitos à reencarnação em corpos perecíveis, vivem a vida eterna, que desfrutam no seio de Deus.

Gozam de uma felicidade inalterável, porque não estão sujeitos nem às necessidades nem às vicissitudes da vida material, mas essa felicidade não é a de uma ociosidade monótona, vivida em contemplação perpétua. São os mensageiros e os ministros de Deus, cujas ordens executam, para a manutenção da harmonia universal. Dirigem a todos os espíritos que lhes são inferiores, ajudam-nos a se aperfeiçoarem e determinam as suas missões. Assistir os homens nas suas angústias, incitá-los ao bem ou à expiação das faltas que os distanciam da felicidade suprema é para eles uma ocupação agradável. São, às vezes, designados pelos nomes de anjos, arcanjos ou serafins.

Os homens podem comunicar-se com eles, mas bem presunçoso seria o que pretendesse tê-los constantemente às suas ordens.

O Livro dos Espíritos, **Livro II, Capítulo I, Questões 112 e 113.**

As características dos espíritos puros ou designados de seres angélicos, descritas acima por Allan Kardec, são maravilhosas. Eles vivem numa alegria e felicidade inalteráveis, decorrentes dos progressos intelectuais e morais que já conquistaram, desfrutando de condições de vida e poderes inimagináveis para os demais espíritos que ainda estão percorrendo os diferentes graus e ordens da escala espiritual, e sujeitos à lei da reencarnação para evoluir, pelo cumprimento de missões, provas ou mesmo de expiações.

Na condição de mensageiros e ministros de Deus, eles não conhecem a monotonia, porque estão em toda parte do Universo se ocupando com as transformações e modificações nas inúmeras formas da matéria, para a manutenção da ordem e harmonia universal. Ao mesmo tempo, estão exercendo múltiplas ocupações e atividades incessantes muito variadas, para jamais se distanciarem dos seus irmãos que ainda estão evoluindo, com esforços próprios, e fazendo aquisições valiosas, seja na condição de espíritos encarnados nas regiões das crostas dos planetas, seja na de espíritos residentes nas regiões das esferas espirituais ascendentes que se interpenetram, circundando os astros celestes de forma concêntrica.

ATRIBUIÇÕES DOS ESPÍRITOS ANGÉLICOS QUE HABITAM AS REGIÕES SUBLIMADAS DO PLANO ESPIRITUAL

> Nas sublimadas regiões celestes de cada orbe entregue à inteligência e à razão, ao trabalho e ao progresso dos filhos de Deus, fulguram os gênios angélicos, encarregados do rendimento e da beleza, do aprimoramento e da ascensão da Obra Excelsa, com ministérios apropriados à concessão de empréstimos e moratórias, créditos especiais e recursos extraordinários a todos os espíritos encarnados ou desencarnados, que os mereçam, em função dos serviços referentes ao Bem Eterno.
>
> **Espírito André Luiz, no capítulo 7 do livro *Ação e reação*.**

Os espíritos que já conquistaram as asas da sabedoria e do amor e ascenderam voo para habitar as regiões sublimadas da

A VIDA NAS ESFERAS ESPIRITUAIS | 373

angelitude cuidam da ordem, harmonia e engrandecimento da majestosa obra de Deus, bem como para que os seus irmãos ainda imperfeitos progridam na hierarquia incessantemente, concedendo-lhes inúmeras concessões, créditos e recursos que os levam às conquistas pessoais, disseminação e vitória do bem, conforme mostra o texto acima do espírito André Luiz.

Criação de Deus e cocriação dos espíritos angélicos

PLASMA DIVINO. O fluido cósmico é o plasma divino, hausto do Criador ou força nervosa do Todo-Sábio.

Nesse elemento primordial, vibram e vivem constelações e sóis, mundos e seres, como peixes no oceano.

COCRIAÇÃO EM PLANO MAIOR. Nessa substância original, ao influxo do próprio Senhor Supremo, operam as Inteligências Divinas a Ele agregadas, em processo de comunhão indescritível, os grandes Devas da teologia hindu ou os Arcanjos da interpretação de variados templos religiosos, extraindo desse hálito espiritual os celeiros da energia com que constroem os sistemas da Imensidade, em serviço de Cocriação em plano maior, de conformidade com os desígnios do Todo-Misericordioso, que faz deles agentes orientadores da Criação Excelsa.

Essas Inteligências Gloriosas tomam o plasma divino e convertem-no em habitações cósmicas, de múltiplas expressões, radiantes ou obscuras, gaseificadas ou sólidas, obedecendo a leis predeterminadas, quais moradias que perduram por milênios e milênios, mas que se desgastam e se transformam, por fim, de vez que o espírito criado pode formar ou cocriar, mas só Deus é o Criador de toda a eternidade.

IMPÉRIOS ESTELARES. Devidas à atuação desses Arquitetos Maiores, surgem nas galáxias as organizações estelares como vastos continentes do Universo em evolução e as nebulosas intragaláticas como imensos domínios do Universo, encerrando a evolução em estado potencial, todas gravitando ao redor de pontos atrativos, com admirável uniformidade coordenadora.

É aí, no seio dessas formações assombrosas, que se estruturam, inter-relacionados, a matéria, o espaço e o tempo, a se renovarem constantes, oferecendo campos gigantescos ao progresso do espírito.

Espírito André Luiz, na Primeira Parte do livro
Evolução em dois mundos.

O Pai e Criador disponibiliza Seus celeiros de energias e forças, bem como as leis universais predeterminadas, possibilitando que as inteligências angélicas gloriosas, a Ele agregadas e em comunhão e atendimento das Suas vontades, diretrizes, ordens e desígnios, formem no Universo, na condição de cocriadores, as galáxias e constelações, que abrigam os mais variados tipos de sistemas de sóis e corpos celestes que se prestam à habitação, progressos e evolução dos filhos de Deus, criados simples e ignorantes, mas perfectíveis.

Esses mensageiros sábios, virtuosos e respeitáveis, atuam em toda parte do Universo espiritual e do Universo material, em observância às diretivas de Deus. Com suas imensas capacidades e poderes extraordinários, adquiridos ao longo da caminhada até a perfeição, arquitetam, transformam, organizam, direcionam, constroem, dominam, orientam e administram as partículas e elementos formados com a energia primitiva, estabelecendo graus muito variados de combinação, condensação, densidade, sutileza, plasticidade e sublimidade nos estados das matérias maleáveis, para a formação dos imensos, grandiosos e complexos Sistemas existentes no Universo.

Nesse contexto gigantesco e excelso da obra da criação, vivem os seres espirituais inteligentes e perfectíveis criados por Deus, aprendendo as realidades dos conceitos da matéria, espaço e tempo, e agindo incessantemente, submetidos às leis inalteráveis, nas regiões das esferas que lhes servem de habitação, nas condições de espíritos encarnados ou desencarnados, para a conquista de maior progresso imperecível.

COMUNIDADE DOS ESPÍRITOS SUPERIORES, PUROS, PERFEITOS OU ANGÉLICOS QUE DIRIGEM OS DESTINOS DO NOSSO SISTEMA SOLAR E DA TERRA

Rezam as tradições do mundo espiritual que na direção de todos os fenômenos, do nosso sistema, existe uma Comunidade de espíritos Puros e Eleitos pelo Senhor Supremo do Universo, em cujas mãos se conservam as rédeas diretoras da vida de todas as coletividades planetárias.

Essa Comunidade de seres angélicos e perfeitos, da qual é Jesus um dos membros divinos, ao que nos foi dado saber, apenas já se reuniu, nas proximidades da Terra, para a solução de problemas decisivos da organização e da direção do nosso planeta, por duas vezes no curso dos milênios conhecidos.

A primeira, verificou-se quando o orbe terrestre se desprendia da nebulosa solar, a fim de que se lançassem, no Tempo e no Espaço, as balizas do nosso sistema cosmogônico e os pródomos da vida na matéria em ignição, do planeta, e a segunda, quando se decidia a vinda do Senhor à face da Terra, trazendo à família humana a lição imortal do seu Evangelho de amor e redenção.

Espírito Emmanuel, Capítulo I: A gênese planetária; A comunidade dos espíritos puros, do livro *A caminho da luz*.

As condições de vida, em contínua melhoria e evolução no planeta Terra, nunca estiveram à deriva ou ao acaso. Todos os fenômenos e acontecimentos para o surgimento e desenvolvimento das condições de vida nas regiões das esferas do planeta Terra, bem como nas dos outros orbes do nosso sistema planetário, sempre foram predeterminados, dirigidos e executados por uma comunidade de espíritos puros, perfeitos e angélicos, os quais atuam como cocriadores e subordinados ao Senhor supremo das incontáveis coletividades que existem no Universo.

Então, todos os espíritos encarnados ou desencarnados, que habitam e estão evoluindo nas regiões das esferas que abrigam as múltiplas e diversificadas condições de vida do planeta Terra, sempre estiveram submetidos às decisões, interferências e intervenções sábias, amorosas e justas dessa comunidade excelsa. Esta inclusive determina, em cada momento oportuno, a encarnação dos espíritos missionários, para que exerçam influências progressistas em todas as áreas, bem como deixem nas sociedades das regiões da crosta seus ensinamentos, exemplos, atuações benéficas, transformações, inovações e diretrizes seguras que implantam os aprimoramentos gerais e a disseminação da prática do bem entre os espíritos necessitados de maior progresso intelectual e moral e evolução na hierarquia espiritual.

Todos esses espíritos veneráveis escolhidos como missionários são muito inteligentes, perspicazes e operosos, a ponto de serem considerados na história da humanidade como as mentes muito avançadas para os seus tempos. Mas, mesmo assim, com suas missões, estão fazendo esforços árduos para a expansão da sabedoria e do amor, para que os habitantes da humanidade caminhem para a angelitude. Nesta, conquistarão a perfeição intelectual e moral e passarão a viver nas comunidades das colônias maravilhosas e resplandecentes das regiões das esferas das bem-aventuranças, usando suas faculdades volitivas extremamente adestradas, que se prestam à locomoção instantânea para toda parte do Universo. Além disso, desfrutarão dos progressos, belezas, alegrias e felicidades, que são inimagináveis para os espíritos que ainda estão empreendendo esforços evolutivos.

A VIDA NAS ESFERAS ESPIRITUAIS | 377

Assim, a comunidade de espíritos puros do nosso sistema solar cumpre os desígnios do Pai eterno, procedendo às transformações, combinações e condensações necessárias nas características e propriedades da energia em estado sutil, para que surjam as condições de vida que permitam aos espíritos em evolução o cumprimento das missões, ocupações, atividades, trabalhos, tarefas, serviços, provas e mesmo expiações necessárias à sua melhoria incessante, sublimação no uso das faculdades, engrandecimento e maturidade no mundo mental e íntimo, com bons reflexos sobre o perispírito.

Porém, essa comunidade dos mensageiros e ministros de Deus está integrada às outras imensas comunidades que dirigem os fenômenos e acontecimentos nos planetas dos outros sistemas solares, que integram a nossa galáxia, a Via Láctea.

Além disso, todas as comunidades que dirigem os sistemas solares existentes na Via Láctea e em todas as demais galáxias do Universo estão também integradas entre si. Desse modo, é universal o contexto do favorecimento, assistência, orientação e proteção aos irmãos que estão em evolução intelectual e moral, para deixarem para trás as condições de vida rudimentares existentes nos círculos mais densos da matéria e chegarem ao topo da hierarquia espiritual.

Portanto, as comunidades de espíritos angélicos que presidem os rumos dos sistemas solares de todas as galáxias existentes no Universo compõem uma comunidade maior. Nesta, participam os espíritos puros e perfeitos incumbidos do cumprimento fiel dos desígnios, vontades, ordens e leis de Deus, para a manutenção da unidade, ordem e harmonia na obra da criação.

O GRAU DE EVOLUÇÃO DOS ESPÍRITOS ESTABELECE UMA HIERARQUIA ENTRE OS PLANETAS DOS SISTEMAS SOLARES

Os espíritos superiores, que habitam as comunidades dos reinos de progressos e belezas inenarráveis das esferas espirituais gloriosas, são, na realidade, os espíritos verdadeiramente inteligentes, sábios, cultos, gênios, virtuosos, amorosos, santificados, enobrecidos, tutores e disseminadores do saber, das virtudes, do bem e do progresso de todas as ordens entre os habitantes das regiões das esferas dos planetas dos sistemas planetários das galáxias do Universo.

Com isso, visam à ascensão dos filhos de Deus na hierarquia espiritual, e, consequentemente, à melhoria na classificação dos planetas na hierarquia dos mundos habitados dos sistemas solares das galáxias do Universo.

Portanto, cada planeta de um sistema solar está em um grau diferente de evolução, em consonância com o grau de aprimoramento intelectual e moral dos espíritos que habitam as regiões das suas esferas espirituais, bem como as condições de vida existentes nas regiões da sua superfície mais densa. Então, há uma hierarquia dos planetas habitados em cada sistema planetário de uma galáxia.

Em decorrência disso, o planeta Terra tem uma classificação na hierarquia do nosso sistema solar. Essa posição é determinada em função das condições de vida determinadas pela qualidade intelectual e moral e das boas ou más obras da maioria dos espíritos encarnados e desencarnados que o habitam.

Allan Kardec estabeleceu, no Capítulo III – Há muitas moradas na casa de meu Pai, de *O Evangelho segundo o Espiritismo*, a seguinte hierarquia para os mundos habitados:

Do ensinamento dado pelos espíritos, resulta que os diversos mundos possuem condições muito diferentes uns dos outros, quanto ao grau de adiantamento ou de inferioridade dos seus habitantes. Dentre eles há os que são ainda inferiores à Terra, física e moralmente. Outros estão no mesmo grau, e outros lhe são mais ou menos superiores, em todos os sentidos.

Embora não possamos fazer uma classificação absoluta dos diversos mundos, podemos, pelo menos, considerando o seu estado e o seu destino, com base nos seus aspectos mais destacados, dividi-los assim, de um modo geral: mundos primitivos, onde se verificam as primeiras encarnações da alma humana; mundos de expiação e de provas, em que o mal predomina; mundos regeneradores, onde as almas que ainda têm o que expiar adquirem novas forças, repousando das fadigas da luta; mundos felizes, onde o bem supera o mal; mundos celestes ou divinos, morada dos espíritos purificados, onde o bem reina sem mistura. A Terra pertence à categoria dos mundos de expiações e de provas, e é por isso que nela o homem está exposto a tantas misérias.

ESFORÇOS DOS ESPÍRITOS ELEVADOS PARA IMPULSIONAR A ASCENSÃO NAS COMUNIDADES PLANETÁRIAS

Pela lei do progresso, os espíritos estão evoluindo incessantemente em termos intelectuais e morais com seus trabalhos dignos, ocupações e atividades nobres. Assim, promovem constantes melhorias nas condições de vida das famílias, instituições, sociedades, cidades e nações dos planetas. Com isso, ao mesmo tempo, estão progredindo e promovendo a elevação paulatina dos planetas na hierarquia dos mundos habitados de um sistema planetário.

O espírito André Luiz revela, no texto a seguir apresentado, os esforços que os espíritos muito bem classificados na hierarquia espiritual, por suas longas conquistas e grandes méritos, estão persistentemente fazendo para a melhoria da classificação dos planetas e a sua própria promoção para postos sempre mais elevados nas comunidades dos sistemas planetários e das galáxias:

> – Pertence Asclépios a comunidades redimidas do Plano dos Imortais, nas regiões mais elevadas da zona espiritual da Terra. Vive muito acima de nossas noções de forma, em condições inapreciáveis à nossa atual conceituação da vida.
>
> Asclépios relaciona-se entre abnegados mentores da Humanidade Terrestre, partilha da soberana elevação da coletividade a que pertence, mas, efetivamente, é ainda entidade do nosso Planeta, funcionando, embora, em círculos mais altos de vida.
>
> Compete-nos peregrinar muito tempo, no campo evolutivo, para lhe atingirmos as pegadas; no entanto, acreditamos que o nosso visitante sublime suspira por integrar-se no quadro de representantes do nosso orbe, junto às gloriosas comunidades que habitam, por exemplo, Júpiter e Saturno. Os componentes dessas, por sua vez, esperam, ansiosos, o instante de serem convocados às divinas assembleias que regem o nosso sistema solar. Entre essas últimas, estão os que aguardam, cuidadosos e vigilantes, o minuto em que serão chamados a colaborar com os que sustentam a constelação de Hércules, a cuja família pertencemos. Os que orientam nosso grupo de estrelas aspiram, naturalmente, a formar, um dia, na coroa de gênios celestiais que amparam a vida e dirigem-na, no sistema galático em que nos movimentamos. E sabe meu amigo, que a Via Láctea, viveiro e fonte de milhões de mundos, é somente um detalhe da Criação Divina, uma nesga do Universo?!...
>
> **Espírito André Luiz, no capítulo III – O sublime visitante, do livro *Obreiros da vida eterna*.**

Portanto, os espíritos, por mais evoluídos que já estejam em termos intelectuais e morais, continuam se esforçando e almejando a conquista de postos sempre mais elevados nas comunidades gloriosas, que chegam, inclusive, a dirigir os rumos dos sistemas solares e das galáxias do Universo. Assim, com seus esforços, vão se aproximando cada vez mais da perfeição espiritual e se tornando mensageiros e ministros de Deus, mas sempre com a incumbência de amparar e proteger os seus irmãos em evolução, que precisam melhorar as suas condições de vida em toda parte do Universo.

Esses espíritos elevados, já realizaram muitos trabalhos grandiosos e conquistaram notáveis qualidades, conhecimentos, experiências, habilidades e virtudes. Mas, mesmo assim, estão conscientes de que precisam continuar seus esforços incessantes para obter sempre maior elevação intelectual e moral, além de obter maiores méritos, para galgarem as maiores posições e melhores postos na hierarquia espiritual.

Então, esses espíritos superiores estão sempre à disposição para cumprirem missões evolutivas nos aglomerados populacionais, servindo de guias e mentores para o progresso em geral dos habitantes dos planetas dos sistemas solares.

Para esses espíritos já bastante elevados, Deus está acima de tudo, comandando a complexa, imensa e grandiosa obra da criação, com a participação dos Seus filhos angélicos e veneráveis que já estão bem próximos ou já atingiram a perfeição espiritual e que atuam como cocriadores, dirigentes e protetores dos espíritos em evolução, que precisam deixar para trás os círculos das matérias mais densas e caminharem para o topo da hierarquia verdadeira.

Desse modo, todas as comunidades dos espíritos pertencem a uma única família universal, com os seus membros tendo que se esforçar para o próprio aprimoramento incessante. Ao fazerem bom uso das faculdades excelsas, dedicarem-se aos trabalhos, ocupações e atividades nobres e conquistarem sempre maiores conhecimentos, capacidades e habilidades, estarão melhorando as suas condições de vida, expandindo e engrandecendo a obra de Deus.

ESPÍRITOS ANGÉLICOS QUE ASSISTEM E PROTEGEM OS HOMENS

Os seguintes ensinamentos dos espíritos São Luís e Santo Agostinho, contidos em *O Livro dos Espíritos*, revelam como os espíritos superiores ou angélicos não estão na ociosidade contemplativa. Eles prestam assistências, amparos, conselhos e proteções inestimáveis, por ordem de Deus, aos homens que estão evoluindo com as suas missões, provas e lutas do cotidiano:

> Há uma doutrina que deveria converter os mais incrédulos, por seu encanto e por sua doçura: a dos anjos da guarda. Pensar que tendes sempre ao vosso lado seres que vos são superiores, que estão sempre ali para vos aconselhar, vos sustentar, vos ajudar a escalar a montanha escarpada do bem, que são amigos mais firmes e mais devotados que as mais íntimas ligações que se possam contrair na Terra, não é essa uma ideia bastante consoladora?
>
> Esses seres ali estão por ordem de seu Deus, que os colocou ao vosso lado; ali estão por seu amor, e cumprem junto a vós todos uma bela, mas penosa missão. Sim, onde quer que estiverdes, vosso anjo estará convosco: nos cárceres, nos hospitais, nos antros do vício, na solidão, nada vos separa desse amigo que não podeis ver, mas do qual vossa alma recebe os mais doces impulsos e ouve os mais sábios conselhos.
>
> Ah!, por que não conheceis melhor esta verdade? Quantas vezes ela vos ajudaria nos momentos de crise; quantas vezes ela vos salvaria dos maus espíritos! Mas no dia decisivo este anjo de bondade terá muitas vezes de vos dizer: "Não te avisei disso? E não o fizeste! Não te mostrei o abismo? E nele te

precipitaste! Não fiz soar na tua consciência a voz da verdade, e não seguiste os conselhos da mentira?".

Ah!, interpelai vossos anjos da guarda, estabelecei entre vós e eles essa terna intimidade que reina entre os melhores amigos! Não penseis em lhes ocultar nada, pois eles são os olhos de Deus e não os podeis enganar! Considerai o futuro; procurai avançar nesta vida, e vossas provas serão mais curtas, vossas existências mais felizes. Vamos, homens, coragem! Afastai para longe de vós, de uma vez por todas, preconceitos e segundas intenções! Entrai na nova vida que se abre diante de vós, marchai, marchai! Tendes guias, segui-os: a meta não vos pode faltar porque essa meta é o próprio Deus.

Aos que pensassem que é impossível a espíritos verdadeiramente elevados se restringirem a uma tarefa tão laboriosa e de todos os instantes, diremos que influenciamos as vossas almas, embora estando a milhões de léguas de distância: para nós o espaço não existe, e mesmo vivendo em outro mundo nossos espíritos conservam sua ligação convosco. Gozamos de faculdades que não podeis compreender, mas estai certos de que Deus não vos impôs uma tarefa acima de vossas forças, nem vos abandonou sozinhos sobre a Terra, sem amigos e sem amparo.

Cada anjo da guarda tem o seu protegido e vela por ele como um pai vela pelo filho. Sente-se feliz quando o vê no bom caminho; chora quando os seus conselhos são desprezados.

Não temais fatigar-nos com as vossas perguntas; permanecei, pelo contrário, sempre em contato conosco; sereis então mais fortes e mais felizes.

São Luís, Santo Agostinho. *O Livro dos Espíritos*, questão 495.

As aglomerações de indivíduos, como as sociedades, as cidades, as nações têm os seus espíritos protetores especiais?

Sim, porque essas reuniões são de individualidades coletivas que marcham para um objetivo comum e têm necessidade de uma direção superior.

> Os espíritos protetores das massas são de natureza mais elevada que a dos que se ligam aos indivíduos?
> Tudo é relativo ao grau de adiantamento das massas como dos indivíduos.
>
> **Questões 519 e 520.**

Portanto, estamos sendo sempre influenciados, assistidos, amparados, aconselhados e protegidos pelos anjos da guarda para o cumprimento das nossas missões, provas e lutas evolutivas. Contamos sempre com as suas inspirações, intuições e orientações mentais, mesmo quando esses espíritos angélicos, denominados de anjos da guarda e espíritos protetores, estejam bem distantes, habitando as belas colônias das regiões paradisíacas das esferas espirituais muito elevadas.

Eles podem estar em toda parte, graças às suas faculdades e capacidades volitivas bem adestradas, para participarem de modo oculto da conquista dos progressos incessantes que surgem com os trabalhos, ocupações, lutas e atividades nobres. Assim, ajudam a todos os seus irmãos em evolução na realização das boas obras que melhoram as próprias condições de vida, conquistam a ascensão na hierarquia espiritual e elevam a classificação do planeta na escala dos mundos habitados de um sistema solar.

Esses espíritos angélicos atuam, inclusive, em benefício dos espíritos em evolução que ficaram retidos nas regiões do umbral, pelas transgressões sérias que cometeram às leis imutáveis do Criador. Assim, não deixam de acompanhar e atuar em benefício nem mesmo dos espíritos imperfeitos que habitam as áreas mais trevosas, conturbadas e cheias de dores e sofrimentos do umbral, alicerçando ali os princípios do amor, caridade e fraternidade, prática do bem e concretização das boas obras, para que eles se esforcem em iluminar as potências e forças mentais e íntimas, melhorando as condições do perispírito; fortaleçam a esperança num porvir melhor estabelecido por Deus; busquem a regeneração e uma nova oportunidade reencarnatória que favoreça a necessária conquista da nobreza intelectual, moral e espiritual.

Esses espíritos angélicos cuidam, até mesmo, do amparo e dos benefícios indispensáveis ao princípio inteligente, criado por Deus, simples e ignorante, mas perfectível, que está evoluindo sem cessar com as suas atividades e lutas árduas nos reinos da animalidade, para chegar à humanidade.

Esses seres ainda primitivos precisam dos trabalhos de acolhimento, encaminhamento e proteção dos espíritos mais evoluídos, para que consigam aprimorar, sem parar, as formas de manifestação das suas faculdades herdadas do Pai, dominar os instintos, expandir as capacidades intelectuais, dilatar a consciência e elaborar as potências da mente, do mundo íntimo e do perispírito, para que consigam atingir um estágio evolutivo sempre novo, até que entrem na humanidade, para seguir mais adiante, até a angelitude.

Esses espíritos superiores em inteligência e virtudes angélicas não encontram nenhum limite nas suas possibilidades e formas de atuação. Se indispensável, eles inclusive promovem a própria materialização, onde quer que se encontrem, servindo-se da absorção dos recursos fluídicos mais densos. Então, para agir, revestem o perispírito sutilíssimo e se tornam visíveis em quaisquer das regiões das esferas espirituais que estão abaixo da angelitude. Mas, sempre atuam em nome do amor, sabedoria, bondade, justiça e misericórdia de Deus, cumprindo os Seus desígnios para a Sua obra excelsa.

PALAVRAS FINAIS: TRIBUTO, HOMENAGEM E GRATIDÃO A CHICO XAVIER

───────⟨ • ♥ • ⟩───────

OS ESFORÇOS PARA A elaboração deste livro tiveram como objetivo principal a prestação de um tributo indispensável, homenagem merecida e preito de gratidão sincero ao médium Chico Xavier.

O seu trabalho mediúnico foi extremamente amplo, inusitado, notável e admirável. O conjunto dos livros psicografados favoreceu o entendimento mais dilatado dos princípios do espiritismo, estabelecidos nas obras de Allan Kardec, bem como ampliou a nossa visão sobre o Pai e Criador de todas as coisas.

Chico Xavier, com suas características pessoais nobres e marcantes e pela exteriorização da humildade, bondade e generosidade, conquistou a admiração e o respeito a nível internacional, mesmo dos adversários ferrenhos das crenças e práticas espíritas.

Chico Xavier foi um trabalhador incansável, o que lhe permitiu produzir as inestimáveis obras psicografadas e realizar valiosos feitos importantes na seara espírita, beneficiando incontáveis pessoas e servindo de exemplo para os homens que se dedicam aos objetivos progressistas e rumos pacíficos para as sociedades.

Chico Xavier, com suas maneiras gentis e agradáveis de conversar, falar, tratar e orientar as pessoas de todas as classes sociais constituiu imensos círculos de amizade, atividades e fraternidade, erradicando ao seu redor o amargor da solidão, isolamento ou depressão.

Chico Xavier serviu ao próximo com espontaneidade e pleno desinteresse material, exteriorizando o espírito de amor e caridade que caracteriza o digno e verdadeiro apóstolo de Jesus.

Chico Xavier colocou as suas faculdades mediúnicas de tal modo à disposição e serviço dos bons espíritos, que deixou um legado literário imenso e extraordinário, que serve de inspiração para as pessoas de bem que almejam engrandecer as suas próprias condições de vida, beneficiar o contexto em que atua com as suas boas obras e conquistar as bem-aventuranças na vida futura.

As inúmeras biografias de Chico Xavier registram sua nobreza espiritual e moral, suas realizações e seus méritos, nos estimulando a realizar este opaco tributo, reverenciar e externar gratidão ao cidadão brasileiro que, por colocar Deus acima de tudo, prestou suas valiosíssimas contribuições mediúnicas e realizou surpreendentes obras em favor dos semelhantes, servindo de bom exemplo e patrono para a humanidade.

BIBLIOGRAFIA

◄————⟨•♥•⟩————►

BACCELLI, Carlos A. *100 anos de Chico Xavier*. 4ª ed. Uberaba-MG, Livraria Espírita Edições "Pedro e Paulo", 2010.

GALVES, Nena. *Chico Xavier, luz em nossas vidas*. 1ª ed. São Paulo-SP, CEU, 2012.

KARDEC, Allan. *A Gênese – Os milagres e as predições segundo o espiritismo*. 12ª ed. São Paulo-SP, LAKE, 1977.

_____. *O Céu e o Inferno – A justiça divina segundo o espiritismo*. 2ª ed. São Paulo-SP, LAKE, 1977.

_____. *O Evangelho segundo o Espiritismo*. 1ª reimp. Capivari- SP, Editora EME, 1996.

_____. *O Livro dos Espíritos*. 1ª ed. Capivari- SP, Editora EME, 2001.

NOBRE, Marlene. *Chico Xavier, meus pedaços do espelho*. 2ª ed. São Paulo-SP, FE Editora Jornalística Ltda., 2015.

VIEIRA, Waldo & XAVIER, Francisco Cândido. André Luiz (espírito). *Evolução em dois mundos*. 11ª ed. Rio de Janeiro-RJ, FEB, 1989.

_____. *Mecanismos da mediunidade*. 11ª ed. Rio de Janeiro-RJ, FEB, 1990.

_____. *Sexo e destino*. 14ª ed. Rio de Janeiro-RJ, FEB, 1989.

XAVIER, Francisco Cândido. André Luiz (espírito). *Ação e reação.* 13ª ed. Rio de Janeiro-RJ, FEB, 1989.

_____. *E a vida continua.* 30ª ed. Rio de Janeiro-RJ, FEB, 1968.

_____. *Entre a Terra e o céu.* 2ª ed. Rio de Janeiro-RJ, FEB, 1959.

_____. *Libertação.* 14ª ed. Rio de Janeiro-RJ, FEB, 1990.

_____. *Missionários da luz.* 21ª ed. Rio de Janeiro-RJ, FEB, 1988.

_____. *No mundo maior.* 16ª ed. Rio de Janeiro-RJ, FEB, 1990.

_____. *Nos domínios da mediunidade.* 7ª ed. Rio de Janeiro-RJ, FEB, 1955.

_____. *Nosso Lar.* 37ª ed. Rio de Janeiro-RJ, FEB, 1989.

_____. *Obreiros da vida eterna.* 17ª ed. Rio de Janeiro-RJ, FEB, 1989.

_____. *Os mensageiros.* 22ª ed. Rio de Janeiro-RJ, FEB, 1988.

XAVIER, Francisco Cândido. Cláudia Pinheiro Galasse (espírito). *Escola no além.* 1ª ed. São Paulo-SP, IDEAL, 1988.

XAVIER, Francisco Cândido. Emmanuel (espírito). *A caminho da luz.* 15ª ed. Rio de Janeiro-RJ, FEB, 1987.

_____. *Emmanuel.* 27ª ed. Rio de Janeiro-RJ, FEB, 2008.

_____. *Justiça Divina.* 6ª ed. Rio de Janeiro-RJ, FEB. 1987.

_____. *O consolador.* 15ª ed. Rio de Janeiro-RJ, FEB. 1991.

_____. *Pensamento e vida.* 11ª ed. Rio de Janeiro-RJ, FEB, 2000.

_____. *Religião dos espíritos.* 7ª ed. Rio de Janeiro-RJ, FEB, 1988.

XAVIER, Francisco Cândido. Espíritos diversos. *Falando à Terra.* 4ª ed. Rio de Janeiro-RJ, FEB, 1983.

_____. *Instruções psicofônicas.* 5ª ed. Rio de Janeiro-RJ, FEB, 1988.

_____. *Parnaso de além-túmulo.* 19ª ed. Rio de Janeiro-RJ, FEB, 2010.

_____. *Vozes do grande além.* 3ª ed. Rio de Janeiro-RJ, FEB, 1982.

XAVIER, Francisco Cândido. Irmão Jacob (espírito). *Voltei*. 12ª ed. Rio de Janeiro-RJ, FEB, 1986.

XAVIER, Francisco Cândido. Maria João de Deus (espírito). *Cartas de uma morta*. 10ª ed. São Paulo-SP, LAKE, 1988.

VOCÊ PRECISA CONHECER

Chico Xavier- O homem, a obra e as repercussões
Antonio Cesar Perri de Carvalho
Biografia • 14x21 cm • 224pp.

Acompanhe momentos excepcionais, fatos históricos e repercussões relacionadas ao médium eleito em votação popular como "o maior brasileiro de todos os tempos" – Chico Xavier.

A vida numa colônia espiritual
João Duarte de Castro
Estudo • 14x21 • 192 pp.

Neste estudo do livro *Nosso Lar*, de Chico Xavier, o autor desvenda muitos atributos e curiosidades da vida nas colônias espirituais conforme autores desencarnados relatam em suas experiências após as fronteiras da morte física.

Correio do Além
Francisco Cândido Xavier (médium) • Emmanuel e espíritos diversos
Cartas psicografadas • 14x21 cm • 208pp.

Correio do Além traz depoimentos de espíritos que, ao se despojarem da veste física, se surpreendem mais vivos do que nunca e sentem a necessidade de expressar seu amor e contar suas experiências no verdadeiro domicílio – a vida espiritual – amenizando a saudade que ficou naqueles que permaneceram na Terra.

Não encontrando os livros da EME na livraria de sua preferência,
solicite o endereço de nosso distribuidor mais próximo de você através de
Fones: (19) 3491-7000 / 3491-5449
(claro) 9 9317-2800 (vivo) 9 9983-2575
E-mail: vendas@editoraeme.com.br – Site: www.editoraeme.com.br